DEUTSCHLANDS NEUE AUSSENPOLITIK
BAND 1: GRUNDLAGEN

SCHRIFTEN DES FORSCHUNGSINSTITUTS
DER DEUTSCHEN GESELLSCHAFT
FÜR AUSWÄRTIGE POLITIK E. V., BONN

Reihe: Internationale Politik und Wirtschaft
Band 59

Diese Studie wurde gefördert
durch die
Otto Wolff von Amerongen-Stiftung

Deutschlands neue Außenpolitik

Band 1: Grundlagen

Herausgegeben von

Karl Kaiser und Hanns W. Maull

unter Mitarbeit von
Gabriele Brenke

Autoren
Walter L. Bühl, Helga Haftendorn, Karl Kaiser,
Norbert Kloten, Ludger Kühnhardt, Hanns W. Maull,
Uwe Nerlich, Hans-Peter Schwarz, Michael Stürmer,
Christian Tomuschat

R. OLDENBOURG VERLAG MÜNCHEN 1994

Die Deutsche Gesellschaft für Auswärtige Politik hat nach ihrer Satzung die Aufgabe, die Probleme der internationalen, besonders der europäischen Politik, Sicherheit und Wirtschaft zu erörtern und ihre wissenschaftliche Untersuchung zu fördern, die Dokumentation über diese Forschungsfragen zu sammeln und das Verständnis für internationale Fragen durch Vorträge, Studiengruppen und Veröffentlichungen anzuregen und zu vertiefen. Sie unterhält zu diesem Zweck ein Forschungsinstitut, eine Dokumentationsstelle und die Zeitschrift »Europa-Archiv – Zeitschrift für internationale Politik«. Die Deutsche Gesellschaft für Auswärtige Politik bezieht als solche auf Grund ihrer Satzung keine eigene Stellung zu internationalen Problemen. Die in den Veröffentlichungen der Gesellschaft geäußerten Meinungen sind die der Autoren.

© 1994 R. OLDENBOURG VERLAG GMBH, MÜNCHEN

ISBN 3-486-56064-6
Gesamtherstellung: Richarz Publications-Service, Sankt Augustin

Die Deutsche Bibliothek – CIP-Einheitsaufnahme

Deutschlands neue Außenpolitik / hrsg. von Karl Kaiser und
Hanns W. Maull unter Mitarb. von Gabriele Brenke. –
München : Oldenbourg
NE: Kaiser, Karl [Hrsg.]

Bd. 1 Grundlagen / Autoren Walter L. Bühl ... – 1994
(Schriften des Forschungsinstituts der Deutschen Gesellschaft
für Auswärtige Politik e.V., Bonn : Reihe: Internationale Politik
und Wirtschaft ; Bd. 59)
ISBN 3-486-56064-6
NE: Bühl, Walter L.; Deutsche Gesellschaft für Auswärtige
Politik / Forschungsinstitut: Schriften des Forschungsinstituts
der Deutschen Gesellschaft für Auswärtige Politik e.V., Bonn /
Reihe: Internationale Politik und Wirtschaft

INHALT

ABKÜRZUNGSVERZEICHNIS

AKP-Staaten	–	Afrikanische, karibische und pazifische Staaten
APEC	–	Asia-Pacific Economic Cooperation Conference (Organisation für Asiatisch-Pazifische Wirtschaftskooperation)
APZ	–	Aus Politik und Zeitgeschichte, Beilage zur Wochenzeitung Das Parlament
ASEAN	–	Association of South-East Asian Nations (Verband Südostasiatischer Nationen)
AWACS	–	Airborne Warning and Control System (Fliegendes Frühwarn- und Überwachungssystem)
BIP	–	Bruttoinlandsprodukt
BIZ	–	Bank für Internationalen Zahlungsausgleich
BPP	–	Bulletin of Peace Proposals
BSP	–	Bruttosozialprodukt
CDU	–	Christlich-Demokratische Union
CIA	–	Central Intelligence Agency (Geheimdienst der USA)
CoCom	–	Coordinating Committee on Multilateral Export Controls
COMECON	–	Council for Mutual Economic Assistance (Rat für Gegenseitige Wirtschaftshilfe)
CSIS	–	Center for Strategic and International Studies
CSU	–	Christlich-Soziale Union
DDR	–	Deutsche Demokratische Republik
EA	–	Europa-Archiv, Bonn
EC	–	European Community
ECOWAS	–	Economic Community of West-African States (Wirtschaftsgemeinschaft Westafrikanischer Staaten)
ECU	–	European Currency Unit (Europäische Währungseinheit)
EDU	–	European Defence Union
EEA	–	Einheitliche Europäische Akte
EFTA	–	European Free Trade Association (Europäische Freihandelsassoziation)
EFWZ	–	Europäischer Fonds für währungspolitische Zusammenarbeit
EG	–	Europäische Gemeinschaft(en)
EGKS	–	Europäische Gemeinschaft für Kohle und Stahl
EPU	–	Europäische Politische Union
EPZ	–	Europäische Politische Zusammenarbeit
ER	–	Europäischer Rat
ESO	–	European Security Organization
EU	–	Europäische Union
EURATOM	–	Europäische Atomgemeinschaft
EWG	–	Europäische Wirtschaftsgemeinschaft
EWS	–	Europäisches Währungssystem
EWR	–	Europäischer Wirtschaftsraum
EZU	–	Europäische Zahlungsunion
FA	–	Foreign Affairs, New York
FAZ	–	Frankfurter Allgemeine Zeitung, Frankfurt
FDP	–	Freie Demokratische Partei
FFWA	–	The Fletcher Forum of World Affairs
FP	–	Foreign Policy, Washington D.C.
G–7	–	Gruppe der sieben größten Industrienationen
GARIOA	–	Government and Relief in Occupied Areas

GASP	–	Gemeinsame Außen- und Sicherheitspolitik
GATT	–	General Agreement on Tariffs and Trade (Allgemeines Zoll- und Handelsabkommen)
GRIP	–	Gemeinsame Rechts- und Innenpolitik
GUS	–	Gemeinschaft Unabhängiger Staaten
GV	–	Generalversammlung der Vereinten Nationen
IA	–	International Affairs, London
ICAO	–	International Civil Aviation Organization (Internationale Zivilluftfahrtorganisation)
ICJ	–	International Court of Justice (Internationaler Gerichtshof)
IGH	–	Internationaler Gerichtshof
IMO	–	International Maritime Organization (Internationale Seeschiffahrtsorganisation)
INF	–	Intermediate-Range Nuclear Forces (Atomare Mittelstreckenraketen)
IO	–	International Organization
IPU	–	International Postage Union (Internationaler Postverein)
ISQ	–	International Studies Quarterly
ITU	–	International Telecommunication Union (Internationaler Fernmeldeverein)
IWF	–	Internationaler Währungsfonds
JIA	–	Journal of International Affairs
KSE	–	Konventionelle Streitkräfte in Europa
KSZE	–	Konferenz über Sicherheit und Zusammenarbeit in Europa
NAFTA	–	North American Free Trade Agreement (Nordamerikanisches Freihandelsabkommen)
NAKR	–	NATO-Kooperationsrat
NATO	–	North Atlantic Treaty Organization (Nordatlantikpakt)
NICs	–	Newly Industrialized Countries
NPT	–	Non-Proliferation Treaty (Vertrag über die Nichtverbreitung von Kernwaffen)
NWICO	–	New World Information and Communication Order
OAU	–	Organization of African Unity (Organisation der Afrikanischen Einheit)
OECD	–	Organization for Economic Cooperation and Development (Organisation für wirtschaftliche Zusammenarbeit und Entwicklung)
OEEC	–	Organization for European Economic Cooperation (Organisation für wirtschaftliche Zusammenarbeit in Europa)
P–5-Staaten	–	Gruppe der fünf Ständigen Mitglieder des Sicherheitsrats der Vereinten Nationen
PE	–	Politique Étrangère, Paris
PFP	–	Partnership for Peace (Partnerschaft für den Frieden)
PVS	–	Politische Vierteljahresschrift, Opladen
RGW	–	Rat für Gegenseitige Wirtschaftshilfe
RIS	–	Review of International Studies
SAIS	–	School of Advanced International Studies
SEATO	–	South-East Asian Treaty Organization (Südostasien-Pakt)
SED	–	Sozialistische Einheitspartei Deutschlands
SHAPE	–	Supreme Headquarters of the Allied Powers in Europe (Oberstes Hauptquartier der Alliierten Streitkäfte in Europa)
SPD	–	Sozialdemokratische Partei Deutschlands
SR	–	Sicherheitsrat der Vereinten Nationen
STI Review	–	Science Technology Industry Review (OECD)
UdSSR	–	Union der Sozialistischen Sowjetrepubliken
UK	–	United Kingdom (Vereinigtes Königreich)
UN	–	United Nations (Vereinte Nationen)
UNCTAD	–	United Nations Conference on Trade and Development (UN-Konferenz für Handel und Entwicklung)

UNO	–	United Nations Organization
USA	–	United States of America
VN	–	Vereinte Nationen
WEU	–	Westeuropäische Union
WP	–	Warschauer Pakt
WPJ	–	World Policy Journal
WQ	–	The Washington Quarterly
WTO	–	World Trade Organisation (Welthandelsorganisation)
WWU	–	Wirtschafts- und Währungsunion

EINLEITUNG: DIE SUCHE NACH KONTINUITÄT IN EINER WELT DES WANDELS

Karl Kaiser und Hanns W. Maull

Während und nach dem Vollzug der deutschen Vereinigung bildete die Beschwörung der außenpolitischen Kontinuität das Leitmotiv der bundesdeutschen Diplomatie. Diese Betonung der Kontinuität zwischen der alten Bonner Außenpolitik und jener, die nun demnächst in Berlin angesiedelt und von dort aus betrieben werden soll, nahm nicht selten geradezu beschwörenden Charakter an. Das war verständlich – galt es doch, in den Klippen und Stromschnellen des Vereinigungsprozesses nach außen wie nach innen Berechenbarkeit, Verläßlichkeit und Beständigkeit zu demonstrieren und in den neuen Fahrwassern der internationalen Politik nach 1990 mit all ihren Untiefen und tückischen Strömungen anderen wie sich selbst Zuversicht einzuflößen. Gerade in diesen neuen, noch unausgeloteten Gewässern ohne klare Orientierungen und Landmarken mußte das Festhalten am bewährten Kurs in der Tat berechtigter erscheinen als die Festlegung auf neue Ziele. Und schließlich spricht nach wie vor vieles dafür, daß das Festhalten im wesentlichen an den vertrauten und bewährten Maximen der deutschen Außenpolitik auch unter den so drastisch anderen Rahmenbedingungen dieser Außenpolitik nach 1989 nicht nur verständlich, sondern auch klug und richtig ist.

Dennoch mag diese Orientierung der deutschen Diplomatie an Bewährtem und Vertrautem auch Zweifel wecken. Es ist in der Tat eine Position nicht ohne Paradoxien: Kann das Festhalten an Altem wirklich richtig sein, wenn doch Deutschland selbst wie auch die Welt um es herum sich nach 1989 in vieler Hinsicht und grundlegend verändert haben? Und: Wie erfolgreich kann dieses Beharren auf Kontinuität angesichts der doppelt neuen Voraussetzungen eines vereinten Deutschlands in einem völlig gewandelten Europa sein? Wird nicht das Gewicht der neuen Wirklichkeiten Modifikationen der deutschen Außenpolitik bis in ihre Grundlinien hinein erzwingen? Stellen sich mit der veränderten Position Deutschlands in Europa und der Welt sowie mit den neuen Gegebenheiten der internationalen Politik nicht auch Aufgaben und Gestaltungsanforderungen, um die das alte Bonn sich nicht zu kümmern brauchte? Schließlich: Kann man unter den neuen Voraussetzungen tatsächlich davon ausgehen, daß die alte Orientierung der bundesdeutschen Außenpolitik die beste aller möglichen Strategien für Deutschland darstellt?

Diese Fragen lassen sich nicht einfach beiseite schieben: Sie wollen beantwortet werden. Zusammen deuten sie auf dringlichen Diskussions- und Rechtfertigungsbedarf der neuen deutschen Außenpolitik: Sie muß sich einer umfassenden Bestandsaufnahme unterziehen. Nur wenn es gelingt, für die alten Leitlinien der Außenpolitik unter den veränderten Gegebenheiten innenpolitische Zustimmung und Unterstützung zu erfahren, können diese Bestand haben. Dazu bedarf es der öffentlichen Reflexion und einer breiten gesellschaftlichen Diskussion um die Zukunft der deutschen Außenpolitik, die bislang erst in Ansätzen und verengt auf wenige Fragen (wie die der Beteiligung der Bundeswehr an UN-Einsätzen oder der Pros und Kontras einer Europäischen Währungsunion) geführt wird.

Diese Überlegungen bestimmten uns, die Zukunft der deutschen Außenpolitik zu einem Schwerpunktthema innerhalb der Aktivitäten des Forschungsinstituts der Deutschen Gesellschaft für Auswärtige Politik (DGAP) wie der Gesellschaft selbst zu machen. Die DGAP will entsprechend ihrem Selbstverständnis versuchen, für diese notwendige Diskussion einen prominenten Rahmen bereitzustellen und sie mit eigenen Beiträgen voranzubringen. Sie führt damit eine Tradition fort, die auf ein ähnliches Projekt zu Anfang der siebziger Jahre zurückgeht, als unter der Gesamtleitung von Karl *Carstens* aus Arbeitsgruppen unter dem Vorsitz von Richard *Löwenthal* und Ulrich *Scheuner* drei Bände zu den außenpolitischen Perspektiven des westdeutschen Staates hervorgingen.[1]

Die DGAP hat immer wieder mit Publikationen neue Themen in die außenpolitische Diskussion eingeführt oder vorstrukturiert. In den fünfziger und sechziger Jahren galt diese Arbeit vor allem Themen der Rüstungskontrolle und Strategie, die nach Jahren der Isolierung vom internationalen Geschehen für die öffentliche Diskussion in Deutschland völlig neu waren. Später setzte sich die Praxis durch, Arbeits- und Projektgruppen zu neuen Themen der Außenpolitik innerhalb der DGAP einzurichten, deren Ergebnisse publiziert wurden, z.B. über die Probleme einer UN-Mitgliedschaft für die Bundesrepublik.[2] Eine sehr wichtige Studie über die Problematik einer Anerkennung der DDR[3] wurde nie publiziert, sondern in einer Studiengruppe der DGAP eingehend erörtert.

Ein Aufbruch zu neuen Ufern war auch die öffentliche Diskussion über außenpolitische Modelle mit dem französischen Schwesterinstitut.[4] Größere Bedeutung hatten Arbeiten über westeuropäische Verteidigungskooperation,[5] internationale Dimensionen der Kernenergie,[6] neue Probleme der Sicherheitspolitik,[7] Umweltschutz

---

1 Vgl. Ulrich *Scheuner* (Hrsg.), Außenpolitische Perspektiven des westdeutschen Staates. Das Ende des Provisoriums, Band 1 (Schriften des Forschungsinstituts der DGAP), München/Wien 1971 und *ders.*, Außenpolitische Perspektiven des westdeutschen Staates. Das Vordringen neuer Kräfte, Band 2 (Schriften des Forschungsinstituts der DGAP), München/Wien 1972 sowie Richard *Löwenthal* (Hrsg.), Außenpolitische Perspektiven des westdeutschen Staates. Der Zwang zur Partnerschaft, Band 3 (Schriften des Forschungsinstituts der DGAP), München/Wien 1972.

2 Ulrich *Scheuner* und Beate *Lindemann* (Hrsg.), Die Vereinten Nationen und die Mitarbeit der Bundesrepublik Deutschland, (Schriften des Forschungsinstituts der DGAP, Band 32) München/Wien 1973.

3 Die Autoren waren: Jochen A. *Frowein*, Dieter *Haack*, Wilhelm *Kewenig*, Eberhard *Schulz*, Wolfgang *Wagner*.

4 Vgl. Karl *Kaiser*, Wilhelm *Kewenig*, Ulrich *Scheuner*, Eberhard *Schulz*, Wolfgang *Wagner*, Alternativen für Europa. Modelle möglicher Entwicklungen in den siebziger Jahren, in: *EA*, 23/1968, S. 851-864.

5 Vgl. Karl *Carstens* und Dieter *Mahncke* (Hrsg.), Westeuropäische Verteidigungskooperation (Schriften des Forschungsinstituts der DGAP, Band 31), München/Wien 1972.

6 Vgl. Karl *Kaiser* und Beate *Lindemann* (Hrsg.), Kernenergie und internationale Politik (Schriften des Forschungsinstituts der DGAP, Band 37), München/Wien 1975.

7 Vgl. z.B. Wolfgang *Hager*, Westeuropas wirtschaftliche Sicherheit (Arbeitspapier zur Internationalen Politik, Nr. 6), Bonn 1976; Karl *Kaiser* und Markus *Kreis* (Hrsg.), Sicherheitspolitik vor neuen Aufgaben (Schriften des Forschungsinstituts der DGAP, Band 13), Bonn 1977; Hanns W. *Maull*, Strategische Rohstoffe. Risiken für die wirtschaftliche Sicherheit des Westens (Schriften des Forschungsinstituts der DGAP, Band 53), München/Wien 1978.

als Problem der internationalen Politik,[8] regionale Verflechtungen,[9] die Gastarbeiter-problematik,[10] westliche Sicherheitspolitik,[11] Weltraumpolitik[12] und Beobachtungssa-telliten.[13]

Die Vorbereitungen für das vorliegende Forschungsprojekt zu Bestandsaufnahme und Zukunftsperspektiven der deutschen Außenpolitik begannen im Herbst 1991. Im Rahmen des Projekts sollen autoritative Analysen in Form von Büchern und anderen Publikationsformen vorgelegt werden, die die gegenwärtige Position der deutschen Außenpolitik in der gewandelten Landschaft der internationalen Beziehungen nach dem Ende des Kalten Krieges verorten, Entwicklungstendenzen aufzeigen und daraus abzuleitende Handlungsanforderungen und politische Optionen erarbeiten.[14] Ermöglicht wurde dies durch die großzügige Unterstützung unseres Vorhabens durch die Otto Wolff von Amerongen-Stiftung.

Der vorliegende Band bildet den Auftakt einer auf mehrere Bände angelegten, umfassenden Bestandsaufnahme zur neuen deutschen Außenpolitik. Die Beiträge untersuchen aus unterschiedlichen Perspektiven und mit unterschiedlichen inhaltlichen Schwerpunktsetzungen die Ausgangsposition dieser neuen Außenpolitik nach der Vereinigung und versuchen damit auch, die Grundlagen zu definieren, von denen die deutsche Diplomatie in Zukunft auszugehen hat. Es ist uns dabei gelungen, für alle

---

8 Vgl. Karl *Kaiser*, Die Umweltkrise und die Zukunft der internationalen Politik, in: *EA*, 24/1970, S. 877-890; Josef *Füllenbach*, Umweltschutz zwischen Ost und West. Umweltpolitik in Osteuropa und gesamteuropäische Zusammenarbeit, (Schriften des Forschungsinstituts der DGAP), Bonn 1977 (auch auf Englisch); Harald H. *Bungarten*, Umweltpolitik in Westeuropa. EG, internationale Organisationen und nationale Umweltpolitiken, (Schriften des Forschungsinstituts der DGAP), Bonn 1978.

9 Regionale Verflechtung der Bundesrepublik Deutschland. Empirische Analysen und theoretische Probleme, (Schriften des Forschungsinstituts der DGAP, Band 33), München/Wien 1973.

10 Reinhard *Lohrmann* und Klaus *Manfrass* (Hrsg.), Ausländerbeschäftigung und internationale Politik. Zur Analyse transnationaler Sozialprozesse, (Schriften des Forschungsinstituts der DGAP, Band 35), München/Wien 1974.

11 Vgl. Karl *Kaiser*, Winston *Lord*, Thierry *de Montbrial* und David *Watt*, Die Sicherheit des Westens. Neue Dimensionen und Aufgaben, Bonn 1981 (zugleich auf Englisch und Französisch).

12 Vgl. Karl *Kaiser* und Stefan Frhr. *von Welck* (Hrsg.), Weltraum und internationale Politik, (Schriften des Forschungsinstituts der DGAP, Band 54), München/Wien 1987; Deutsche Weltraumpolitik an der Jahrhundertschwelle. Analysen und Vorschläge für die Zukunft. Bericht einer Expertengruppe (Forschungsinstitut der DGAP), Bonn 1986; James *Eberle* et al., Europas Zukunft im Weltraum. Ein gemeinsamer Bericht europäischer Institute, Bonn 1988 (zugleich auf Englisch, Französisch, Italienisch und Holländisch).

13 Beobachtungssatelliten für Europa. Bericht einer Expertengruppe (Forschungsinstitut der DGAP), Bonn 1990.

14 Vgl. Karl *Kaiser* und Hanns W. *Maull* (Hrsg.), Die Zukunft der deutschen Außenpolitik, (Arbeitspapier zur Internationalen Politik, Nr. 72), Bonn 1993; Karl *Kaiser* und Hanns W. *Maull* (Hrsg.), Die Zukunft der europäischen Integration: Folgerungen für die deutsche Politik, (Arbeitspapier zur Internationalen Politik, Nr. 78), Bonn 1993; Karl *Kaiser* und Hanns W. *Maull* (Hrsg.), Deutschlands neue Außenpolitik, Band 1 Grundlagen, München 1994; Karl *Kaiser* und Hanns W. *Maull* (Hrsg.), Deutschlands neue Außenpolitik, Band 2 Herausforderungen, München 1995 (in Vorbereitung); Karl *Kaiser*, Ein berechtigtes Ziel der neuen deutschen Außenpolitik, in: *EA*, 19/1993, S. 541-552; Wolfgang *Wagner*, Wer braucht wen: Die UN die Deutschen? Die Deutschen dieses Privileg?, in: *ebd.*, S. 533-540; vgl. auch Hanns W. *Maull*, Zivilmacht Bundesrepublik Deutschland. Vierzehn Thesen für eine neue deutsche Außenpolitik, in: *EA*, 10/1992, S. 269-278.

der ausgewählten Themen dieses ersten Bandes hervorragende Sachkenner zu gewinnen und damit ein Optimum an Kompetenz, Urteilsfähigkeit und Meinungsvielfalt zusammenzuführen.

Es wäre vermessen, die Ergebnisse der vorgelegten Beiträge im einzelnen zusammenfassen zu wollen. Es ging und geht in diesem Projekt nicht darum, Konsens herzustellen, sondern Fragen aufzuwerfen und erste Antworten zu suchen, die notwendigerweise durchaus auch widersprüchlich ausfallen können. Dennoch ergibt sich aus den Beiträgen dieses Bandes ein klareres Bild über die Ausgangsposition wie über die Perspektiven der neuen deutschen Außenpolitik nach der Vereinigung.

Wenn es eine Grunderkenntnis gibt, die sich in mannigfachen Abwandlungen und Zusammenhängen wie ein roter Faden durch den gesamten Band zieht, dann ist es diese: *Deutschlands neue Außenpolitik kann, wenn sie deutschen Interessen dienen will, nur aus der Realität der mannigfachen regionalen und globalen Verflechtungen heraus betrieben werden, die die deutsche Gesellschaft, Wirtschaft und Politik mit der Außenwelt vernetzt und Bindungen schafft, die Partnerschaft mit anderen zur Voraussetzung erfolgreicher deutscher Außenpolitik macht.*

Deutsche Außenpolitik wird sich in Zukunft in einem komplexen Spannungsfeld widersprüchlicher Kräfte orientieren müssen, das sich vielleicht am besten anhand einer Reihe von gegensätzlichen Begriffspaaren beschreiben läßt. Diese gegensätzlichen Begriffe schließen sich freilich keineswegs aus, ergänzen sich vielmehr im Sinne einer Polarität: Die Staatskunst der zukünftigen deutschen Außenpolitik wird deshalb in der Regel darin zu bestehen haben, sich innerhalb der jeweiligen Spannungslinien so zu verorten, daß ein ausgewogenes Mischungsverhältnis zwischen den beiden vorgegebenen Polen erreicht und eingehalten werden kann.

Die ersten vier Begriffspaare kreisen um die Grundlagen der neuen deutschen Außenpolitik:

Kontinuität und Wandel. Die Vereinigung Deutschlands war, wie Karl *Kaiser* betont, keine »Wieder«-Vereinigung. In bewußtem Bruch mit Kontinuitäten der deutschen Geschichte vor 1945, aber auch in ebenso bewußter Anknüpfung an die Erfahrungen und Lösungsmodelle der alten Bundesrepublik entstand ein »anderes Deutschland«.[15] Doch dieses andere Deutschland bestand darauf, dieselbe Bundesrepublik zu sein und zu bleiben: Es wurde eingangs bereits darauf hingewiesen, in welchem Maße die deutsche Diplomatie nach 1989 das Leitmotiv der Kontinuität mit der alten Bundesrepublik betonte. Doch der noch längst nicht abgeschlossene Vollzug der Einheit mit seinen Verwerfungen entwickelte seine eigene politische Dynamik, verengte wirtschaftliche und finanzpolitische Spielräume und erzwang Veränderungen der außenpolitischen Interessendefinition und der außenpolitischen Agenda. Hinzu kamen die schwerwiegenden strukturellen Probleme der deutschen Wirtschaft, die mit der Vereinigung nichts zu tun hatten, deren Anpassungsanforderungen sich jedoch gleichzeitig und in ähnlichem Sinne der grundlegenden Strukturreformen gebieterisch zu Wort meldeten. Kann die Innenseite der deutschen Außenpolitik also

---

15 Karl *Kaiser*, Das vereinigte Deutschland in der internationalen Politik, S. 1-14; hier S. 2.

tatsächlich weiterhin unter der Flagge der Kontinuität segeln? Bedingen die neuen Rahmenbedingungen im Inneren nicht auch einen Wandel der Außenpolitik? Wie lassen sich alte und neue Elemente in ein tragfähiges Gleichgewicht bringen? Wird also schon die Innenseite der neuen deutschen Außenpolitik, z.B. bei der wirtschaftlichen Grundlage oder den außenpolitischen Grundeinstellungen in Ost- und Westdeutschland, zwangsläufig mehr Elemente des Wandels zu integrieren haben, als dies 1990 notwendig erschien, so gilt dies noch mehr für zwei Aspekte der äußeren Rahmenbedingungen. Der erste betrifft die Realitäten der neuen internationalen Politik. Wie fast alle Beiträge explizit oder implizit klarmachen, haben die Kräfte des Wandels die Elemente der Kontinuität in den internationalen Beziehungen verdrängt und in den Hintergrund geschoben. »(D)ie Ablösung der europäischen Nachkriegsstrukturen (wird) die Bedingungen deutscher Außenpolitik grundlegend verändern,«[16] argumentiert etwa Helga *Haftendorn*. Liegt diese Realität nicht quer zum Anspruch einer primär kontinuitätsbestimmten Außenpolitik? Können die alten Lösungsmodelle wirklich auch mit den neuen Problemen umgehen bzw. lassen sie sich hinreichend leicht modifizieren? Oder wird dieses völlig veränderte Umfeld der deutschen Außenpolitik nicht auch starke Impulse des Wandels nach sich ziehen? Dies gilt nicht nur im Hinblick auf die Notwendigkeit des Handelns im Verbund mit anderen, wie es fast alle Autoren betonen, sondern auch im Hinblick auf den Bedarf an neuen Lösungen bei den drängenden globalen Fragen der Zukunft wie Migration, Verbreitung von Massenvernichtungswaffen oder Umweltzerstörung.

Der zweite Aspekt des internationalen Umfeldes der deutschen Außenpolitik, in dem eher Wandel als Kontinuität zu dominieren scheint, betrifft die Wahrnehmung Deutschlands im Ausland. Eher zur Überraschung, ja zur Irritation der deutschen Diplomatie und Öffentlichkeit geriet das Deutschlandbild unserer Nachbarn und Partner durch die Vereinigung ins Rutschen, verschwammen die alten Konturen. Das vereinte Deutschland wurde in einem Maße anders, neu wahrgenommen, das in Deutschland selbst nicht immer nachvollziehbar erschien. Diese Wahrnehmung Deutschlands im Ausland – als eine mächtigere und einflußreichere, aber vielleicht auch unberechenbarere Größe – mag nicht selten an den Realitäten vorbeigehen, sie ist jedoch selbst gewichtige Realität im äußeren Zusammenhang der zukünftigen deutschen Außenpolitik. Der Versuch, dieser Realität Rechnung zu tragen und sie behutsam im Sinne eines ausgewogenen Mischungsverhältnisses von Wandel und Kontinuität zu beeinflussen, wird diese Außenpolitik intensiv zu beschäftigen haben.

Souveränität und Verflechtung. Mit dem äußeren Vollzug der Vereinigung erlangte die Bundesrepublik ihre volle Souveränität zurück, um sie sogleich freiwillig in umfangreichem Maße einzuschränken. So sehr Souveränität heute in der Praxis in mehr oder weniger hohem Maße ausgehöhlt und durch intensive Interdependenzen

---

16 Helga *Haftendorn*, Gulliver in der Mitte Europas. Internationale Verflechtung und nationale Handlungs-möglichkeiten, S. 129-152.

überlagert wird, ist sie dennoch kein »Anachronismus«.[17] Sie hat vielmehr neben ihrer nach wie vor zentralen Stellung im Staats- und Völkerrecht auch in ihrer politischen Realität große Bedeutung in doppelter Hinsicht: Als Voraussetzung zur Bestimmung der gesamtgesellschaftlichen Identität wie zur Realisierung außenpolitischer Kooperation. Sicherlich: Die Realitäten mannigfacher Verflechtungen, die insbesondere in den Beiträgen von Norbert *Kloten* und Walter L. *Bühl* thematisiert, aber auch in vielen anderen betont werden, bedeuten, daß außenpolitische Handlungsnotwendigkeiten nicht nur anderswo entstehen, sondern daß auch Problemlösungen und Einwirkungsmöglichkeiten sich rein nationaler Außenpolitik weitgehend entziehen. Am deutlichsten sind diese Zusammenhänge natürlich in den internationalen Wirtschaftsbeziehungen, von denen Norbert *Kloten* zu Recht sagt: »Die Weltwirtschaft ist schon lange nicht mehr Substrat des Handelns weitgehend autonomer Volkswirtschaften; sie wurde in den letzten Jahrzehnten zu einem eigenen motorischen Zentrum der wirtschaftlichen Entwicklung...«.[18]

Erst im Zusammenhang mit anderen Akteuren besteht in aller Regel die Chance wirksamer Gestaltung – und dies gilt selbst für die mächtigsten Staaten. Die Konsequenzen dieser Entwicklungen reichen inzwischen weit in das Völkerrecht hinein, das das Konzept der Souveränität entwickelte und prägte, wie Christian *Tomuschat* in seinem Beitrag verdeutlicht. Sie verändern jedoch auch die Qualität der Politik insgesamt, indem sie die traditionellen Unterscheidungen zwischen Innen- und Außenpolitik verwischen: »Wenn Sachzwänge der internationalen Interdependenz auf die Übertragung von Aufgaben auf internationale Organisationen hindrängen, so stellen sich ganz ähnliche Fragen, wie sie auch im Rahmen einer nationalen Verfassungsordnung beantwortet werden müssen«.[19]

Der Soll-Seite der Realität internationaler Verflechtungen – dem Verlust an Handlungsautonomie und unilateralen Handlungsspielräumen – stehen also auf der Haben-Seite die größeren Reichweiten und Gestaltungsspielräume gegenüber, die kooperatives Handeln dann mit sich bringt, wenn es wirksam organisiert ist. Beispiele hierfür wären etwa die Mitgliedschaft im Sicherheitsrat der Vereinten Nationen (als dekleriertes Ziel deutscher Außenpolitik) oder in der Gruppe der sieben größten Industrienationen (G-7), Realität seit Beginn der Weltwirtschafts-Gipfeltreffen. Doch besteht eine der entscheidenden Voraussetzungen wirksamer internationaler Kooperation eben in der Bereitstellung entsprechender Mittel und Leistungen durch die einzelnen Mitglieder des Kooperationsverbundes – und dies können in der Regel nur Staaten, nur Regierungen leisten. Souveränität in diesem Sinne – als die Fähigkeit, Gesellschaften effektiv in internationale Kooperationszusammenhänge einzubinden – ist also unverzichtbare Voraussetzung für leistungsfähige internationale Kooperation.

---

17 Ernst-Otto *Czempiel*, Die neue Souveränität – ein Anachronismus?, in: Hans-Hermann *Hartwich* (Hrsg.), Souveränität, Integration, Interdependenz. Staatliches Handeln in der Außen- und Europapolitik, Opladen 1993, S. 145-158.

18 Norbert *Kloten*, Die Bundesrepublik als Weltwirtschaftsmacht, S. 63-80; hier S. 68.

19 Christian *Tomuschat*, Die internationale Staatenwelt an der Schwelle des dritten Jahrtausends, S. 15-37; hier S. 18.

Aber nicht nur in diesem Sinne ist Souveränität eben keineswegs anachronistisch: Sie ist zugleich auch der Rahmen für die Sicherung gesellschaftlicher Identität. Identität impliziert als Bewahrung und Entwicklung des eigenen stets auch Abgrenzung gegen den anderen; und ohne Identität, ohne die Fähigkeit, sich zu entziehen, wird Kooperation zu einem einseitigen Herrschaftsverhältnis. Souveränität in diesem Sinne und die damit verbundenen Elemente von Autonomie sind also unverzichtbare Voraussetzungen für tragfähige Kooperation. Diese wiederum bietet – und hier besteht Übereinstimmung zwischen allen Autoren – die einzige Chance zur angemessenen Bewältigung der Realität der Verflechtungen. Dennoch kehren mit der neuen Bedeutung der Souveränität auch alte »Dilemmas« der deutschen Außenpolitik in neuem Gewande wieder, wie insbesondere Hans-Peter *Schwarz* deutlich macht.[20]

Macht und Verwundbarkeit. Dem soeben diskutierten Begriffspaar eng verwandt ist der Gegensatz zwischen Macht und Verwundbarkeit. Ob mit der Vereinigung tatsächlich ein substantieller Machtzuwachs der Bundesrepublik einhergeht, sei dahingestellt; die Beiträge von Walter L. *Bühl* und Norbert *Kloten*, die diese Frage am intensivsten behandeln, lassen daran eher Zweifel aufkommen.[21] In jedem Falle wäre ein etwaiger Machtgewinn des vereinten Deutschlands weniger die Folge eines Zuwachses an Machtressourcen im Zuge der Vereinigung selbst, als vielmehr das Ergebnis des Zerfalls der Sowjetmacht und der Beendigung des Ost-West-Konflikts. Unbestreitbar ist allerdings die verbreitete Wahrnehmung eines Machtzuwachses der Bundesrepublik, und diese Wahrnehmung ist natürlich auch eine außenpolitische Realität.

Die Zerfallsprozesse im Osten Europas haben zwar alte sicherheitspolitische Bedrohungen der Bundesrepublik schwinden lassen, sie sind jedoch zunehmend auch als Ursachen neuer Risiken und Verwundbarkeiten erkennbar. Dazu zählen etwa die möglichen Auswirkungen von Massenmigration, neue »Havarien« in Kernkraftwerken sowjetischer Bauart oder die Unwägbarkeiten der Proliferation von Massenvernichtungswaffen aus dem Territorium der ehemaligen Sowjetunion. Diese Risiken kann die Bundesrepublik allein nicht wirksam eindämmen: Nach wie vor beruht die Macht der Bundesrepublik vor allem auf ihrer Unentbehrlichkeit in funktionaler Interdependenz.[22] Doch hat sich ihr Gewicht innerhalb dieser Zusammenhänge nicht möglicherweise verändert? Das neue Verhältnis von Macht und Verwundbarkeit in der deutschen Außenpolitik erscheint noch keinesfalls geklärt, es wird der ständigen Verarbeitung bedürfen.

Handlungsanforderungen und Handlungsfähigkeit. Es wurde bereits oben auf die neuen Risiken und Gefährdungen hingewiesen, die sich im Gefolge der Umwälzungen in der internationalen Politik immer drängender und erschreckender herausschälen. Diese Einschätzung zieht sich durch die meisten Beiträge – oft mit skeptischem

---

20 Vgl. Hans-Peter *Schwarz*, Das deutsche Dilemma, S. 81-97.
21 Vgl. hierzu auch Hanns W. *Maull*, Großmacht Deutschland? Anmerkungen und Thesen, in: *Kaiser/Maull* (Hrsg.), Die Zukunft der deutschen Außenpolitik, a.a.O. (Anm. 14), S. 53-72.
22 Vgl. Walter *Bühl*, Gesellschaftliche Grundlagen der deutschen Außenpolitik, S. 175-201; hier S. 177.

Unterton, wie etwa in Michael *Stürmers* Warnung: »(D)as Zeitalter der Machbarkeit ist vorerst zu Ende«.[23] Daß der deutschen Außenpolitik die eigentlichen Bewährungsproben erst noch bevorstehen dürften, läßt sich fast als Konsens aller Autoren festhalten. Doch kann und wird die deutsche Diplomatie diesen Herausforderungen gerecht werden können? Diese Frage zielt in ihren Implikationen sowohl auf die innenpolitischen Voraussetzungen der zukünftigen deutschen Außenpolitik als auch auf die äußeren Rahmenbedingungen. Innenpolitisch gilt sie der Qualität der außenpolitischen Entscheidungsprozesse im exekutiv engen (also technisch-bürokratischen) wie im legitimatorisch weiten (politisch-öffentlichen) Sinne: Wie leistungsfähig ist die deutsche Diplomatie technisch? Wie groß ist ihr Rückhalt in Politik und Öffentlichkeit?

Außenpolitisch deutet die Fragestellung nach der Handlungsfähigkeit auf die Leistungsfähigkeit bzw. die Defizite multilateraler Kooperationsstrukturen sowie auf die entscheidende Frage: Hat die Bundesrepublik Partner, die bereit sind, Außenpolitik auf ähnlicher Grundlage, also eingebettet in multilaterale Kooperationzusammenhänge zu betreiben und diese sowohl als bewußte und gewollte Beschränkungen der eigenen Handlungsfreiheit wie auch als zentrale Gestaltungsherausforderungen anzunehmen? Uwe *Nerlich* skizziert in seiner mahnenden Verortung der deutschen Sicherheitspolitik bedenkliche Defizite der Handlungsfähigkeit in beiden Richtungen, wenn er gleichzeitig innere Handlungsschwäche (in Deutschland, aber auch in wichtigen Partnerländern, – d. Verf.) und »eine(n) Verfall der multilateralen Sicherheitsstrukturen« konstatiert. Er weist auf die möglichen Folgen hin: Die Bundesrepublik »müßte wählen zwischen fortschreitender Selbstmarginalisierung innerhalb zunehmend schwächerer multilateraler Strukturen und bloßer Hinnahme der Renationalisierung der Sicherheitspolitik der Partner bei schwindender eigener Handlungsfähigkeit«.[24] Wie sich diese Parameter der Handlungsfähigkeit der deutschen Außenpolitik in Relation zu den Handlungsanforderungen entwickeln lassen, wird eine der zentralen Aufgaben der Zukunft sein.

Mit diesen vier Begriffspaaren sind die Grundlagen zukünftiger deutscher Außenpolitik angesprochen. Die folgenden drei Begriffspaare betreffen die außenpolitische Identität und das Rollenverständnis der neuen deutschen Außenpolitik:

Zivilmacht und Großmacht. Unbestreitbar entwickelte sich die außenpolitische Persona, das Rollenverständnis und die Identität der Bundesrepublik in einer besonderen außen- und sicherheitspolitischen Konstellation. Dies ermöglichte eine Außenpolitik eigener Qualität, die mit dem Rollenbegriff der »Zivilmacht« umrissen werden kann.[25] Dagegen machen sich nunmehr im In- und Ausland Stimmen geltend, die eine Rückkehr zur »Normalität« anmahnen. So schillernd der Begriff der »Normalität« auch sein mag (denn was ist »normal«?): In der Regel transportiert er die Vorstellung, das vereinte Deutschland sei nunmehr wieder Nationalstaat und Großmacht

---

23 Michael *Stürmer*, Deutsche Interessen, S. 39-61; hier S. 42.
24 Uwe *Nerlich*, Deutsche Sicherheitspolitik: Konzeptionelle Grundlagen für multilaterale Rahmenbedingungen, S. 153-174; hier S. 158.
25 Vgl. *Maull*, Zivilmacht, a.a.O. (Anm. 14).

in der Mitte Europas.[26] Impliziert wird dabei in mehr oder minder starkem Maße auch die Vorstellung, traditionelle Großmacht-Verhaltensweisen, also die autonome Bestimmung und Verfolgung der eigenen Interessen, seien unvermeidlich und auch erstrebenswert.

Doch in welchem Maße und in welchen Formen ließen sich Verhaltensweisen einer Großmacht angesichts der Realitäten multipler Verflechtungen überhaupt verwirklichen, die von verschiedenen Autoren dieses Bandes quasi als Existenzgrundlage der Bundesrepublik herausgearbeitet wurden? Lassen sich beide Rollenverständnisse in ein realistisches Deckungsverhältnis bringen, oder schließen sie sich gegenseitig aus? Inhaltlich entzündete sich die politische Auseinandersetzung um diese Begriffe bislang an der Frage nach der Aufgabe der Bundeswehr und der Bedeutung militärischer Machtmittel im Gesamtzusammenhang der Außenpolitik.

Werte und Interessen. Die Frage nach den Wertgrundlagen der neuen deutschen Außenpolitik und ihres Verhältnisses zu außenpolitischen Interessen untersucht vor allem Ludger *Kühnhardt* in seinem Beitrag. Dabei wird deutlich, daß auch dieser Gegensatz ein Schein-Gegensatz ist, daß deutsche Außenpolitik aus vielerlei Gründen nicht darauf verzichten kann, Werte explizit zur Grundlage und Zielvorgabe außenpolitischen Handelns zu machen. Außenpolik war schon in der Vergangenheit – in beiden deutschen Staaten – zentral in den politischen Legitimierungsstrategien der jeweiligen Systeme verankert. Auch wenn der tatsächliche Legitimitätsertrag im Falle der DDR sich als null und nichtig erwies: Der grundsätzliche Zusammenhang blieb, wie die Umfrageergebnisse in den neuen Bundesländern zeigen, erhalten. Dies gilt natürlich ebenso für die alte Bundesrepublik. Damit stellt sich jedoch auch für die neue deutsche Außenpolitik die Notwendigkeit einer »Balance zwischen Moral- und Realpolitik«.[27] Doch wie kann diese Balance aussehen, wie ist sie je konkret vorzunehmen?

Auch ist zu bedenken, daß jedes Nachdenken über Weltordnung und deutsche Politik wertbezogen ist. Dies gilt insbesondere für den Zusammenhang von Menschenrechten und Rechtsstaatlichkeit, Minderheitenrechten, Autonomieansprüchen und Selbstbestimmung. Ludger *Kühnhardt* weist darauf hin, daß nicht nur der Bosnien-Konflikt in der Nachbarschaft Deutschlands einer übermäßigen Territorialisierung eine Rechtsstaatlichkeit, Menschenrechtsschutz und Minderheitenrespektierung als friedliche Konfliktlösungsstrategie entgegengestellt werden muß.[28]

Nationales Interesse und internationale Verantwortung. In engem Zusammenhang mit den beiden letzten Begriffspaaren steht der Gegensatz zwischen nationalem Interesse und internationaler Verantwortung. Wie ein roter Faden zieht sich durch die vorliegenden Essays die Einsicht, daß diese beiden Begriffe sich keineswegs ausschließen, sondern eng miteinander verflochten sind. Es liegt im nationalen Interesse

---

26 Exemplarisch für diese Sichtweise etwa die Publikationen von Gregor *Schöllgen*, Deutschlands neue Lage. Die USA, die Bundesrepublik Deutschland und die Zukunft des westlichen Bündnisses, in: *EA*, 5/1992, S. 125-132 sowie *ders.*, Angst vor der Macht. Die Deutschen und ihre Außenpolitik, Berlin 1993.

27 Ludger *Kühnhardt*, Wertgrundlagen der deutschen Außenpolitik, S. 99-127; hier S. 123.

28 Vgl. *ebd.*, S. 122.

Deutschlands, internationale Verantwortung zu übernehmen; dies setzt in aller Regel zugleich die Einbettung deutscher Außenpolitik in multilaterale Kooperationszusammenhänge voraus. Doch diese Kooperationszusammenhänge beruhen bestenfalls auf zwar kompatiblen, aber keineswegs auf identischen Interessenprofilen. Der Aufgabe, die spezifisch deutschen Ausprägungen grundsätzlich gemeinschaftlicher Interessen zu definieren und zu artikulieren, wird die deutsche Diplomatie also nicht enthoben. Impliziert dies nicht auch eine neue deutsche Außenpolitik, die »Nein« sagen kann? Wann und wo sollte sie dies tun? Wo verläuft die Grenze zwischen verantwortungsloser Flucht in die nationale Illusion und internationalistischer Überfrachtung und Überforderung?

Im letzten Bündel von Begriffspaaren schließlich stehen konkrete außenpolitische Gestaltungsaufgaben im Mittelpunkt:

Westintegration und Öffnung nach Osten. Die Begriffe »Vertiefung« und »Erweiterung« als gemeinsam und aufeinander abgestimmt zu realisierende Zielvorgaben beschreiben keineswegs nur die Zukunft der Europäischen Integration, sondern ganz allgemein die Herausforderungen, vor denen internationale Organisationen und Kooperationszusammenhänge in den kommenden Jahren stehen. Insbesondere in den Beiträgen von Helga *Haftendorn* und Uwe *Nerlich* wird dies mit Blick auf den sicherheitspolitischen Zusammenhang entfaltet, doch zieht sich diese Einsicht auch durch eine Reihe anderer Beiträge in diesem Band. Die Notwendigkeit einer Fortführung der engen Bindung an die Partner in der Europäischen Union und an die USA ist hierbei Konsens unter allen Autoren. Die Modalitäten und institutionellen Umsetzungen der Vertiefung des Zusammenhalts der westlichen Bündnisstrukturen und ihrer schrittweisen Öffnung für neue Partner bleiben freilich im einzelnen noch auszugestalten. Dies wird bis auf weiteres ein schwieriger, politisch heikler Balanceakt bleiben.

Regionale und globale Orientierung. Insbesondere im Beitrag von Norbert *Kloten* wird auf die Bedeutung der Triade für die zukünftige Wirtschaftsposition der Bundesrepublik verwiesen. In der Tat drängen wirtschaftliche Notwendigkeiten die Bundesrepublik in eine weitere geographische Orientierung: Die Konkurrenzfähigkeit der deutschen Unternehmen (und damit letztlich der europäischen Wirtschaft insgesamt) entscheidet sich im Wettbewerb mit Unternehmen aus Nordamerika und Ostasien. Diese globalen Dimensionen der internationalen Wirtschaftsbeziehungen haben jedoch auch Auswirkungen auf die deutsche Außenpolitik, die diese auch bereits aufzunehmen begonnen hat.[29] Doch nicht nur wirtschaftliche Zusammenhänge zwingen die deutsche Außenpolitik, sich für globale Bezüge zu öffnen. Dasselbe gilt für eine Reihe neuer, globaler Probleme wie Migration, Verbreitung von Massenvernichtungswaffen und Umweltzerstörung, auf die vor allem Karl *Kaiser* verweist. In welchem Maße und wie kann die deutsche Außenpolitik jedoch diese globalen Bezüge angesichts der übervollen europäischen Agenda tatsächlich verfolgen?

---

29 Vgl. hierzu insbesondere das 1993 beschlossene Asien-Konzept der Bundesregierung.

Industriewelt und Entwicklungswelt. Schließlich stellt sich in diesem Zusammenhang eine weitere Frage: Inwieweit kann und soll sich die Bundesrepublik in Zukunft jenseits der Gestaltung der gesamteuropäischen Beziehungen und den Beziehungen zu Ostasien auch für Probleme und Krisen in der Entwicklungswelt engagieren? Diese Frage taucht vor allem in den Beiträgen von *Tomuschat, Kloten* und *Bühl* auf, wird jedoch auch in anderen Essays berührt. Der Zerfall politischer Strukturen unter der wachsenden Last von Demographie, Umweltzerstörung und wirtschaftlicher und politischer Zerrüttung in weiten Teilen des »Südens« wird zunehmend zu einer Quelle neuer Bedrohungen und Gefährdungen.

Einige dieser Krisenregionen (Nordafrika, Schwarzafrika, Mittlerer Osten) liegen in unmittelbarer Nähe Europas oder berühren vitale Rohstoff-Interessen. Politische Eruptionen dort dürften die deutsche Außenpolitik tangieren, ob sie darauf eingestellt ist oder nicht. Welche Mischungsverhältnisse von Abgrenzung bzw. Eindämmung von Krisenherden einerseits und Kooptation bzw. Einbindung neuer Führungseliten andererseits erscheinen tragfähig? Welche Möglichkeiten präventiver Entschärfung derartiger Krisen lassen sich entwickeln?

In dem durch diese gegensätzlichen Begriffspaare umrissenen Spannungsfeld also wird sich die zukünftige deutsche Außenpolitik zu orientieren und zu verorten haben. Die vorliegenden Essays wollen dazu einen Beitrag leisten, indem sie kritische Denk- und Diskussionsanstöße liefern, Handlungsspielräume ausloten und politische Anregungen und Empfehlungen formulieren. In Vorbereitung sind weitere Bände über die konkreten Herausforderungen, vor denen die deutsche Außenpolitik in Europa und der Welt steht, über die in den einzelnen Problemfeldern wünschenswerte deutsche Politik sowie über die institutionellen Aspekte der Außenpolitik.

Unser Dank gilt an dieser Stelle allen, die dieses Projekt ermöglicht und begleitet haben: An erster Stelle der Otto Wolff von Amerongen-Stiftung und dem Stifter selbst, ohne deren Unterstützung dieses Projekt nicht zustandegekommen wäre; den Autoren für ihre Beiträge und ihre Bereitschaft, enge zeitliche Vorgaben einzuhalten und sich der Mühe der Revision und Überprüfung zu unterziehen; Gabriele *Brenke*, deren Kompetenz und zielgerichteter Energie dieser Band viel verdankt; Ingrid *Bodem* für ihre vorbildliche Betreuung der Manuskripte.

DAS VEREINIGTE DEUTSCHLAND IN
DER INTERNATIONALEN POLITIK

Karl Kaiser

Als die beiden deutschen Staaten am 3. Oktober 1990 vereinigt wurden, teilte Bundeskanzler Helmut *Kohl* in einer Botschaft an alle Regierungen der Welt mit: »Wir wissen, daß wir mit der Vereinigung auch größere Verantwortung in der Völkergemeinschaft insgesamt übernehmen.«[1] Diese Aussage war genügend vage, um einen allgemeinen Konsens in der deutschen Bevölkerung widerzuspiegeln, aber welche Verantwortungen im einzelnen das vereinte Deutschland übernehmen würde, darüber bestand keinerlei Einvernehmen. Dieses herzustellen, ist der politischen und intellektuellen Klasse auch in den darauffolgenden Jahren nicht gelungen.

Die damalige Annahme der Außenwelt, daß das vereinte Deutschland mit seinen erheblichen Potentialen ein kraftvolles Profil mit einem Anspruch auf eine europäische Führungsposition ausüben würde, erwies sich als falsch. Der Alleingang bei der Anerkennung Kroatiens und Sloweniens entpuppte sich als eher unglückliche Ausnahme. Auch stellte sich die damals noch verbreitete Vermutung als irrig heraus, daß die bei der Herstellung der deutschen Einheit getroffenen Vereinbarungen für die weiteren Entwicklungen in Europa einen angemessenen Rahmen bieten würden. Die Dynamik der europäischen und globalen Entwicklungen lief den Voraussagen davon und stellte die Außenpolitik Deutschlands wie auch seiner Partner vor unerwartete neue Herausforderungen. Jede Standortbestimmung der deutschen Außenpolitik wird deshalb einer Analyse der Kräfte des Wandels genauso große Aufmerksamkeit zu widmen haben wie der Identifizierung der Konstanten.

EIN ANDERES DEUTSCHLAND

Deutschland wurde nicht »wieder«-vereinigt! Dies anzunehmen, würde das Verständnis wesentlicher Rahmenbedingungen der Außenpolitik des vereinigten Deutschlands gravierend beeinträchtigen. Am 3. Oktober 1990 wurden keineswegs zwei über mehrere Jahrzehnte getrennt gehaltene Teile des vorherigen Gesamtdeutschlands wieder zur früheren Einheit zusammengefügt. Jeder der beiden Teilstaaten war jedoch völlig anders als sein Vorgänger. Die Zäsur des Zweiten Weltkriegs regelte die Verhältnisse im Westen und Osten Deutschlands völlig neu.

Die Weimarer Republik mit ihrer schwachen und am Ende in einer Wirtschaftskrise zerstörten Demokratie sowie ihrer um Abbau von Diskriminierung bemühten Außenpolitik unterschied sich grundlegend von der Bonner Republik mit ihrer gefestigten Demokratie, ihrer tiefgreifenden Einbindung von Gesellschaft, Innenpolitik

---

1 Text in: *Kaiser*, Deutschlands Vereinigung. Die internationalen Aspekte, Bergisch Gladbach 1991, S. 313-318; hier S. 314.

und Außenpolitik in die westlichen Strukturen sowie ihrer mitbestimmenden Rolle in den Führungsgremien des Westens. Im Osten war aus dem in der DDR organisierten territorial reduzierten Rest-Deutschland ein Gebilde entstanden, das nach fast sechs Jahrzehnten nationalsozialistischer und kommunistischer Diktatur die Infrastruktur des Landes zerstört und die Grundlagen der politischen Kultur nachhaltig geschädigt hatte. Die tiefgreifenden und nicht enden wollenden ökonomischen, politischen und psychischen Schwierigkeiten bei der Vereinigung Deutschlands unterstreichen die Unterschiede nicht nur zwischen beiden deutschen Staaten, sondern auch zum gemeinsamen Vorgänger, der Weimarer Republik. Gleiches gilt für das internationale Umfeld: Welten trennen das des Deutschen Reiches und der Bundesrepublik.

Mit der Vereinigung von 1990 ist ein geeintes Deutschland entstanden, das es in der Geschichte noch nie gegeben hat: eine gefestigte Demokratie, ohne territoriale Forderungen und ohne Feinde. Ein Land, das in seinen Werten, politischen Institutionen, seinem wirtschaftlichen Überleben und seiner Außenpolitik zutiefst mit dem Westen, insbesondere Westeuropa, verflochten ist.

Ohne diesen historischen Bruch zur Weimarer Republik und zu Nazi-Deutschland wäre die Vereinigung Deutschlands nicht möglich gewesen, denn die hierbei mitbestimmenden Mächte hätten der Wiederherstellung des größten Staates Europas außerhalb Rußlands sonst nicht zugestimmt. Diese besonderen Umstände – Demokratie, friedliche Außenorientierung und Einbindung – ermöglichten nicht nur die Einheit, sondern legten zugleich den Rahmen fest, in den sich die Außenpolitik der nunmehr geeinten Republik einfügt, diese auf Jahre einhegend und in den Zielrichtungen festlegend. Dies gilt auch für die den Einigungsvorgang begleitenden multilateralen Vertragswerke und Erklärungen.[2]

Die Parallele zur Wiedererstehung des westdeutschen Staates nach dem Krieg ist relevant und historisch gewollt. Damals war es der Ost-West-Konflikt, der die Außenpolitik der Bonner Republik (und auch das politische Regime) zutiefst prägten.[3] Die Wiederherstellung der außenpolitischen Handlungsfähigkeit war eine Funktion der internationalen Konstellation wie auch der inneren Fähigkeit des neuen Staates, Demokratie zu verwirklichen und sich in die europäischen und atlantischen Strukturen einzubinden. Die von den Westalliierten und der damaligen politischen Führung in der Bundesrepublik in sorgfältig austarierten Dosierungen bewerkstelligte Wiederherstellung der Souveränität hatte eine außenpolitische Zielrichtung: die Stärkung deutscher Demokratie und Marktwirtschaft sowie die Verwurzelung im Westen.

---

2 Zur Vereinigung und den internationalen Begleitumständen sind eine wachsende Zahl von Arbeiten erschienen. Vgl. neben der Arbeit des Verf., Deutschlands Vereinigung, ebd.; Timothy *Garton Ash*, Im Namen Europas. Deutschland und der geteilte Kontinent, München 1993; Heinrich *Bortfeldt*, Washington/Bonn/Berlin: Die USA und die deutsche Einheit, Bonn 1993; Elizabeth *Pond*, Beyond the Wall. Germany's Road to Unification, New York 1993; Paul B. *Stares* (Hrsg.), The New Germany and the New Europe, Washington 1992; Stephen F. *Szabo*, The Diplomacy of German Unification, New York 1992, sowie die von deutschen »Beteiligten« verfaßten Studien: Richard *Kiessler* und Frank *Elbe*, Ein runder Tisch mit scharfen Ecken – Der diplomatische Weg zur deutschen Einheit, Baden-Baden 1993; Horst *Teltschik*, 329 Tage. Innenansichten der Einigung, Berlin 1991.

3 Diese These ist weiterentwickelt in: *Kaiser*, German Foreign Policy in Transition. Bonn Between East and West, London 1968.

Über dem ganzen schwebte der – von den Deutschen akzeptierte und alliierte Verpflichtungen zur Einheit implizierende – Vorbehalt der Westalliierten, die endgültigen Regelungen zu Deutschland als Ganzem, Berlin, den Grenzen, also zur Einheit, zu treffen. In diesem Vorbehalt lag deshalb einerseits (aus alliierter Sicht) die Garantie, daß die Vereinigung Deutschlands nur unter Bedingungen stattfinden könnte, die mit ihren Vorstellungen von europäischer Sicherheit übereinstimmte – also auch die Notbremse, wenn nötig. Andererseits verband sich mit diesem Vorbehalt aber auch die letztendlich größte denkbare Belohnung für den Erfolg einer einvernehmlich verfolgten Politik, nämlich die Vereinigung Deutschlands.

Auch der mit der Vollendung der deutschen Einheit verbundene letzte Akt der Alliierten zur Wiederherstellung der (formalen) Souveränität Deutschlands setzte die Tradition früherer Vorgänge dieser Art fort: Er war konstitutiver Natur für den neuen Staat und bindet seine Politik, zum Teil rechtlich, zum Teil faktisch-politisch. Dies geschah einmal im sogenannten »Zwei-plus-Vier-Vertrag« selbst: mit der dort ausgesprochenen Verpflichtung zu einer friedensorientierten Außenpolitik, der endgültigen Anerkennung aller Grenzen, dem dauerhaften militärischen Sonderstatus Ostdeutschlands, der Festlegung auf eine Obergrenze der Streitkräfte und der Bekräftigung des Verzichts auf atomare, biologische und chemische Waffen (damit Konrad *Adenauers* ursprünglichen Verzicht aus Anlaß der Wiedergewinnung partieller außenpolitischer Souveränität aufgreifend und verstärkend).

Auch die bilateralen Verträge im Umfeld der Vereinigung enthalten eine Fülle von Festlegungen: Die Abkommen mit der Sowjetunion über den Abzug der sowjetischen Truppen und die zukünftige Gestaltung des Verhältnisses zielen auf eine grundlegend neue und kooperative Beziehung zwischen diesen beiden Staaten. Die Verträge mit Polen vollziehen nicht nur die Anerkennung der Grenzen, sondern bilden die Grundlage einer Neugestaltung der Beziehungen mit dem deutsch-französischen Verhältnis als Modell. Die Forderung des zukünftigen Beitritts Polens zur Europäischen Union erfährt hier eine Festlegung und Dokumentierung als wichtiges Ziel deutscher Außenpolitik.

Die Verhandlungen über die Vollendung der deutschen Einheit waren eingebettet in eine Vielfalt von Aktionen, die diesen Vorgang bedingten und unterstützten und damit auch zugleich ihre politischen Bindungswirkungen hatten, vor allem die Beschleunigung der europäischen Integration, die schließlich zum Maastrichter Vertrag führte. Damit verbunden waren wichtige deutsch-französische Initiativen, die diesen Vorgang befruchteten und zusätzliche Strukturen schufen, insbesondere das Euro-Korps. Die Mitgliedschaft des vereinten Deutschlands im Nordatlantikpakt (NATO) war zwar nicht Gegenstand eines formalen Ost-West-Abkommens, jedoch die von den deutschen Staaten wie den Westmächten explizit festgestellte Geschäftsgrundlage, die schließlich auch von der Sowjetunion akzeptiert wurde. Dies war Voraussetzung und Bestandteil der politischen Neuorientierung der NATO, die gleichzeitig vorgenommen wurde und in verschiedenen Erklärungen ihren Niederschlag fand: zuletzt im neuen strategischen Konzept vom November 1991, das dann die Grundlage der »Partnerschaft für den Frieden« vom Januar 1994 wurde.

Schließlich sind auch die gesamteuropäischen Abkommen und Erklärungen von erheblicher Bedeutung, die den Prozeß der Vereinigung begleiteten. Mit ihnen wurde nicht nur die Konfrontation des Kalten Krieges abgelöst, sondern wurden auch Elemente einer internationalen Ordnung in Europa skizziert, die an deren Stelle treten und in die das sich vereinigende Deutschland als eine ihrer tragenden Kräfte eintreten sollte: das Dokument über vertrauens- und sicherheitsbildende Maßnahmen, der Vertrag über Konventionelle Streitkräfte in Europa, die Charta von Paris und die »gemeinsame Erklärung von 22 Staaten«, die alle im November 1990 unterzeichnet wurden. Hier wurde ein Europa anvisiert, in dem sich die sowjetischen Streitkräfte (mit aktiver deutscher Hilfe) auf ihr Heimatterritorium zurückgezogen haben wür- den, in dem die Fähigkeit zu Überraschungsangriffen und militärische Überlegenheit eine Sache der Vergangenheit sein würde, in dem kooperative Maßnahmen und Transparenz Vertrauen aufbauen sollten und in dem alle Staaten sich zu Demokratie, freien Wahlen, Verwirklichung der Menschenrechte und sozialer Marktwirtschaft bekannten. Für die Bundesregierung, die zum Zustandekommen dieser Vorhaben wesentlich beitrug, wie auch die Partnerregierungen in Ost und West waren damit zentrale Zielvorstellungen und Betätigungsfelder der Außenpolitik des vereinten Deutschlands vorgegeben.

Die deutsche Frage konnte im Jahre 1990 gelöst werden, weil in den beiden Aspekten dieser Frage, dem demokratischen Charakter Deutschlands und seiner Fähigkeit zum verantwortlichen Umgang mit Macht, die vor der Vereinigung gewach- senen Verhältnisse und die mit Deutschland getroffenen Regelungen für die übrigen Mächte im europäischen Staatensystem genügend verläßliche Festlegungen für die Zukunft enthielten. Diese von deutscher oder anderer Seite zu verändern, könnte die Grundlagen der europäischen Sicherheit beeinträchtigen. Aus den Bedingungen der Vereinigung ergeben sich deshalb für die deutsche Außenpolitik wesentliche Verpflichtungen für die Zukunft.

In der Ausgangslage ihrer Außenpolitik findet die zweite deutsche Republik un- gleich günstigere Bedingungen vor als ihre Vorgängerin zu Beginn der Weimarer Republik. Der allgemeinen äußeren Zustimmung zur deutschen Einheit – nach Über- windung vereinzelter Bedenken seitens verschiedener Partner im Verlauf der Verhand- lungen – entsprach ein Konsens der wesentlichen politischen Kräfte im Inneren. Nicht nur hatte, anders als in der Weimarer Republik, jeder Revisionismus keine ernsthafte Basis mehr, sondern die tragenden politischen Parteien konnten jede für sich in Anspruch nehmen, ihren spezifischen Beitrag zur Nachkriegsaußenpolitik geleistet zu haben, ohne den dieses Ergebnis nicht möglich gewesen wäre: die CDU mit ihrer Westintegration Deutschlands, die SPD mit ihrer Ost- und Entspannungspolitik und die FDP, die zu allem etwas beisteuerte. Daß dazwischen heftige Auseinandersetz- ungen und politische Kehrtwendungen lagen, ändert nichts am Endergebnis. Im Vergleich zur inneren und letztlich fatalen Zerrissenheit der politischen Parteien in der Weimarer Republik vermittelte die Einigung Deutschlands trotz weiterbestehender Meinungsverschiedenheiten den heutigen Parteien in den großen Grundfragen der

Außenpolitik ein Maß an Gemeinsamkeit, das ihr jedenfalls in dieser Hinsicht eine gute Ausgangsbasis für Kontinuität und Effektivität verleiht.

AUFBRUCH IN EINE VERÄNDERTE UMWELT

Nicht die Vereinigung Deutschlands für sich betrachtet, sondern die Verbindung der aus der Vereinigung entspringenden Folgen mit einer fundamental veränderten internationalen Umwelt schafften die neuen Herausforderungen für die deutsche Außenpolitik. An erster Stelle ist die Wiederkehr des Krieges als Mittel der Politik auf dem Balkan und dem Boden der früheren Sowjetunion anzuführen. Während der Jahrzehnte deutscher und europäischer Teilung herrschte die durch den Ost-West-Konflikt und die nukleare Abschreckung bewirkte Stabilität. Hinter jedem ersten Schuß lag das Risiko der nuklearen Katastrophe. Diese zu verhindern, wurde gemeinsames Ziel beider Systeme. Es blieb ein »Kalter Krieg«. Die Bundeswehr wurde aufgebaut, um einen sowjetischen Angriff abzuschrecken, den das nukleare Einvernehmen der Gegner praktisch unmöglich machte.

Krieg erhielt deshalb für die Deutschen den Charakter einer eher theoretischen Möglichkeit. An deren Stelle ist heute jedoch die grausame Realität einer Vielfalt von zwischenstaatlichen und Bürgerkriegen, von religiösen und ethnischen Konflikten in weiten Teilen der Welt getreten. Zugleich mit der Teilung endete auch der Frieden in Südost- und Osteuropa. Die Auflösung der sowjetischen Bedrohung und der Ausbruch von kriegerischen Konflikten auf dem Gebiet des ehemaligen Warschauer Paktes warf die Frage nach der Aufgabe der Bundeswehr und dem Sinn militärischer Macht für die Deutschen in völlig neuer Weise auf. Der Friede kann nicht mehr bzw. nicht mehr vorrangig an der deutschen Grenze, sondern muß durch Maßnahmen außerhalb Deutschlands gewahrt werden. Wie deutsche Politik diese mitträgt und gestaltet, ist damit die neue Aufgabe der Zukunft.

Massive Menschenrechtsverletzungen waren während der Teilung östlich der innerdeutschen Grenze gleichsam zur unveränderlichen Normalität geworden. Die sowjetische Hegemonie und die Furcht vor einem nuklearen Krieg schränkten westliche Maßnahmen auf wenig mehr als Rhetorik ein. Mit dem Eisernen Vorhang verschwand auch der Schutzwall, der den westlichen Teil Europas gegen die Auswirkungen von Unterdrückung abschottete. Nicht nur ist eine neue Verbindung der Solidarität mit den politischen Reformkräften entstanden, die nunmehr auch östlich Deutschlands um menschenwürdigere Verhältnisse kämpfen, sondern die neue Offenheit der Grenzen läßt die Auswirkungen von Menschenrechtsverletzungen auf ganz Europa übergreifen, insbesondere auf die deutsche Demokratie im geographischen Zentrum, das die meisten Nachbarn hat.

Während der gesamten Nachkriegszeit wuchs das militärische Zerstörungspotential von Ost und West sowie in der Dritten Welt. Der Wegfall des Ost-West-Konflikts und seiner disziplinierenden Wirkung läßt es jetzt in ungeahnter Weise virulent werden: Der mit dem Anwachsen der Konflikte zunehmenden Nachfrage entspricht das riesige

Angebot nunmehr überflüssiger Materialien, die leicht und billig erhältlich sind.
Der sich schon längere Zeit abzeichnende Trend zur verdeckten Proliferation von
Massenvernichtungswaffen stellte sich mit dem beim zweiten Golf-Krieg entdeckten
geheimen Programm des Irak als ungleich stärker heraus als vorher angenommen.
Die mögliche Ausbreitung von Know-how, Spaltmaterial und Kernwaffen aus den
riesigen Arsenalen der zerfallenen Sowjetunion macht die Verbreitung dieser Waffen
zu einem noch drängenderen Weltproblem. Während der Jahre der Teilung stellte die
Verbreitung von Massenvernichtungswaffen für die Bundesrepublik nur eine theoretische Möglichkeit in der Zukunft dar, an deren Verhinderung sie sich durch eine
aktive Nonproliferationspolitik beteiligte. Nach dem Ende des Ost-West-Konflikts
verwandelt sich die Proliferation von einer theoretischen zu einer realen Gefahr, die
die Interessen Europas und Deutschlands unmittelbar bedroht.

Als Deutschland noch geteilt war, stellten der Verfall politischer Autorität mit
zunehmender Unregierbarkeit, Verelendung und Unterdrückung von Menschenrechten ein in der Dritten Welt immer wieder auftretendes Phänomen dar. Nach dem
Ende des Ost-West-Konflikts breiten sich derartige Zustände nicht nur in der Dritten
Welt weiter aus, sondern untergraben nunmehr auch in der Region des ehemaligen
Sozialismus die Stabilität in wachsendem Ausmaß. Da dort – zunehmend auch in
der Dritten Welt – moderne Waffen und Massenvernichtungswaffen anzutreffen sind,
beschwören diese Entwicklungen überregionale Gefahren herauf.

Mit dem Ausbreiten anarchischer Zustände verändert sich auch der Charakter der
Weltpolitik, die das Aktionsfeld des vereinigten Deutschlands sein wird: Die Quellen
der Instabilität nehmen zu und eine Reihe von Regionen – darunter zunehmend
Nachfolgestaaten der Sowjetunion – fallen aufgrund der schon erwähnten Erosion
von Autorität und mangelnder Ressourcen als Partner einer vorausschauenden Welt-
ordnungspolitik auf den Gebieten von Nonproliferation, Ökologie, Demographie
oder Terrorismusbekämpfung für längere Zeit aus. Es versteht sich, daß anarchische
und destabilisierende Tendenzen in der internationalen Politik und Gesellschaft die
größte Volkswirtschaft und Demokratie in Westeuropa in ihren Interessen unmittelbar
berühren.

Die Migrationsfrage zeigt besonders deutlich, wie Vereinigung und internationale
Veränderungen den Stellenwert eines Problems grundlegend modifizieren. In Zeiten
der Teilung war das Hereinströmen von Ausländern nach Deutschland gewollt. Die
damit verbundenen gesellschaftlichen Probleme waren zwar nicht einfach, jedoch
lösbar oder erträglich. Der Kollaps der kommunistischen Regime, der Wegfall ihrer Kontrollen, wirtschaftliches Elend, Krisen und Krieg haben die Schleusen der
Migration zum relativ wohlhabenden Deutschland mit seinen beispiellos liberalen
Asylregelungen geöffnet. Das wilde Anwachsen der Migration wurde für die deutsche
Demokratie zu einer schweren Belastung, die mit den Asylregelungen von 1992 zwar
nachhaltig gemildert, aber nicht beseitigt wurde. Deutschland ist wie kein anderes
Land in Westeuropa von der tatsächlichen und potentiellen Migration aus dem
krisengeschüttelten östlichen Europa betroffen. Als Mitglied der Europäischen Union
mit ihrer inneren Interdependenz und ihren offenen Binnengrenzen hat Deutschland

jedoch auch den aus dem Süden, insbesondere aus Nordafrika kommenden Migrationsdruck mit zu verarbeiten. Die regionale Problematik verbindet sich mit der globalen Migrationsfrage, die durch Bevölkerungsexplosion, Krisen und Katastrophen an Dringlichkeit zunimmt und damit zu einer zentralen Aufgabe der Außenpolitik eines vereinigten Deutschlands wird.

Schon die Außenpolitik der früheren Bundesrepublik Deutschland war zunehmend durch einen säkularen Trend beeinflußt, der durch die Vereinigung und das Ende des Ost-West-Konflikts keineswegs unterbrochen, sondern in mancherlei Hinsicht noch verstärkt wurde: das Anwachsen regionaler und globaler Interdependenzen durch Zunahme transnationaler Beziehungen, wirtschaftlicher Verflechtung und kommunikativer Vernetzung. Wirkungseffekte von Entwicklungen breiten sich Staatsgrenzen mißachtend überregional und zum Teil äußerst rapide aus. Damit nimmt auch die Verletzbarkeit gegenüber Entwicklungen zu, die an anderen und durchaus fernen Stellen des interdependenten Welt- oder Regionalsystems ausgelöst wurden. Dies gilt insbesondere für die Bundesrepublik, deren Wirtschaft und Gesellschaft intensiv mit der Außenwelt verflochten ist.[4]

Der Verflechtungsgrad der Bundesrepublik mit der Außenwelt hat mehrere tiefgreifende Folgen für die Art und Weise, wie die deutsche Außenpolitik in Zukunft Probleme wahrnehmen und lösen kann. Die Ursachen eines sich innerhalb Deutschlands auswirkenden Problems liegen weit außerhalb der deutschen Grenzen, entstehen dort unter Umständen lange bevor sie sich in Deutschland auswirken und bedürfen deshalb auch einer entsprechenden politischen Behandlung. Ein Sicherheitsproblem entsteht nicht erst dann, wenn ein Aggressor die deutsche Grenze überschreitet, sondern wenn in einem fernen Land eine »interne« Situation entsteht, bei der sich beispielsweise eine Proliferation von Massenvernichtungswaffen abzeichnet, welche deutsche Interessen in Zukunft berühren könnte. Die Analyse des für Deutschland relevanten politischen Geschehens wie auch Bemühungen um politische Lösungen müssen sich deshalb mehr denn je auf die Außenwelt richten.

Die Verbindung zunehmender Destabilisierungstendenzen in der Weltpolitik und der transnationalen Verflechtung zwischen den Regionen der Welt hat den Bedarf an multilateraler Regelung steigen lassen, denn die potentiellen Ausbreitungseffekte und Schadenswirkungen – z.B. von Kernwaffen – erfordern präventives und wenn nötig intervenierendes Handeln.[5] Auch ergibt sich aus der Konstellation der Verflechtung und der Natur der Probleme, daß einzelstaatliches Handeln die anstehenden Probleme durchweg nicht mehr lösen kann, sondern multilaterales Handeln geboten ist. Dies gilt in jedem Fall für die europäischen Großmächte und damit auch für Deutschland.

---

4 Diese Konstellation wird in diesem Band eingehend von Walter L. *Bühl* untersucht. Zum Ausgangspunkt dieser Diskussion in Deutschland vgl. *Kaiser*, Transnationale Politik. Zu einer Theorie der multinationalen Politik, in: Ernst-Otto *Czempiel* (Hrsg.), Die anachronistische Souveränität. Zum Verhältnis von Innen- und Außenpolitik (Bd. 1 der Schriften der Sektion Internationale Politik der Deutschen Vereinigung für Politische Wissenschaft, gleichzeitig als Sonderheft Nr. 1 der *Politischen Vierteljahresschrift*), Köln/Opladen 1969, S. 80-109.

5 Vgl. hierzu den Beitrag von Christian *Tomuschat* in diesem Band.

Allerdings bedeutet die Notwendigkeit zu multilateralem Handeln nicht, daß die daran teilnehmenden Staaten nicht ihre eigenen Interessen und Standpunkte in derartiges Handeln einbringen können. Gerade in dieser Hinsicht steht die deutsche Politik vor der Aufgabe, mehr als in der Vergangenheit einen eigenen Standpunkt zu entwickeln, der die Interessen des Landes reflektiert und der in die multilaterale Aktion eingebracht wird.[6] Das Verbergen hinter den außenpolitischen Partnern, das deutsches Verhalten in den ersten Jahrzehnten nach dem Krieg oft charakterisierte und damals nicht nur formal geboten, sondern auch durchaus vernünftig war, widerspricht den neuen Verantwortungen des vereinten Deutschlands. Sein Gewicht ist zu sehr angewachsen, um gleichsam nur Konsument der von anderen produzierten Politik zu sein. Dies wurde schon in den siebziger Jahren auf ökonomischem Gebiet sichtbar, als in der Zeit der Kanzlerschaft Helmut *Schmidts* das Gewicht der deutschen Volkswirtschaft eine aktive Mitgestaltung an der Weltwirtschaft erforderte. Daraus entstand die Institution der Weltwirtschaftsgipfel.[7] Heute kann die Bundesrepublik als die ressourcenstärkste westeuropäische Demokratie innerhalb der multilateralen Problem- und Lösungszusammenhänge einer eigenen Verantwortung nicht mehr ausweichen, sei es regional in Europa oder global innerhalb der Vereinten Nationen. So gesehen ist die deutsche Mitwirkung im Sicherheitsrat der Vereinten Nationen die letztlich unvermeidliche Konsequenz des neuen Gewichts, denn im System der Vereinten Nationen sind es die Mächte mit überregionalem Einfluß, die als Ständige Mitglieder im Sicherheitsrat Sonderverantwortung für den Weltfrieden und die internationale Sicherheit tragen.[8]

AUF DEM WEGE ZU NEUER VERANTWORTUNG

Die neue internationale Verantwortung des vereinten Deutschlands, das am Ausgang des 20. Jahrhunderts wieder in die internationale Politik eintrat, hat eine völlig andere Grundlage als die vergleichbarer Großmächte wie Frankreich und Großbritannien. Einen großen Teil des 20. Jahrhunderts blieb Deutschland von der Weltpolitik abgekapselt. Nach dem Ersten Weltkrieg bewirkte der Verlust der Kolonien auch eine Abwendung von der Außenwelt und begründete die kontinentaleuropäische Orientierung der deutschen Außenpolitik, zugleich auch der Kenntnisse und der regelmäßigen Beschäftigung mit außenpolitischen Fragen in der deutschen politischen Klasse. Die vom nationalsozialistischen Deutschland betriebene Vernichtung und Vertreibung eines wichtigen Teils seiner kosmopolitischen Eliten sowie der von ihm ausgelöste Weltkrieg vergrößerten die Isolierung von der Weltpolitik. Nach 1945 richteten sich alle Energien auf den Wiederaufbau von Demokratie und Wirtschaft

---

6 Vgl. hierzu insbesondere den Beitrag von Michael *Stürmer* in diesem Band.

7 Zur ökonomischen Stellung Deutschlands in der Weltwirtschaft vgl. den Beitrag von Norbert *Kloten* in diesem Band.

8 Zum Pro und Kontra eines ständigen deutschen Sitzes im Sicherheitsrat vgl. die Beiträge von Wolfgang *Wagner* und des Verf. in: *EA*, 19/1993, S. 533–552.

in Deutschland. Nicht Diplomaten, sondern Kaufleute waren es, die später die Welt wiederentdeckten und dort die Grundlage für die Exporterfolge Deutschlands legten. In den Vereinten Nationen blieb Deutschland »Beobachter« und konnte sich damit aus den Streitigkeiten der Weltpolitik heraushalten. Erst drei Jahrzehnte nach Ende des Zweiten Weltkriegs wurde die Bundesrepublik (gemeinsam mit der DDR) Mitglied der Vereinten Nationen.

Auch die Einschränkung der staatlichen Souveränität und damit der internationalen Verantwortung behinderte eine systematische Beschäftigung mit der internationalen Rolle Deutschlands, denn bei der Gewährung einer partiellen außenpolitischen Souveränität im Jahre 1955 behielten, wie schon erwähnt, bekanntlich die Alliierten die Entscheidungsbefugnisse über die wesentlichen nationalen Fragen Deutschlands. Erst 1990 wurde Deutschland mit dem »Zwei-plus-Vier-Vertrag« voll souverän.

Der Stil deutscher Außenpolitik entsprach den formalen Gegebenheiten und Notwendigkeiten der Rehabilitierung durch die internationale Völkergemeinschaft: kooperatives Verhalten, Bereitschaft zu multilateraler Verschränkung und Delegation nationaler Befugnisse, »low profile« und Anpassung des eigenen Verhaltens an die Verbündeten. Damit einher ging eine relativ passive Einstellung in der Außenpolitik, das Fehlen einer systematischen Beschäftigung mit den eigenen Interessen und die äußerst zurückhaltende Durchsetzung eigener Interessen.

Nirgendwo unterscheiden sich die Grundlagen deutscher Außenpolitik so nachhaltig von denen Frankreichs und Großbritanniens wie in der Einstellung zur Macht. Nach dem Mißbrauch von Macht unter Adolf *Hitler*, nach Auschwitz und dem von Deutschland ausgelösten Weltkrieg war ein unbefangener Umgang mit dem Phänomen der Macht erst einmal unmöglich. Die Deutschen reagierten auf ihre Vergangenheit durch eine negative Einstellung zur Macht. Aus der Machtbesessenheit wurde Machtvergessenheit.[9]

Bei der militärischen Dimension der Macht wirkte sich diese Einstellung besonders nachhaltig aus. Während für andere Demokratien die Existenz von Streitkräften ein normales Attribut des souveränen Staates darstellt, konnte in der anfänglich überwiegend pazifistisch gesinnten Bundesrepublik der Nachkriegszeit der Aufbau einer Streitkraft nur mit ihrer Funktion als Instrument der Abschreckung gegen die Sowjetunion begründet werden. Kein Wunder, daß diese Rechtfertigung mit dem Ende des Ost-West-Konflikts und dem Verschwinden der sowjetischen Bedrohung in eine tiefe Krise geriet. Wie tiefgreifend diese Begründung deutsches Verhalten geprägt hatte, wurde beim ersten Einsatz der Bundeswehr für multilaterale Aktionen sichtbar, als Bundeswehreinheiten während des zweiten Golf-Krieges in die Türkei verlegt wurden.

Da in Deutschland die Streitkräfte ausschließlich die Funktion der Kriegsverhinderung hatten, war der Krieg, wie schon erwähnt, reine Theorie geblieben, über den sich die Gesellschaft wenig Gedanken zu machen brauchte. Dies unterschied

---

9 So die pointierte Formulierung des Essays von Hans-Peter *Schwarz*, Die gezähmten Deutschen: Von der Machtbesessenheit zur Machtvergessenheit, Stuttgart 1985.

Westdeutschland von anderen Demokratien wie Frankreich und Großbritannien, die in der Nachkriegszeit wiederholt in militärische Konflikte verstrickt waren und für deren Gesellschaften Krieg mit seinen Opfern eine immer wieder auftauchende Realität darstellte. Als Anfang 1991 zum erstenmal seit 1945 die Möglichkeit entstand, daß deutsche Soldaten Opfer kriegerischer Auseinandersetzungen werden könnten, zeigte die damals im deutschen politischen Verhalten und der öffentlichen Diskussion sichtbar werdende Schockreaktion, wie unvorbereitet die Gesellschaft auf die jahrzehntelang geübte, aber letztlich nicht ernstgenommene Möglichkeit deutscher Beteiligung an Verteidigungsmaßnahmen war.[10]

Die beim Ende des Kalten Krieges und der deutschen Vereinigung sichtbar werdenden, von der Vergangenheit geprägten Einschränkungen der Handlungsfähigkeit sollten jedoch nicht darüber hinwegtäuschen, daß die Bundesrepublik auf entscheidenden Gebieten einer wachsenden internationalen Verantwortung gerecht wurde und dabei einen konstruktiven Beitrag zur europäischen und globalen Politik geleistet hat. An erster Stelle ist die deutsche Mitwirkung am Aufbau der westeuropäischen Integration anzuführen. Ausgehend von einer deutsch-französischen Versöhnung hat die deutsche Politik glaubwürdig demonstriert, daß Deutschland mit der wachsenden Macht verantwortungsvoll umgeht, indem sie diese in die Bindungen und Übertragungen von Souveränität innerhalb der Europäischen Gemeinschaften (EG) einbrachte. Diese Politik hat die zwischenstaatlichen Beziehungen in Westeuropa grundlegend verändert, denn die EG wurde zu einer echten Friedensordnung, innerhalb derer Krieg endgültig als Mittel der Politik eliminiert wurde. Nicht nur im Binnenverhältnis wurden damit Jahrhunderte einer blutigen Vergangenheit überwunden, sondern angesichts des Wiedererstehens von chauvinistischem Haß, Krieg und Genoziden in Teilen Ost- und Südosteuropas wird dieses Erbe für die Zukunft Europas noch wichtiger.

Die Politik der westeuropäischen Integration war Teil der Einbindung Deutschlands in die Wertegemeinschaft des Westens und die Institutionen der atlantischen Welt, insbesondere das atlantische Bündnis, und die enge Kooperation mit den Vereinigten Staaten. Diese Grundorientierungen wurden auch innenpolitisch zum Konsens der tragenden politischen Parteien. Die neue Rolle der Europäischen Union und der NATO als Anker einer auf ganz Europa gerichteten Politik zur Gewährleistung und Stärkung friedlicher Beziehungen, wäre deshalb ohne den Beitrag Deutschlands, der anfänglich innenpolitisch durchaus umstritten war, nicht möglich gewesen.

Die neue Deutschland- und Ostpolitik, die Ende der sechziger Jahre begann, stellt ein zweites Feld dar, auf dem die Bundesrepublik internationale Verantwortung ausübte und nachhaltig zu einer positiven Veränderung der europäischen Verhältnisse beitrug. Die Politik der Verständigung, der mutigen Grenzanerkennung und der Entspannung, die schließlich in die multilaterale Phase der Konferenz über Sicherheit

---

10 Dies ist eingehender untersucht in Karl *Kaiser*/Klaus *Becher*, Deutschland und der Irak-Konflikt (Arbeitspapiere zur Internationalen Politik, Nr. 68), Bonn 1992.

und Zusammenarbeit in Europa mündete, trug in Verbindung mit der vorher erreichten Westintegration wesentlich dazu bei, daß der Kommunismus zusammenbrach und die Teilung Europas und Deutschlands überwunden wurde. Diese Politik des Wandels, die mit dem von ihr praktizierten Verzicht auf jede Gewalt von vorbildhafter Bedeutung war, ist nach längerem Streit unter den Parteien in der Zwischenzeit Gemeingut aller maßgebenden politischen Kräfte in der Bundesrepublik geworden und von Regierungen unterschiedlicher Zusammensetzung weiterentwickelt worden. Die Abkommen, die zur Ablösung des Ost-West-Konflikts und zur deutschen Vereinigung führten, spiegeln diesen Geist wider und wären ohne den deutschen Beitrag nicht denkbar gewesen. Mit ihnen bestand die Bundesrepublik mit großem Erfolg die wohl schwierigste Bewährungsprobe seit ihrer Gründung. Es gelang, die Lösung des nationalen Problems mit einer tiefgreifenden Wende zum Besseren im europäischen Staatensystem zu verbinden, die den Interessen aller beteiligten Akteure entsprach.

Die Weltwirtschaft stellt ein schon erwähntes weiteres Gebiet dar, auf dem die Bundesrepublik lange vor der Vereinigung Deutschlands internationale Verantwortungen übernahm. Das Gewicht der deutschen Volkswirtschaft und ihre Abhängigkeit von einem funktionierenden Weltwirtschaftssystem waren so stark gewachsen, daß die 1973 ausgelöste Weltwirtschaftskrise den damaligen Bundeskanzler dazu bewegte, gemeinsam mit dem französischen Staatspräsidenten eine bessere Koordination unter den führenden Wirtschaftsmächten in der Welt vorzuschlagen. Daraus wurde die Institution der regelmäßigen Zusammenkünfte der sieben führenden Wirtschaftsmächte unter Beteiligung der Kommission der EG. Der Umsetzung ökonomischer Macht und internationaler Verflechtung in neue Formen der Verantwortungsausübung entsprach auch die Neuordnung der Währungspolitik, denn gemeinsam mit Frankreich trug damals die deutsche Politik dafür Sorge, daß das Europäische Währungssystem entstand. Für sein Funktionieren brachte die Bundesrepublik mit der D-Mark als europäischer Leitwährung nunmehr erhebliche Ressourcen ein.

Die nach dem Krieg von der Bundesrepublik in den Bereichen der westeuropäischen Integration, des friedlichen Wandels zwischen Ost und West und der Bemühung um weltwirtschaftliche und währungspolitische Kooperation wahrgenommenen internationalen Verantwortungen haben eine Tradition begründet, auf der die Außenpolitik des vereinten Deutschlands aufbauen kann. Für die Erweiterung der internationalen Verantwortung ist damit eine durchaus solide Grundlage gegeben, denn die auch von der Bundesrepublik demonstrierte Bereitschaft und Fähigkeit zu multilateraler Zusammenarbeit, integrativer Kooperation, internationaler Rüstungskontrolle, Abbau von tradierten Vorurteilen sind wichtige Elemente, um als »Zivilmacht«[11] einen konstruktiven Beitrag zur internationalen Politik nach dem Ende des Ost-West-Konflikts zu leisten.

In den durchaus positiv zu bewertenden Traditionen der Nachkriegsaußenpolitik sind jedoch gleichzeitig die Schwächen und Defizite für die Zukunft enthalten.

---

11 Vgl. dazu Hanns W. *Maull*, Zivilmacht Bundesrepublik Deutschland. 14 Thesen für eine neue deutsche Außenpolitik, in: *EA*, 10/1992, S. 269-278.

Indem diese Politik multilateral angelegt, kooperativ durchgeführt und durchaus immer wertbezogen war, neigte sie dazu, allgemeinen Prinzipien zu folgen und nicht »spezifischen nationalen Sicherheitsinteressen«.[12] In der Sicherheitspolitik bedeutete dies beispielsweise, daß »Kriegsverhinderung« und nicht »Kriegsführung« als das Ziel der NATO-Strategie angesehen wurde. Deutsche Außen- und Sicherheitspolitik zog sich allzuleicht auf hehre Prinzipien zurück und überließ die Implementierung in der realen Welt anderen.

Gerade unter den Bedingungen der internationalen Politik nach dem Ende des Ost-West-Konflikts mit seinen vielen neuen Konflikten und der Notwendigkeit einer präventiven und auch intervenierenden Politik zum Schutz des Völkerrechts und der Menschenrechte degeneriert diese Neigung zu einem »prinzipiellen Isolationismus. Seine Formeln lauten: Wir sollten aus dem Krieg gelernt haben, daß nie wieder deutsche Soldaten irgendwo einmarschieren ... Er beruft sich auf Geschichte statt auf Gegenwart, auf Moral statt auf Interessen«.[13] Dies führt zu einem Rückzug aus gestaltender Politik. Die Folge ist offenkundig: Wenn Deutschland seine Sicherheit nicht selbst mitträgt, wird sie von anderen organisiert werden.[14] Dies setzt jedoch voraus, das in Deutschland verbreitete Unbehagen zu überwinden, nationale Interessen zu reflektieren und in die Politik einzubringen. Bei den Verbündeten erzeugt dieses Zögern den »Verdacht, daß zu viel Idealismus in der Politik entweder ein Zeichen von Realitätsverfehlung sei oder eine Strategie zur Tarnung von Interessen, über die man nicht gern spricht.«[15]

Die Destabilisierungstendenzen in der Weltpolitik nach dem Ende des Ost-West-Konflikts und das gewachsene Gewicht des vereinten Deutschlands mit seinem hohen Verflechtungsgrad mit der Weltökonomie und -politik stellen für die deutsche Politik eine unausweichliche Herausforderung dar. Dies gilt nicht nur für die globalen Entwicklungen, sondern auch für die europäischen, denn aufgrund seiner Geschichte sowie seiner geostrategischen Position im Herzen des Kontinents und an der Bruch-linie zwischen dem ehemaligen Westen und dem ehemaligen Osten wird kein anderes Land Westeuropas in so starkem Maße von den Entwicklungen in dieser Region betroffen. Deshalb kann die größte Demokratie Westeuropas nicht der Verantwortung ausweichen, durch ökonomische, diplomatische und auch militärische Mittel die Durchsetzung der Völkerrechtsordnung mitzutragen, denn ohne Rückgriff auf kol-lektive legitime Gewalt gegen Aggression und massive Menschenrechtsverletzungen ist die Verwirklichung der von der Charta der Vereinten Nationen angestrebten Gewährleistung des Weltfriedens und der internationalen Sicherheit nicht möglich.

Auch wenn das Bundesverfassungsgericht die von der Bundesregierung über-flüssigerweise geschaffene Selbstblockade deutscher Politik bei der Beteiligung an multilateralen Aktionen aufgehoben hat, steht Deutschland vor einer schwierigen

---

12 Wolfgang F. *Schlör*, German Security Policy, Adelphi Paper 277, London, IISS 1993, S. 6.
13 Karl Otto *Hondrich*, Das alte Europa im Krieg. Der Konflikt auf dem Balkan und die Rolle kollektiver Gefühle in der Politik, in: *FAZ*, 10.2.1994.
14 Diese These wird eingehender im Beitrag von Uwe *Nerlich* in diesem Band behandelt.
15 Günther *Nonnenmacher*, Deutsche Interessen, in: *FAZ*, 25.3.1993.

Aufgabe, wenn es darum geht, die neue Verantwortung außen- wie innenpolitisch umzusetzen. Zwar kann der Bundesrepublik wie jedem anderen Staat nicht das Recht verweigert werden, sich in einem spezifischen Fall einer multilateralen Aktion zu versagen. Deutschland kann im konkreten Fall allerdings nur dann nein sagen, wenn es vorher prinzipiell ja gesagt hat. Die zukünftige Verantwortung deutscher Politik geht jedoch über die Mitverantwortung für konkrete Maßnahmen zur Durchsetzung des Völkerrechts hinaus. Sollte die größte westeuropäische Demokratie sich weigern, multilaterale Maßnahmen der Vereinten Nationen mitzutragen, dürften Frankreich, Großbritannien oder andere Demokratien Schwierigkeiten haben, vor ihren Parlamenten eigene Opfer zu rechtfertigen, wenn sich ihr deutscher Partner versagt. Es geht deshalb bei der Entwicklung einer deutschen Politik der Beteiligung an multilateralen Aktionen auch darum, das Instrument der international legitimierten Intervention zur Aufrechterhaltung der Völkerrechtsordnung am Leben zu erhalten.

Das vereinte Deutschland wird in seiner Außenpolitik eine Reihe von Rollen ausüben, die sich in ihrem Profil und ihren Anforderungen stark unterscheiden: als größte Volkswirtschaft der Europäischen Union, als Motor dieser Gruppierung im deutsch-französischen Tandem, als maßgebliche Kraft bei der Gestaltung der Entwicklungen in Mittel- und Osteuropa im Hinblick auf Demokratie, Wirtschaft und Beziehungen zum westlichen Teil, als eine der wesentlichen Wirtschaftsmächte der Welt oder als tragende Stütze einer auf Völker- und Menschenrechten gründenden Bemühung um Weltordnung.[16] In vielen dieser Bereiche kann die Bundesrepublik auf Erfahrungen und konstruktive Beiträge in der Vergangenheit zurückblicken. In einigen jedoch ist ein neuer Beginn notwendig, insbesondere bei der Einbringung eigener politischer, ökonomischer und militärischer Ressourcen in die Bemühungen um eine Stabilisierung der Politik in Europa und der Welt. Fast in allen Bereichen wird es jedoch nötig werden, den Gehalt der eigenen Interessen zu überprüfen, ihre multilaterale Bedingtheit abzuschätzen und ihre Bedeutung für den Einsatz der eigenen Ressourcen zu bestimmen.

Der außenpolitische Beginn des vereinten Deutschlands war trotz des Triumphs multilateraler Diplomatie, den der Prozeß der Vereinigung darstellte, alles andere als einfach. Noch während der Verhandlungen über den »Zwei-plus-Vier-Vertrag« brach der zweite Golf-Krieg aus, der jede Hoffnung auf ein graduelles Hineinwachsen des vereinten Deutschlands in neue Verantwortung zunichte machte, schnelle Beschlüsse erforderte und auch die ersten Fehlentscheidungen zur Folge hatte. Weitere Belastungen folgten, insbesondere die unerwartet großen finanziellen und politischen Schwierigkeiten bei der Vereinigung, der Ausbruch des Balkan-Krieges und weiterer Krisen in Osteuropa. Die Zahl der nach Deutschland strömenden Asylbewerber, Rück- und Aussiedler sowie Kriegsflüchtlinge schwoll zu krisenhaften Proportionen an.

---

16 Zu den Rollen Deutschlands vgl. insbesondere Christian *Hacke*, Weltmacht wider Willen. Die Außenpolitik der Bundesrepublik Deutschland, 2. Auflage, Frankfurt/Main 1993.

Trotz der begangenen Fehler war dennoch das vereinte Deutschland in den ersten Jahren nach der Vereinigung in der Lage, einer Reihe von Herausforderungen mit Erfolg zu begegnen, wie sie kaum eine andere vergleichbare Demokratie zur gleichen Zeit zu ertragen hatte: Sie absorbierte in den Jahren 1992 und 1993 über zwei Millionen Zuwanderer aus dem Ausland und damit mehr als 60 Prozent aller Asylsuchenden in der EG und der Kriegsflüchtlinge aus dem ehemaligen Jugoslawien. Die deutsche Demokratie war ferner imstande, in einer gemeinsamen Anstrengung der politischen Kräfte des Landes nicht nur die plötzlich ansteigende Fremdenfeindlichkeit wieder zum Rückgang zu bringen, sondern auch durch eine Reihe von nationalen und außenpolitischen Maßnahmen den Zustrom von Ausländern in kontrollierbare Bahnen zu lenken. Die Transferleistungen, die der Westen des Landes an den Osten zu seinem Aufbau geleistet hat und auch noch längere Zeit leisten wird, sind ohne Beispiel in der Geschichte westlicher Demokratien: 1992 und 1993 fast den doppelten Gegenwert des gesamten amerikanischen Marshall-Plans für Westeuropa. Hinzu kam die gewaltige Hilfsanstrengung für den Aufbau von Demokratie und Wirtschaft in Mittel- und Osteuropa. Zwischen 1990 und 1993 belief sich der deutsche Anteil auf etwas mehr als die Hälfte der gesamten westlichen Hilfe.

Zwar sind diese Jahre nicht ohne innere Probleme und auch gewisse Spannungen mit den Partnern – etwa bei den zinspolitischen Folgen der Finanzierung der deutschen Vereinigung – verstrichen. Dennoch bleibt festzuhalten, daß insgesamt die deutsche Demokratie diese Herausforderungen nicht nur ohne große Krisen bewältigt, sondern dabei auch ein erhebliches Maß an Innovations- und Mobilisierungsfähigkeit in der Außenpolitik unter Beweis gestellt hat. Ein Blick auf die anarchischen Tendenzen der Weltpolitik nach dem Ende des Kalten Krieges, die Virulenz ihrer Kriege und die wachsenden Konfliktstoffe zeigt jedoch, daß das vereinte Deutschland seine schwersten Belastungsproben und Herausforderungen noch vor sich hat.

DIE INTERNATIONALE STAATENWELT AN DER SCHWELLE DES DRITTEN JAHRTAUSENDS

Christian Tomuschat

EINFÜHRUNG

Der souveräne Staat als Grundelement der internationalen Gemeinschaft

Wie schon vor hundert Jahren,[1] so wird auch heute noch in der Regel der souveräne Staat als die Grundeinheit der internationalen Ordnung beschrieben.[2] In der Charta der Vereinten Nationen (nachfolgend Charta) steht die souveräne Gleichheit an der Spitze der Grundsatzregeln, welche das gegenseitige Verhältnis der Mitgliedstaaten der Vereinten Nationen bestimmen sollen (Art. 2 Abs. 1). Demgemäß ist es eine auch heute noch geläufige Aussage, daß das Völkerrecht seinem Wesen nach eine Rechtsordnung der Koordination darstellt,[3] ähnlich dem Privatrecht, wo ja auch außerhalb der Familie von Rechts wegen kein Rechtssubjekt dem anderen übergeordnet ist.

Viele Erscheinungen des internationalen Lebens lassen sich in der Tat völlig zufriedenstellend vom Axiom der souveränen Gleichheit der Staaten her erklären. Insbesondere der Konsens über die Formen der Rechtsetzung im Völkerrecht wie er in Artikel 38 des Statuts des Internationalen Gerichtshofs (IGH) seinen Niederschlag gefunden hat, spiegelt in fast perfekter Weise die gegenwärtige Grundstruktur der internationalen Gemeinschaft wider. Artikel 38 kennt nicht das internationale Gesetz, weil es keinen Weltgesetzgeber gibt. An erster Stelle des Rechtsquellenkatalogs steht stattdessen der völkerrechtliche Vertrag, dessen Zustandekommen die Einigung der Vertragsparteien voraussetzt, die nach den allgemeinen Regeln über den Vertragsschluß eine freie, nicht durch Zwang herbeigeführte Entscheidung sein soll.[4]

Die territoriale Unverletzlichkeit, die sich heute auf das Gewaltverbot der Charta (Art. 2 Abs. 4) stützt, kann man als eine weitere bedeutende Manifestation der souveränen Gleichheit bezeichnen. Kein Staat darf militärische Gewalt gegen das Gebiet eines anderen Staates einsetzen. Noch weiter geht das Interventionsverbot,

---

1 Vgl. z.B. August Wilhelm *Heffter*/F. Heinrich *Geffcken*, Das europäische Völkerrecht der Gegenwart, 8. Auflage, o.O. 1888. »Vermöge des Charakters und Begriffes des heutigen Völkerrechtes können nur Staaten und deren Souveräne als unmittelbare Rechtssubjecte, auf welche sich jenes beziehen läßt, angesehen werden«. Ebd., S. 42.

2 »Beteiligte an Völkerrechtsbeziehungen sind nach wie vor allem die 170 Staaten dieser Welt«, in: Knut *Ipsen*, Völkerrecht, 3. Auflage, München 1990, S. 55.

3 Alfred *Verdross*/Bruno *Simma*, Universelles Völkerrecht. Theorie und Praxis, 3. Auflage, Berlin 1984, S. 34.

4 Jeder von den bosnischen Moslems zur Aufteilung des Staatsgebiets abgeschlossene Vertrag wäre, solange die Drohung weiterer Vertreibungen anhält, nach Art. 52 der Wiener Vertragsrechtskonvention nichtig.

das auch den Gebrauch anderer Zwangsmittel als militärischer Gewalt untersagt.[5] Die Rechtskonstruktionen sind also bewußt perfektioniert worden, um jedem Volk, das den Staat als Organisationsform für kollektives Handeln benutzt, die rechtlich gesicherte Möglichkeit zu geben, sein Schicksal in die eigene Hand zu nehmen und selbstverantwortlich zu gestalten. So lebt man rechtlich in dem »meilleur des mondes possibles«.

Offensichtlich wirft indes die Dominanz des Prinzips souveräner Gleichheit zwei Fragen auf. Nicht selbstverständlich ist, daß die Entscheidung des internationalen Verfassunggebers für die selbstbestimmte Freiheit des einzelnen Staatswesens gesichert und effektiv gemacht werden kann. Auch den Juristen ist dieses Problem nicht verborgen geblieben. Weitaus grundsätzlicher noch ist die zweite Frage, ob eigentlich eine Weltordnung, die ihr Vertrauen auf die Entscheidungsfreiheit des einzelnen Staatswesens setzt, auf die Dauer lebensfähig sein kann und in der Lage ist, Recht und Gerechtigkeit zu verbürgen.

Grenzen souveräner Handlungsmacht

Die souveräne Gleichheit als Fundament der Völkerrechtsordnung entstammt einer früheren Epoche der Neuzeit, wo es als die Hauptaufgabe des Völkerrechts angesehen wurde, Regeln für das Handeln der Staaten in ihrem Verhältnis zueinander festzulegen. Bis an die Schwelle der Gegenwart genoß der Staat auf seinem Hoheitsgebiet fast uneingeschränkte Handlungsfreiheit, soweit er nicht unmittelbar in fremde Rechtsgüter eingriff.[6] Was er dort tat, ging grundsätzlich niemanden etwas an. Insbesondere die Rechtsbeziehung zwischen einer Regierung und ihren eigenen Bürgern wurde als eine innere Angelegenheit betrachtet, für die der Staat die alleinige Verantwortung trug. Ein Gleiches galt für Handlungen, die man heute mit der Elle umweltrechtlicher Regeln messen würde. Noch im Jahre 1895 formulierte der amerikanische Attorney-General die nach ihm benannte Harmon-Doktrin, der zufolge jeder Staat die ausschließliche und uneingeschränkte Verfügungsgewalt an dem Wasser eines sein Staatsgebiet durchlaufenden internationalen Flusses haben sollte.

Die Sachzwänge der internationalen Interdependenz haben mit solcher Kurzsichtigkeit definitiv aufgeräumt. Man weiß heute, daß es im Grunde genommen keinen einzigen Bereich staatlicher Politik mehr gibt, der nicht geeignet wäre, internationale Auswirkungen auszulösen. Was Wirtschaft und Umwelt angeht, so mag diese Erkenntnis fast als banal erscheinen. Nicht so selbstverständlich ist, daß selbst Grundentscheidungen über die Gestalt einer nationalen Verfassungsordnung weitreichende grenzüberschreitende Auswirkungen nach sich ziehen können. Es ist die Hitler-Diktatur, die einer geschichtsblinden Welt nachhaltig vor Augen geführt hat,

---

5 Dazu der Internationale Gerichtshof in seinem Nicaragua-Urteil vom 27.6.1986, International Court of Justice Reports (ICJ Reports), 1986, S. 14 und S. 106 ff.

6 Botschafter und Konsuln, aber auch schlichte Bürger anderer Staaten mit ihrem Vermögen waren stets geschützt.

daß die Unterdrückung der Menschen im Innern die Vorstufe zu einer Außenpolitik sein kann, die mit aggressiven Zielsetzungen den Weltfrieden zu gefährden vermag. Der Zusammenhang zwischen Menschenrechten und Weltfrieden wird nachdrücklich in der Präambel der UN-Charta, später dann auch in der Allgemeinen Erklärung der Menschenrechte vom 10. Dezember 1948 unterstrichen. Gleich zu Anfang heißt es dort im ersten Präambelsatz:

»Da die Anerkennung der allen Mitgliedern der menschlichen Gesellschaft innewohnenden Würde und ihrer gleichen und unveräußerlichen Rechte die Grundlage von Freiheit, Gerechtigkeit und Frieden in der Welt bildet«.

Fast in allen Lebensbereichen hat sich demgemäß die Erkenntnis Bahn gebrochen, daß die Souveränität des Staates allenfalls eine relative Bedeutung haben kann. Ihre Ausübung muß sich innerhalb gewisser Schranken der Allgemeinverträglichkeit halten. Zwar ist in neuerer Zeit nie mehr die Auffassung vertreten worden, daß Souveränität letzten Endes Freiheit von Recht bedeute. Zumindest seit dem Ende des Ersten Weltkriegs bestand in der Völkerrechtslehre Einigkeit, daß Souveränität und Einbindung in die Regeln der Rechtsordnung keine unvereinbaren Gegensätze darstellten. Aber es herrschte doch die Auffassung vor, daß jeder Staat innerhalb seiner territorialen Grenzen zur Regelung seiner eigenen Angelegenheiten ein nicht durch rechtliche Fesseln eingeengtes Handlungsermessen besitzen müsse. Erkennt man indes einen Zusammenhang zwischen Menschenrechten und Weltfrieden an – in der Gewißheit, daß sich auf anderen Sachgebieten ganz ähnliche Querbeziehungen zwischen inneren und äußeren Zuständen herstellen lassen –, so ist jene Daumenregel nicht mehr zu halten.

Zwang zur internationalen Kooperation

Der Einsicht in die rechtliche Begrenztheit souveräner Staatsmacht hat sich zaghaft seit dem zweiten Drittel des 19. Jahrhunderts, deutlicher sichtbar seit dem Ende des Ersten Weltkriegs und verstärkt seit 1945 die Erkenntnis von der faktischen Schwäche des Staates hinzugesellt, der unter den Bedingungen einer weltweit miteinander vernetzten Industriegesellschaft nicht mehr in der Lage ist, seinen Bürgern aus eigener Kraft alle diejenigen Wohlfahrtsleistungen zu erbringen, die von ihm erwartet werden. Die technologische Revolution führte zunächst zur Gründung des Internationalen Fernmeldevereins (ITU) im Jahre 1865 und des Internationalen Postvereins (IPU) im Jahre 1874. Die Verheerungen des Ersten Weltkriegs bewirkten den Versuch, den Weltfrieden durch einen Zusammenschluß aller Staaten – nämlich den Völkerbund – zu sichern; gleichzeitig entstand die Internationale Arbeitsorganisation als ein Sozialwerk zur Sicherung eines Mindeststandards arbeitsrechtlicher Fairness. Heute gibt es internationale Organisationen mit Zuständigkeiten für fast alle Lebensbereiche, wobei die drei Europäischen Gemeinschaften das bisher nirgendwo sonst egalisierte Modell für einen Zusammenschluß mit weithin staatsähnlichen Zügen bilden, während die

Vereinten Nationen vor allem die Grundvoraussetzung einer menschenwürdigen Existenz – nämlich den Weltfrieden – gewährleisten sollen.

Zerfallserscheinungen

Wird der Staat einerseits in seiner Legitimation als Instrument zur Bewältigung der einer Gesellschaft gestellten Aufgaben durch die fortschreitende Übernahme zentraler Regierungsfunktionen durch internationale Organisationen von oben her geschwächt, so wird er auf der Gegenseite auch an der Basis vielfach durch Zerfallstendenzen bedroht. Das Selbstbestimmungsrecht wandelt sich mehr und mehr von einer Rechtsfigur, die das Entstehen neuer Nationen ermöglicht und konsolidiert, zumindest politisch zu einer Waffe, welche hergebrachte Staatsstrukturen in Frage stellt.[7] In manchen aus der Dekolonisierung erwachsenen Staaten Afrikas stellt sich gar die Frage, ob die Übertragung des Organisationsschemas »Staat« auf Verhältnisse außerhalb der industrialisierten Welt überhaupt gelingen kann.[8]

DIE ÜBERNAHME ÖFFENTLICHER AUFGABEN DURCH INTERNATIONALE ORGANISATIONEN

Wenn Sachzwänge der internationalen Interdependenz auf die Übertragung von Aufgaben auf internationale Organisationen hindrängen, so stellen sich ganz ähnliche Fragen, wie sie auch im Rahmen einer nationalen Staatsverfassung beantwortet werden müssen. In jeder Gemeinschaft, die sich der Rechtsstaatlichkeit verpflichtet fühlt, werden die für alle Mitglieder verbindlichen Regeln im Wege der Rechtsetzung – und nicht durch reines Machtdiktat – nach einem geregelten Verfahren festgelegt. Die internationale Gemeinschaft hat hier die Wahl, ob sie sich mit den durch – allmählich gewachsenes – Gewohnheitsrecht oder durch – konsentierten – Vertrag fixierten Regeln und Grundsätzen begnügen will oder ob sie bereit ist, im Hinblick auf neu auftretende Lagen Gemeinschaftsorgane zu schaffen und diese mit Entscheidungsbefugnissen auszustatten, die ein Element der Mehrheitsherrschaft enthalten. Das klassische Modell der internationalen Rechtsetzung ist der Abschluß völkerrechtlicher Verträge. Jede Abkehr vom Vertrag als dem primären Regelungsinstrument zugunsten eines Verfahrens der Setzung von Sekundärrecht bedeutet gleichzeitig eine Distanzierung von einer rein koordinationsrechtlich konzipierten Völkerrechtsordnung und eine Hinwendung zu hierarchisch geprägten Regierungsformen, die gewisse Ähnlichkeiten mit den Wesenszügen des modernen Staates aufweisen.

---

7 Vgl. *Tomuschat*, Self-Determination in a Post-Colonial World, in: *ders.* (Hrsg.), Modern Law of Self-Determination, Dordrecht/Boston/London 1993, S. 4.

8 Vgl. Robert H. *Jackson*, Quasi-States, Dual Regimes, and Neoclassical Theory: International Jurisprudence and the Third World, in: *International Organization*, Bd. 41, Herbst 1987, S. 519 ff. *Ders.*, Juridical Statehood in Sub-Saharan Africa, in: *Journal of International Affairs*, Nr. 46, 1992, S. 1 ff.

Die gleiche Problematik taucht im Hinblick auf die Exekutivfunktion in den internationalen Beziehungen auf. Es ist die klassische Vorstellung, die durch die Souveränität als den Zentralbegriff bestimmt ist, daß jeder Staat die ihm obliegenden Verpflichtungen auf seinem Staatsgebiet eigenverantwortlich wahrnimmt. So beschränkten sich die völkerrechtlichen Verträge in der Vergangenheit in der Regel auf die Festlegung materieller Rechte und Pflichten, ohne sich um die Erfüllungsmodalitäten langwierige Gedanken zu machen. In der Gegenwart haben sich hier die Verhältnisse völlig umgekehrt. Vielfach liegt heute das Schwergewicht im Gegenteil bei der Regelung jener Modalitäten, die von internationaler Aufsicht bis hin zu Inspektionen an Ort und Stelle gehen können. Im Bereich von Abrüstung und Rüstungskontrolle etwa steht heute bei jedweder Abmachung die Sicherung der Vertragstreue durch geeignete Verfahren im Mittelpunkt der Überlegungen. Verträge ohne ein ausgeklügeltes Kontrollsystem werden, wenn nicht als nutzlos, so doch als wenig sachgerecht betrachtet. Auf dem Gebiet der Menschenrechte stellt die Europäische Anti-Folter-Konvention vom 26. November 1987 den Idealtypus eines Vertrags dar, dessen Ziel überhaupt nicht die Aufstellung einer Sachregelung ist – ein Folterverbot findet sich bereits in der Europäischen Menschenrechtskonvention –, sondern der ausschließlich der Schaffung von Mechanismen dient, welche die effektive Durchsetzung des Folterverbots sichern sollen.

Allerdings ist die Vornahme von Hoheitsakten auf dem Gebiet eines der Vertragsstaaten immer noch die Ausnahme, die vertraglich ausdrücklich vorgesehen sein muß. Selbst die Organe der Europäischen Union (EU) besitzen insoweit nur begrenzte Befugnisse. Meist obliegt es nationalen Instanzen, das Gemeinschaftsrecht durchzuführen, so daß die Gemeinschaft in jeder Phase ihrer Tätigkeit auf die loyale Mitarbeit der Mitgliedstaaten dringend angewiesen ist. Auch die Vereinten Nationen haben grundsätzlich die souveräne Selbständigkeit ihrer Mitgliedstaaten zu beachten. Die internationale Exekutivfunktion bleibt bis heute im wesentlichen auf Planungs- und Leitungsbefugnisse beschränkt, während der Vollzug, das tatsächliche Handeln, ganz überwiegend in den Händen der Staaten liegt.

Ganz ähnliche Feststellungen gelten für die Funktion der Streitschlichtung in den internationalen Beziehungen. Bis heute gibt es trotz der Verpflichtung aller Staaten auf friedliche Streiterledigung (Art. 2 Abs. 3 der Charta) kein umfassendes System obligatorischer internationaler Gerichtsbarkeit, wie es sich Art. 24 Abs. 3 des Grundgesetzes erträumt hatte. Der Internationale Gerichtshof ist zwar nach der Charta das Hauptrechtsprechungsorgan der Vereinten Nationen (Art. 92), doch ist seine Zuständigkeit im konkreten Streitfall durch die freiwillige Unterwerfung der Parteien unter seine Gerichtsbarkeit bedingt. Nur wenige Staaten haben allgemeine Unterwerfungserklärungen abgegeben, die dazu meist noch durch tiefgreifende Vorbehalte eingeschränkt sind. Auch das Straßburger System des Menschenrechtsschutzes beruht auf dem Prinzip freiwilliger Unterwerfung, doch haben zumindest alle »Alt-Mitglieder« des Europarats diesen Schritt vollzogen. Am weitesten fortgeschritten ist die Gerichtsbarkeit in den Europäischen Gemeinschaften, wo jeder Streit zwischen

den Mitgliedstaaten oder der Gemeinschaft und den Mitgliedstaaten dem zuständigen
Luxemburger Gerichtshof unterbreitet werden kann.

DIE HAUPTAKTEURE

Die Vereinten Nationen als Garant des Weltfriedens
und der internationalen Sicherheit

Wenn die Charta die Wahrung des Weltfriedens und der internationalen Sicherheit
zur herausragenden Aufgabe der Weltorganisation macht, so spiegelt sich in dieser
Zuweisung die Erkenntnis wider, daß allein die rechtliche Konstruktion souveräner
Gleichheit den Weltfrieden nicht zu sichern vermag. In jeder Gemeinschaft ist die
Aufrechterhaltung von Recht und Ordnung die elementarste, aber auch die schwierigste Aufgabe. Nach der Katastrophe des Zweiten Weltkriegs waren sich die Regierungen der Welt darin einig, daß es effektiver Mechanismen bedürfe, um Kriegsgefah-
ren rechtzeitig vorzubeugen und einer dennoch verübten Aggression mit vereinten
Kräften entgegenzutreten. Die mit den dazu erforderlichen Handlungsbefugnissen
ausgestattete Institution, der Sicherheitsrat, war wegen des Ost-West-Konflikts jahrzehntelang gelähmt. Viele Beobachter hatten den Sicherheitsrat schon totgesagt. Nach
dem Zusammenbruch des Kommunismus kam es erstmals zu einer konstruktiven
Zusammenarbeit zwischen den USA und der Sowjetunion, später Rußland, die in der
entschiedenen Reaktion auf die irakische Aggression gipfelte. Seitdem hat sich der
Sicherheitsrat im System der Vereinten Nationen immer mehr in den Vordergrund
geschoben.

Obwohl wegen des Vetorechts der Mächte mit ständigem Sitz die Handlungsfähigkeit des Rates nach wie vor strukturell bedroht bleibt, darf man doch heute die
rechtlich erfolgte Übertragung der Zuständigkeit für die Wahrung des Weltfriedens
und der internationalen Sicherheit voll beim Wort nehmen. Sie bedeutet, daß sämtliche
Staaten der Welt der Autorität des Sicherheitsrats unterstellt sind, dem – wiederum
im Rechtssinne! – umfassende Machtmittel zur Verfügung stehen. Der Sicherheitsrat
kann nicht nur bindende Beschlüsse fassen, sondern diese auch mit Zwangsgewalt
durchsetzen. Dabei braucht er nicht zu warten, bis eine Aggression erfolgt ist, sondern
er kann auch schon in einer Spannungslage tätig werden, wenn eine »Bedrohung« des
Friedens gegeben ist. Mit dieser Zuständigkeitsbestimmung bildet er den Kern einer
Weltregierung, deren Konturen sich heute deutlicher abzeichnen als jemals zuvor in
der Geschichte der Weltorganisation.

Die Europäische Gemeinschaft/Union als Garant wirtschaftlicher Sicherheit

Die Europäischen Gemeinschaften sind in Westeuropa als Garant wirtschaftlicher
Sicherheit geschaffen worden. Schon in der Erstfassung des Montanvertrags von
1951 und des Vertrags über die Europäische Wirtschaftsgemeinschaft (EWG) von

1957 haben die ursprünglich sechs Mitgliedstaaten weitgehende Souveränitätsverzichte geleistet. Die gesamte Handelspolitik wurde vergemeinschaftet, sowohl was den innergemeinschaftlichen Handel als auch den Handel mit Drittstaaten betrifft. Besondere Hervorhebung verdient, daß die sechs Staaten sich seinerzeit schon zur Aufgabe einer eigenständigen Einwanderungs- und Fremdenpolitik gegenüber den Angehörigen der übrigen Mitgliedsländer der Gemeinschaft bereit erklärten. Denn Freizügigkeit und Niederlassungsrecht verleihen einem jeden EU-Bürger ein freies Aufenthaltsrecht im gesamten Raum der Gemeinschaft.

Wirtschafts- und Währungspolitik waren von Anfang an die Stiefkinder der Gemeinschaftsbildung. Der EWG-Vertrag sah hier nur gewisse Koordinierungen vor (Art. 103 ff.). Immer deutlicher wurde in der Folgezeit, daß das Nebeneinander von einheitlichem Markt und national bestimmten Wirtschafts-, Währungs-, Steuer- und Haushaltspolitiken zu zahlreichen Spannungen führen muß. Der Maastrichter Vertrag sollte dieses Defizit in einem kühnen Sprung zumindest teilweise durch die Einführung einer gemeinsamen Währung beheben. Die unvermeidlichen Friktionen zwischen primär nationaler Verantwortung für Wirtschafts-, Steuer- und Haushaltspolitik und einer gemeinsamen Währung wird freilich auch dieses Abkommen nicht auflösen können. Keine Regierung kann sich im Bereich von Steuer und Haushalt diejenigen Prärogativen aus der Hand winden lassen, von denen ihre Existenz und ihr Überleben abhängen. Die Währungsturbulenzen im Sommer 1993 haben deutlich gezeigt, wie illusionär es ist, allein von der Einführung einer gemeinsamen Währung den großen Durchbruch zu erhoffen. Während in Deutschland noch in bester Juristenmanier vor dem Bundesverfassungsgericht über die rechtlichen Implikationen des Vertrags gestritten wurde, erklärte man in Großbritannien das Vertragswerk mit großer Nüchternheit bereits für politisch tot.

Trotz dieses sich schon heute abzeichnenden Fehlschlags darf das bereits Verwirklichte in seiner Bedeutung nicht unterschätzt werden. Die Existenz der Europäischen Union bedeutet, daß die Mitgliedstaaten in einem weiten Segment genuin staatlicher Kompetenz die ursprünglich von ihnen kraft ihrer staatlichen Allzuständigkeit gehaltenen Kompetenzen aufgegeben haben und nun nur noch einen Anteil an den überstaatlichen Entscheidungsbildungsprozessen besitzen. In weitem Umfang ist im übrigen in der Gemeinschaft die Führungsrolle auf den Gerichtshof übergegangen, der keinen Primat der Tagespolitik anerkennt, sondern darauf insistiert, daß die ursprünglichen Zielsetzungen der Verträge ohne Abstriche gewahrt bleiben. Offenbar werden dennoch die Vorteile der Zugehörigkeit zur Gemeinschaft überwiegend als so gewichtig eingeschätzt, daß nicht nur in den zwölf Mitgliedstaaten ein Ausscheiden als undenkbar gilt, sondern daß sich auch mittlerweile eine lange Warteschlange von Bewerbern um Aufnahme gebildet hat. Vor vielen Jahren schon (14. April 1987) hat die Türkei einen Antrag auf Aufnahme in die Gemeinschaft gestellt; Österreich vollzog diesen Schritt im Jahre 1989, es folgten Schweden im Jahre 1991 und schließlich 1992 Norwegen und Finnland. Auch von Osteuropa her werden begehrliche

Blicke auf die Gemeinschaft geworfen. Allein schon diese Anziehungskraft zeigt, daß die Gemeinschaft sich trotz aller Schwierigkeiten nach wie vor auf Erfolgskurs befindet.

Der Nordatlantikpakt als Garant militärischer Sicherheit

Als einzige internationale Organisation mit ähnlich vitaler Bedeutung für die Bundesrepublik Deutschland läßt sich das NATO-Bündnis nennen. Zwar hat die Allianz unter der Uneinigkeit über das Vorgehen in Bosnien-Herzegowina erheblich gelitten. Aber als Schutzmechanismus der gemeinsamen Verteidigung ist ihre Bedeutung ungebrochen. Für die ihr angehörenden Klein- und Mittelstaaten Westeuropas gilt nach wie vor die Einsicht, daß unter den Bedingungen der Gegenwart eine ausschließlich national organisierte Verteidigung eine unrealistische Vorstellung wäre. Mit der Integration in ein internationales Verteidigungsbündnis ist wiederum ein Kernbestandteil aus der traditionellen Aufgabenpalette des Nationalstaats herausgebrochen.

International gilt heute die atlantische Allianz als das einzige verläßliche System kollektiver Selbstverteidigung, das seinen Mitgliedern tatsächliche militärische Sicherheit – und zwar nicht nur auf dem Papier – verbürgt. Offensichtlich bedarf es aber eines hohen Maßes gegenseitigen Vertrauens, um vorbehaltlos gegenüber anderen Staaten Art und Umfang der eigenen Rüstung offenzulegen. In Afrika und Asien sind jedenfalls gleichartig dichte Verteidigungsbündnisse nicht zustande gekommen. Für Lateinamerika und die Karibik, wo der Rio-Pakt nie zu einer Integration der Stäbe oder gar der Streitkräfte selbst geführt hat, tritt als weitere Erklärung hinzu, daß es dort niemals eine ernstliche Bedrohung von außen gegeben hat. Als geradezu spannend stellt sich die Entwicklung der militärischen Kooperation zwischen den Nachfolgestaaten der ehemaligen Sowjetunion dar. Der erste Reflex des den Schutzschirm der dominierenden Hegemonialmacht verlassenden Staates muß es sein, sich die neu erworbene Souveränität in Form eigener Streitkräfte selbst zu bestätigen. Zu Recht wird auch die Gefahr gesehen, daß ein Verteidigungsbündnis von der führenden Macht als Instrument zur Wiedergewinnung verlorener Macht mißbraucht werden könnte. Gemeinsame Verteidigung ist undenkbar in einem Klima des gegenseitigen Mißtrauens. Auch die Institutionen der Konferenz über Sicherheit und Zusammenarbeit in Europa (KSZE) haben es jedenfalls nur zum Teil vermocht, psychische Spannungslagen als die Grundlage tatsächlicher Bedrohungen abzubauen.

Andere Zentren mit verdichteten Regierungsfunktionen

Die gegenwärtige internationale Ordnung kennt noch eine ganze Anzahl von Inseln mit verdichteten Regierungsfunktionen, wo die Staaten resolut auf Zusammenarbeit setzen und ohne weiteres bereit sind, sich internationalen Regelungen zu unterwerfen, ohne sich nach der Aushandlung eines bestimmten Sachergebnisses noch ein Ablehnungsrecht vorzubehalten. In den technischen Sonderorganisationen vor allem ist das Handlungsschema souveräner Letztentscheidung faktisch längst in die Ecke

gestellt worden. Die technischen Standards, wie sie in der Internationalen Zivilluft-
fahrtorganisation (ICAO), in der Internationalen Seeschiffahrtsorganisation (IMO)
sowie innerhalb der ITU erarbeitet werden, werden mit den unterschiedlichsten
Methoden entweder im Wege des Mehrheitsvotums in Kraft gesetzt oder auch trotz
ihrer rechtlichen Unverbindlichkeit als rechtlich maßgebend behandelt. Es dominiert
der Konsens, dessen Zustandekommen durch die technischen Sachzwänge regelmäßig
begünstigt wird. Selten kommt es hier zu Divergenzen. Durchschlagskraft erhalten
solche »unverbindlichen« Standards gerade bei Luftfahrzeugen und Schiffen auch
durch Versicherungsbedingungen, welche die Erfüllung der international vorgesehenen Sicherheitskriterien zur Bedingung für die Übernahme des Risikos machen.
Obwohl es diese Organisationen an wirtschaftlicher Bedeutung bei weitem überragt,
beruht das Allgemeine Zoll- und Handelsabkommen (GATT) doch ganz überwiegend
auf dem Souveränitätsprinzip. Selbst die Ergebnisse von Streitschlichtungsverfahren
(panel reports) bedürfen der Annahme durch die beteiligten Parteien.

DIE VEREINTEN NATIONEN

Vielleicht die tiefgreifendste Umgestaltung hat die Struktur der internationalen
Gemeinschaft in der jüngsten Vergangenheit durch den Aufschwung der Vereinten
Nationen erfahren, der sich seit dem Jahre 1988 rasant beschleunigt hat. Nicht nur in
der Bundesrepublik Deutschland galten die Vereinten Nationen bis vor kurzem als
eine Art Spielwiese, auf der sich zu tummeln man getrost den Diplomaten des Auswärtigen Amtes und einer Handvoll Spezialisten überlassen könne. Die Weltorganisation galt, abgesehen von gelegentlichen Höhepunkten – wie der Verabschiedung der
Allgemeinen Erklärung der Menschenrechte im Jahre 1948 und vielen Entgleisungen,
wie der Verabschiedung der bekannten Zionismus-Resolution im Jahre 1975 – als eine
Einrichtung, in der im wesentlichen nur nutzloses Papier produziert werde. Von einer
solchen Einschätzung waren die Staaten der Dritten Welt, die den Bemühungen der
Generalversammlung um die Durchsetzung des Selbstbestimmungsrechts ihre Entstehung verdankten, stets weit entfernt. Aber auch in der Bundesrepublik Deutschland
gehören die Agenden der Vereinten Nationen mittlerweile zu den Gegenständen der
Tagespolitik. Die Debatte um Auslandseinsätze der Bundeswehr droht allerdings
den Blick dafür zu verstellen, daß die Vereinten Nationen eine Vielzahl sonstiger
Tätigkeitsfelder haben, wo seit Jahrzehnten konstruktive Arbeit geleistet worden ist.

Einmischung – Nichteinmischung

Von der Charta her ist die Weltorganisation auf das Prinzip der Nichteinmischung
in die inneren Angelegenheiten ihrer Mitglieder festgelegt. Nach Art. 2 Abs. 7 enden
ihre Handlungsbefugnisse bei den »Angelegenheiten, die ihrem Wesen nach zur
inneren Zuständigkeit eines Staates gehören«. Ein ausdrücklicher Vorbehalt ist nur

für die Zwangsmaßnahmen des Sicherheitsrats nach Kapitel VII statuiert. Mit dieser Grundsatzregelung macht die Charta eine Verbeugung vor dem Souveränitätsprinzip. Anerkannt wird, daß es Kernbereiche gibt, für die jeder Staat die alleinige Verantwortung trägt und in denen er nach seinem eigenen, politisch ungebundenen Zweckmäßigkeitsurteil handeln kann.

Von vornherein war allerdings die Bestimmung des Art. 2 Abs. 7 der Charta durch innere Widersprüchlichkeit gekennzeichnet. Denn die Vereinten Nationen sollen nach den Vorstellungen ihrer Schöpfer ja gerade eine weltumgreifende Verantwortung auf allen Gebieten menschlichen Zusammenlebens wahrnehmen. Der Zielkatalog des Art. 1 der Charta ist derart umfassend, daß kaum irgendein Sachbereich ausgeklammert bleibt. Wenn Generalversammlung oder Sicherheitsrat ein Problem aufgreifen, so bringen sie damit zumindest implizit zum Ausdruck, daß es sich jedenfalls von seinen Auswirkungen her nicht auf den ausschließlich nationalen Kompetenzraum beschränkt. Selbstverständlich ist im übrigen, daß zwar viele Sachfragen in abstrakter Form behandelt werden können, insbesondere durch die Erarbeitung von allgemein anwendbaren Verhaltensregeln, daß aber vielfach aus Gründen der Effektivität Roß und Reiter konkret benannt werden müssen. Wenn etwa bekannt ist, daß in einem Lande massive Menschenrechtsverletzungen stattfinden, so muß dies auch deutlich ausgesprochen werden, da sonst die besten Absichten Makulatur werden und die Setzung allgemeiner Regeln zur bloßen Übung in politischer Ästhetik degenerieren kann. So mußte die Regel des Art. 2 Abs. 7 sich von Anfang an einem Abwehrkampf stellen, der mit dem Vorrücken der Jahre immer aussichtsloser geworden ist. Heute wird der Einwand der inneren Angelegenheiten kaum noch vorgebracht, oder er reduziert sich auf ein rhetorisches Argument, das eher der Ausmalung eines allgemeinen Unbehagens der Weltorganisation gegenüber dient. Ernstlich kann kein Staat mehr hoffen, mit dem Einwand der inneren Angelegenheiten Erfolg zu haben, wenn Generalversammlung oder Sicherheitsrat die Überzeugung gewonnen haben, daß es sich um eine Angelegenheit von »international concern« handelt.

Der Text des Art. 2 Abs. 7 der Charta zieht in der Tat keine scharfe und absolut geltende Grenze. Er behält dem Nationalstaat nur vor, was dem Wesen nach in seinen inneren Zuständigkeitsbereich gehört.[9] Wenn aber innerstaatlich Entscheidungen getroffen oder Handlungen gesetzt werden, die geeignet sind, die Nachbarländer oder gar die Weltgemeinschaft zu beeinträchtigen, so handelt es sich eben nicht mehr um eine Angelegenheit, die ihrem Wesen nach zur inneren Zuständigkeit eines Staates gehört. Dies gilt selbst für die Erarbeitung einer Verfassung, die häufig als der Idealtypus einer solchen Angelegenheit genannt wird. Auch insofern gibt es heute verbindliche internationale Maßstäbe, an denen sich Entscheidungen des demokratischen »pouvoir constituant« messen lassen müssen.

---

9 Vgl. Charta der Vereinten Nationen, in: Friedrich *Berber* (Hrsg.), Völkerrecht. Dokumentensammlung, München/Berlin 1967, S. 13-42; hier S. 15.

Der Sicherheitsrat

Der Sicherheitsrat ist bereits als der institutionelle Kern einer möglichen Weltregierung genannt worden. Ganz entscheidend hängt seine Macht von der Auslegung der Kernformel für seine Zuständigkeit ab, die mit »Wahrung des Weltfriedens und der internationalen Sicherheit« umschrieben ist (Art. 24).

Überwiegend war man bei der Gründungskonferenz von San Francisco davon ausgegangen, daß Wahrung des Weltfriedens und der internationalen Sicherheit nichts anderes bedeutet als dafür zu sorgen, daß es zu keiner Gewaltanwendung im zwischenstaatlichen Verhältnis kommt. Aber es klangen doch auch schon andere Töne an. Frankreich insbesondere war der Auffassung, der Sicherheitsrat müsse ermächtigt sein, auch zum Schutze verfolgter Minderheiten tätig zu werden. Nach den Erfahrungen des Zweiten Weltkriegs lag es in der Tat nahe, sich zu fragen, ob die Voraussetzungen für ein Einschreiten bei einer Wiederholung ähnlicher Greueltaten gegeben sein würden, wie sie die nationalsozialistische Schreckensherrschaft an den Juden in ganz Europa verübt hatte.

In den beiden ersten Jahrzehnten seiner Existenz kam der Sicherheitsrat gar nicht dazu, sich an die Grenzen seiner Kompetenzsphäre heranzutasten. Den ersten großen Testfall bildete die Rhodesien-Krise, nachdem die weißen Siedler unter Führung von Ian *Smith* im Jahre 1965 einseitig die Unabhängigkeit ausgerufen hatten. Der Sicherheitsrat reagierte sofort. Er »verurteilte« mit seiner Resolution 216 vom 12. November 1965 die Unabhängigkeitserklärung und stellte fest, daß die Fortdauer der Minderheitsherrschaft eine Bedrohung des Weltfriedens und der internationalen Sicherheit darstelle. Die Resolution enthält keinerlei Hinweis darauf, daß das abtrünnige Regime in bewaffnete Auseinandersetzungen mit seinen Nachbarstaaten verwickelt werden könnte. Ganz offensichtlich liegt ihr allein die Sorge um die politischen Rechte der schwarzen Bevölkerungsmehrheit zugrunde. Auch in den nachfolgenden Resolutionen zur Rhodesien-Frage blieb die grundlegende Orientierung an den rechtswidrigen Zuständen im Innern des Landes unverändert. Die Ankunft eines Öltankers in Beira wurde allein deshalb als eine Friedensbedrohung qualifiziert, weil die Öllieferung eine Stärkung des Smith-Regimes bedeutet hätte. In der späteren Resolution 232 vom 16. Dezember 1966 wird maßgebend auf das »unveräußerliche Recht des Volkes von Südrhodesien auf Freiheit und Unabhängigkeit« hingewiesen.

In der Folgezeit läßt sich wieder eine stärkere Zurückhaltung des Sicherheitsrats beobachten. In der Resolution 418 aus dem Jahre 1977, die gegenüber Südafrika ein Waffenembargo anordnete, wird einerseits die aggressive Politik Südafrikas gegenüber seinen Nachbarn unterstrichen, andererseits hebt die Resolution aber auch auf die Gewaltsamkeit und die vielen Tötungshandlungen gegenüber der schwarzen Bevölkerung sowie auf das rechtswidrige System der Apartheid ab. Die mittlerweile schon berühmt gewordene Resolution 688 vom 5. April 1991 zur Lage der verfolgten Bevölkerungsgruppen im Norden wie im Süden des Irak verurteilte zwar einerseits die Repressionsmaßnahmen der irakischen Regierung, glaubte aber das Eingreifen des Sicherheitsrats mit den internationalen Verwicklungen rechtfertigen zu müssen, die der Strom von Flüchtlingen über die Grenzen des Irak hinaus nach sich ziehen könnte. Eine deutliche Kehrtwendung markierte erst die Somalia-Resolution 794 vom 3. Dezember 1992, in der festgestellt wird, daß das »Ausmaß der durch den Konflikt in Somalia verursachten menschlichen Tragödie« eine Bedrohung für den Weltfrieden und die internationale Sicherheit darstelle. Seitdem steht fest, daß gravierende menschenrechtsverletzende Lagen ohne Rücksicht auf irgendein grenzüberschreitendes Element die Voraussetzungen des Art. 39 der Charta erfüllen können. Mit anderen Worten, der Friedensbegriff hat nun definitiv eine Deutung dahin erfahren, daß er schwere Mißstände in einem Lande wie Anarchie und Gesetzlosigkeit miteinschließt.

Die Folgen dieser extensiven Deutung des dem Sicherheitsrat obliegenden Mandats lassen sich kaum überschätzen. Insbesondere könnte der Sicherheitsrat nunmehr für sich selbst das Tor zur internationalen Gesetzgebung aufgestoßen haben. Bisher nimmt die Weltorganisation eine solche Machtbefugnis für sich nicht in Anspruch. Die Generalversammlung ist darauf beschränkt, sich im Wege von Resolutionen zu artikulieren, denen die Charta lediglich die rechtliche Wirkung von Empfehlungen beimißt. So können zwar im Schoße der Generalversammlung selbst und ihrer Unterausschüsse Entwürfe für alle erdenklichen Rechtsetzungsvorhaben erarbeitet werden, doch erlangen diese Rechtsverbindlichkeit nur im Wege des klassischen völkerrechtlichen Vertragsschlusses. Nur wenn es um die bloße Kodifikation geltenden Rechtes geht, vermag die Generalversammlung eine wirkungsmächtigere Rolle zu spielen. Der Sicherheitsrat besitzt hingegen die Zuständigkeit zum Erlaß verbindlicher Anordnungen. Bisher war er durchweg der Auffassung, daß es ihm lediglich gestattet sei, im Hinblick auf eine länderspezifische Konfliktlage tätig zu werden. Manche dieser auf eine örtlich lokalisierte Gefahrensituation ausgerichteten Anordnungen tragen allerdings schon heute deutliche Züge einer für alle Staaten geltenden allgemeinen internationalen Gesetzgebung. So sind in neuerer Zeit Adressaten von Embargo-Beschlüssen durchweg »alle Staaten«. Auch die Errichtung des Strafgerichtshofs für das ehemalige Jugoslawien[10] hat generelle Auswirkungen für alle Mitglieder der Weltorganisation. Zwar können nur auf dem Gebiet des ehemaligen Jugoslawien verübte schwere Straftaten zur Anklage gebracht werden, doch treffen die Mitwirkungspflichten – insbesondere in Form von Auslieferungsverpflichtungen – alle Staaten, welcher Weltregion sie auch angehören mögen.

Es ist durchaus vorstellbar, daß der Sicherheitsrat in Zukunft von der länderorientierten Konzeption bestehender Gefahren abgeht und Gefahren für den Weltfrieden und die internationale Sicherheit sachspezifisch definiert. Bisher hat man es als geradezu selbstverständlich angesehen, daß etwa eine Einigung auf bestimmte Waffenverbote und Abrüstungsmaßnahmen in die Form des völkerrechtlichen Vertrags eingekleidet werden müsse, um rechtlich verbindliche Kraft zu erlangen. Damit fällt dem unwilligen Außenseiter eine unangreifbare Rolle zu. Er kann sich schlicht weigern, sich dem Vertragsregime anzuschließen; spiegelbildlich gilt im übrigen vielfach, daß er sich durch Kündigung den Vertragsbindungen wieder entziehen kann. So stellt gewiß das

---

10 Vgl. dazu Resolution 827 vom 25.5.1993.

jüngst zustande gekommene Chemiewaffen-Übereinkommen einen großen Erfolg dar. Zu einem wirklichen Durchbruch kommt es aber erst dann, wenn tatsächlich das Abkommen massiv ratifiziert wird, vor allem auch von denjenigen Staaten, die im Verdacht stehen, chemische Waffen zu besitzen. Wenn aber die Weltgemeinschaft der Auffassung ist, daß chemische Waffen an und für sich eine untragbare Gefahr für den Weltfrieden und die internationale Sicherheit darstellen, sollte der Sicherheitsrat ohne weiteres in der Lage sein, im Wege präventiver Gesetzgebung ein allgemeines Verbot auszusprechen, das dann auch sofort und automatisch den Außenseiter bindet, der die Grenzlinien der Gemeinverträglichkeit überschreitet.

Schwieriger als die Rechtsfrage des Dürfens ist die tatsächliche Frage der Durchsetzung. Nach einem Zustand der Befriedigung, teilweise sogar der Euphorie, daß sich im Golf-Krieg das Chartasystem bewährt habe, freilich nicht genau in den von der Charta als Regelform vorgesehenen Modalitäten, ist mittlerweile wieder große Ernüchterung eingekehrt. Vor allem die nicht endende Serie von markigen Ankündigungen und ungezählten Rückziehern im Hinblick auf die Lage in Bosnien-Herzegowina hat einen jeden Beobachter erneut darauf gestoßen, daß die Vereinten Nationen kein autonomer Machtfaktor sind, sondern gänzlich von der Unterstützung durch ihre Mitglieder abhängen. Auch eine institutionelle Sicht der Weltorganisation muß anerkennen, daß es offenbar ohne die Entschlossenheit zumindest einer Führungsmacht, oder besser einer Gruppe von militärisch potenten Staaten, nicht geht. Ob eine solche Bereitschaft zum Handeln besteht, hängt wiederum häufig von traditionellen Vorstellungen über Freundschaft und Feindschaft in den internationalen Beziehungen ab. Schließlich muß in einem demokratischen Staatswesen jede Regierung abwägen, ob ihre Wählerschaft einen Einsatz in irgendeinem fernen Territorium als Beitrag zur Sicherung des Weltfriedens honoriert oder ihr im Gegenteil den Vorwurf macht, das Land unnötigerweise in internationale Verwicklungen hineinzuführen. Da es um Leben und körperliche Unversehrtheit der Angehörigen der eigenen Streitkräfte geht, bestehen hier sehr intensive Rechtfertigungszwänge.

Tatsächlich scheint der Sicherheitsrat sich der Gefahr, als Papiertiger zu erscheinen und damit seine Autorität zu verspielen, nicht in ausreichendem Maße bewußt zu sein. So sind etwa seine zur Lage in Bosnien-Herzegowina ergangenen Anordnungen fast ständig mißachtet worden, ohne daß er sich entschlossen hätte, den Rechtsbrecher mit militärischer Gewalt in seine Schranken zurückzuweisen. Vor allem die Einrichtung von Schutzzonen für die bedrängte moslemische Bevölkerung hat sich als ein Schlag ins Wasser herausgestellt. Insgesamt muß man den Eindruck gewinnen, daß der Weltorganisation noch nicht recht klar geworden ist, wie sie mit der über die expansive Deutung des Begriffspaars »Weltfrieden und internationale Sicherheit« gewonnenen Machtfülle eigentlich umgehen soll. Kompetenzgewinn bedeutet ja nicht nur Recht zum Eingreifen, sondern bringt gleichzeitig eine Verantwortung zum Eingreifen mit sich. Angesichts der Fülle potentieller Aufgaben, die sich damit im Weltmaßstab abzeichnen, hat ganz offensichtlich eine Besinnungsphase eingesetzt. Das Erschrecken, damit zum Garanten für eine unabsehbare Anzahl von Entwicklungen geworden zu sein, die früher als innere Angelegenheiten nicht zur Kenntnis genommen zu werden brauchten, scheint alle anderen Gesichtspunkte bei weitem zu überwiegen.

Auch wenn der Sicherheitsrat den für ihn neuen Kompetenzraum noch nicht vollständig ausgefüllt hat, stellt sich doch die Frage, ob er nicht künftig einer Rechtskontrolle unterworfen werden muß. Bisher gibt es eine solche Rechtskontrolle nicht. Kein Mitgliedstaat der Vereinten Nationen hat das Recht, eine Entscheidung von Generalversammlung oder Sicherheitsrat wegen Rechtsmißbrauchs anzufechten. Was die Generalversammlung angeht, so erwachsen einem Staat aus deren Handeln in der Regel keine gravierenden Rechtsnachteile, weil eben das Plenarorgan nur wenige echte Entscheidungsbefugnisse besitzt. An problematischen Handlungen hat es aber auch insoweit nicht gefehlt. Vor allem der Ausschluß einer mitgliedstaatlichen Delegation von der aktiven Mitwirkung verdient sicherlich eine rechtliche Würdigung.[11]

Unvergleichlich viel stärker kann aber der Sicherheitsrat in staatliche Rechtspositionen eingreifen. Hingewiesen sei etwa auf die Resolution 687, durch die der Rat dem Irak die Friedensbedingungen aufdiktiert und Anordnungen getroffen hat, über die rechtlich durchaus kontrovers diskutiert werden kann. Erinnert sei auch an die Auseinandersetzung über den Lockerbie-Fall, wo der Sicherheitsrat Libyen aufgefordert hat, die beiden angeblichen Urheber des Tatplans für das Attentat auf den Pan-Am-Jet an Großbritannien und die USA auszuliefern.[12] Das flagranteste Beispiel freilich für einen Akt, dem die Rechtswidrigkeit geradezu auf der Stirn geschrieben steht, ist die Aufrechterhaltung des über das gesamte Gebiet des ehemaligen Jugoslawien durch Resolution 713 vom 25. September 1991 verhängten Waffenembargos, eine Maßnahme, die bis heute auch zu Lasten des Aggressionsopfers, Bosnien-Herzegowina, angewendet wird. In flagranter Weise wird damit das Selbstverteidigungsrecht eines Mitgliedstaats der Vereinten Nationen mißachtet. Wenn der Sicherheitsrat von sich aus keine effektiven Maßnahmen zur Beendigung der Aggression trifft, dann müßte er es zumindest dem angegriffenen Staat gestatten, sich mit allen Mitteln zur Wehr zu setzen. Hier stimmt also die Architektur eines rechtsstaatlichen Gemeinwesens noch nicht.

Es ist richtig, daß Mißbräuchen und rechtswidrigem Handeln bis zu einem gewissen Grade durch die Abstimmungsregeln im Sicherheitsrat vorgebeugt ist. Vor allem kann eine ständige Ratsmacht jeden von ihr für unakzeptabel gehaltenen Beschluß verhindern und damit Schaden für sich selbst und ihre Verbündeten abwenden. Aber allein diese verfahrensmäßige Sicherung kann auf die Dauer nicht ausreichen. Freilich sollte auch nicht das Kind mit dem Bade ausgeschüttet werden. Es darf nicht dazu kommen, daß der Sicherheitsrat unter die Kuratel des IGH gestellt wird. Hier müßte ein Kompromiß gefunden werden, der es gestattet, jedenfalls die Einhaltung äußerster Ermessensgrenzen nachzuprüfen.

---

11 Dieses Schicksal widerfuhr der südafrikanischen Delegation im Jahre 1974; dazu etwa Eckart *Klein*, Zur Beschränkung von Mitgliedsrechten in den Vereinten Nationen, in: *Vereinte Nationen (VN)*, Heft 23, 1975, S. 51-56; hier S. 51 ff.

12 Dazu etwa *Tomuschat*, The Lockerbie Case Before the International Court of Justice, in: The Review of the International Commission of Jurists, Nr. 48, 1992, S. 38 ff.

Die Generalversammlung

Bereits hervorgehoben wurde, daß die Generalversammlung – ebensowenig wie etwa die Menschenrechtskommission – mit Rechtsetzungsbefugnissen ausgestattet ist. Hier wird und kann es auf absehbare Zeit hinaus auch keine Änderungen geben. Die in der Vergangenheit unternommenen Versuche der Staaten der Dritten Welt, die Generalversammlung aufzuwerten, haben sich eindeutig festgelaufen. Als Groteske erscheint heute die von dem früheren Präsidenten des IGH, des Nigerianers Olawale *Elias*, vertretene Auffassung, Resolutionen der Generalversammlung seien für alle Staaten der Weltorganisation bindend. Wer für eine Vorlage gestimmt habe, müsse zu seinem Wort stehen; wer sich enthalten habe, habe sich verschwiegen; aber auch derjenige, der überstimmt worden sei, müsse als gebunden angesehen werden, denn alles andere würde das demokratische Mehrheitsprinzip mißachten.[13] Ein Gremium, in dem St. Vincent und die Grenadinen, Liechtenstein, Monaco und San Marino das gleiche Stimmgewicht haben wie China, Indien oder die USA, kann wahrlich nicht auf das demokratische Prinzip pochen, das strikte Gleichheit aller Menschen voraussetzt. Rechtsetzung kann effektiv nur aus einer legitimen Quelle erwachsen. Vielleicht gelingt es eines Tages, ein Verfahren zu schaffen, das die Generalversammlung neben dem Sicherheitsrat einbindet. Es liegt auf der Hand, daß der Sicherheitsrat in seiner jetzigen Zusammensetzung durch ein Legitimitätsdefizit gekennzeichnet ist. Die Dritte Welt hat dort nicht das Gewicht, welches ihr jedenfalls auf Grund ihres Anteils an der Weltbevölkerung zusteht. Zu einseitig ist der Sicherheitsrat zugunsten des Westens austariert. Die jüngst in erster Etappe abgeschlossene Bestandsaufnahme über die Vorstellung der Staaten zu seiner künftigen Zusammensetzung[14] hat sehr deutlich erkennen lassen, daß das jetzige Fünfzehner-Gremium weitgehend als reformbedürftig gilt.

Daß sich die Generalversammlung und auf dem Gebiet der Menschenrechte die Menschenrechtskommission sehr intensiv mit den inneren Zuständen in einem Lande befassen können, ist heute schon fast eine Selbstverständlichkeit. Es wird interveniert, und der Grundsatz des Interventionsverbots ist schon fast zu einem Fremdwort geworden. Die einzige Frage, über die ernsthaft zu debattieren sich noch lohnt, geht dahin, welche Mittel eingesetzt werden dürfen, um Gemeinschaftsbelange durchzusetzen. Anders als dem Sicherheitsrat sind den speziell zum Schutze und zur Förderung der Menschenrechte eingesetzten Organen keine Zwangsbefugnisse an die Hand gegeben worden. Aber an keiner Stelle im UNO-System fühlt man sich gehindert, das gesamte Instrumentarium rhetorischer Mittel einzusetzen, das mit dem »Ausdruck der Besorgnis« beginnt und mit »Verurteilungen« endet. Mögen solche »Verurteilungen« auch nicht verbindlich sein, so unterminieren sie doch die Legitimität der solcherart angegriffenen Regierung. Überdies wird man keinem Staat den Vorwurf des Rechtsbruchs und der verbotenen Intervention machen können,

---

13 T. Olawale *Elias*, Africa and the Development of International Law, o.O. 1972, S. 74 f.
14 UN-Dokument A/48/264, 20.7.1993.

wenn er im Einklang mit einer Resolution der Generalversammlung handelt, etwa von ihr empfohlene Maßnahmen zur Beendigung des Apartheidregimes in Südafrika trifft. Insofern stehen der Generalversammlung und den anderen politischen Gremien des UNO-Systems gewisse Vollstreckungsmöglichkeiten indirekter Art zu. Freilich läßt sich insoweit nicht von einer institutionalisierten Exekutivfunktion sprechen.

Aus diesem Grunde ist es für das gesamte Aufgabenspektrum der Vereinten Nationen von höchster Bedeutung, inwieweit sich die jeweilige Agenda unter die den Kompetenzrahmen des Sicherheitsrats bestimmende Formel »Weltfrieden und internationale Sicherheit« bringen läßt. Wenn tatsächlich angesichts einer bestimmten Problemlage ein unverzügliches und massives Einschreiten erforderlich ist, dann kann nur der Weg über den Sicherheitsrat erfolgreich sein. Er allein verkörpert bisher die Vollstreckungsgewalt der internationalen Gemeinschaft. Sowohl im Hinblick auf Abhilfe bei schweren Menschenrechtsverstößen wie auch zur Rettung aus Umweltgefahren stellt er eine Reservewaffe dar, auf welche die Staatengemeinschaft jedenfalls bei einer nicht anders abwendbaren Notlage zurückgreifen könnte.

DER ZERFALL VON STAATEN

Neu ist in der Staatenwelt der neunziger Jahre das Phänomen des zerbrechenden Staates, der ein Machtvakuum hinterläßt, in dem sich dann nur noch Privatarmeen und Banden tummeln. Somalia ist das prominenteste Beispiel für einen solchen Niedergang. Aber auch eine ganze Reihe anderer afrikanischer Länder befindet sich in einem wenig besseren Zustand. Angola, Liberia und Mosambik sind durch Bürgerkriege zerstört worden. Obwohl in den Hauptstädten jeweils noch Regierungen amtieren, reicht deren Einfluß doch häufig kaum über die Stadtgrenzen hinaus. Auch der Sudan hat die Konturen eines Staates mit einer funktionsfähigen Administration verloren. Bewaffnete Auseinandersetzungen machen jede Chance einer friedlichen Entwicklung zunichte.

Die internationale Gemeinschaft ist von diesen Zerfallstendenzen überrascht worden. Unbewußt muß auch den Architekten der Charta ein Konzept von Geschichte als einem ständigen Voranschreiten hin zu solchen Zuständen vorgeschwebt haben, wie sie sich in Europa und auf dem amerikanischen Kontinent im Jahre 1945 bereits konsolidiert hatten. Daß der Staat die entscheidende Wirkungseinheit, die höchstpotenzierte Stufe menschlicher Gemeinschaften sei, galt als unbestritten, und demgemäß wurde allgemein die Erwartung gehegt, daß über Jahre und Jahrzehnte hinweg überall auf der Erde Staaten nach westlichem Muster entstehen würden.

Die Defizite der Charta

Die Charta sieht in ihren Art. 75 ff. ein internationales Treuhandsystem vor. Dieses System sollte aber nur Anwendung finden auf die bestehenden Völkerbundsmandate,

Gebiete, die von ehemaligen Feindstaaten abgetrennt würden, sowie soiche Gebiete, die ihm ein Staat freiwillig unterstellen würde. Nie ist in Erwägung gezogen worden, im Rahmen der Vereinten Nationen auch treuhänderische Institutionen für Länder zu schaffen, deren Völker nach einer Zeit innerer Wirren für eine begrenzte Zeit außerstande sein würden, ihr Geschick in die eigenen Hände zu nehmen. Dabei war zur Zeit der Gründungskonferenz von San Francisco gerade ein Großversuch angelaufen, nämlich die alliierte Verwaltung des geschlagenen Deutschen Reiches. Dessen Schicksal hätte die zur Gründungskonferenz versammelten Mächte an sich anregen müssen, über institutionelle Lösungen für ähnliche künftige Fälle nachzudenken. Die Herausforderung durch das historische Beispiel wurde indes nicht aufgenommen. In der Euphorie des Sieges über Nazi-Deutschland und der sicheren Erwartung des Sieges über Japan glaubte man offenbar, das Böse in der Welt ein für allemal besiegen zu können. So schob man den Gedanken weit von sich, es könne wieder einmal notwendig werden, einen Staat, in dem eine verbrecherische Clique die Regierungsgewalt übernommen hat, für eine Übergangszeit unter internationale Aufsicht zu stellen.

Der überforderte Staat

Es ist allerdings gar nicht so sehr der Typus des Unrechtsstaats, der die internationale Gemeinschaft zum Handeln gezwungen hat, sondern die Spielart des durch Stammeskämpfe und sonstige Machtrivalitäten zerriebenen Staates. Ursache und Wirkung lassen sich hier nur schwer auseinanderhalten. Stammesrivalitäten würden wohl in vielen Fällen nicht aufbrechen, wenn es der Regierung gelingen würde, diejenigen Leistungen zu erbringen, die heute in aller Welt von einem Staatswesen erwartet werden. Dazu gehört einerseits als Grundleistung die Aufrechterhaltung von Sicherheit und Ordnung, darüber hinaus aber auch eine Fülle weiterer Leistungen. Vor allem die internationalen Abkommen zum Schutze der Menschenrechte lassen sich als Kataloge von Staatszielen lesen, die höchst einprägsam beschreiben, in welche Richtung sich das Regierungshandeln zu orientieren hat. Vor allem die extensiven Forderungen des »Internationalen Paktes über wirtschaftliche, soziale und kulturelle Rechte« stellen angesichts bescheidener Wirtschaftskraft jede Regierung eines Entwicklungslandes vor fast unlösbare Probleme. Sehr schwer tun sich viele der Neustaaten auch mit dem Gleichheitsprinzip, dem ältesten menschenrechtlichen Postulat, zu dem Privilegien bestimmter Volksgruppen oder Familienclans in offenem Widerspruch stehen.

Hinzu kommt die schwache Verwaltungskraft vieler Neustaaten. Eine effiziente Administration braucht den Fachmann, der wiederum eine angemessene Ausstattung benötigt. Ebenso schädlich wie der Mangel an Kompetenz ist für die wirtschaftliche Entwicklung eines Landes der bürokratische Wasserkopf, der nur noch dazu dient, dem stempelnden Beamten ein Nebeneinkommen zu sichern. Andere Ursachen wie eine widrige Natur treten in der Regel hinzu. So ist insgesamt bei vielen Staaten außerordentlich fraglich, ob sie tatsächlich in der Lage sind, mit ihrer Regierungsorganisation das gesamte Staatsgebiet abzudecken oder ob sie bloße Papierkonstruktionen sind, die von einem Tag zum anderen von Auflösungserscheinungen ergriffen werden können.

Improvisationskunst der Vereinten Nationen

Da die Charta für solche Wechselfälle des internationalen Lebens keine Vorsorge getroffen hat, muß nun versucht werden, von Fall zu Fall nach angemessenen Lösungen zu suchen. In Kambodscha fand das erste Großexperiment statt.[15] Immerhin waren in dem Lande noch politische Kräfte vorhanden, die in vier große Gruppierungen gegliedert waren. Diese einigten sich mit den Vereinten Nationen dahin, für eine Übergangszeit bis zu den Wahlen die gesamte Regierungsgewalt auf die Weltorganisation zu übertragen. In Somalia war, als schließlich die Vereinten Nationen sich der Geschicke des Landes annahmen, weder eine funktionsfähige Regierung vorhanden, noch gab es politische Bewegungen, die man als verantwortliche Gesprächspartner hätte heranziehen können. Dennoch haben sich die Vereinten Nationen von Anfang an bemüht, alle in Betracht kommenden halbwegs respektablen Gruppen zusammenzubringen, um zusammen mit ihnen den Grundstein für einen Neuanfang zu legen. Wenn wie in Somalia durch Bürgerkriege die politische Kultur in einem Lande völlig zerstört worden ist und nun niemand mehr vorhanden ist, der mit einem gewissen Legitimitätsanspruch die Regierungsgeschäfte übernehmen könnte, steht die Weltorganisation vor einer gewaltigen Herausforderung. Es ist illusorisch zu glauben, die Neubildung einer politischen Elite ließe sich in wenigen Wochen oder Monaten zum Abschluß bringen. In Erinnerung gerufen sei, daß Deutschland nach dem Ende des Zweiten Weltkriegs nicht weniger als zehn Jahre in West wie in Ost unter Besatzungsherrschaft stand. Dabei gab es jedenfalls im Westen Demokraten genug, die bereit waren, sich ohne eigennützige Motive für die Gesundung des von der nationalsozialistischen Herrschaft zugrunde gerichteten Landes einzusetzen. Selbst wenn man als vorläufigen Abschluß der Besatzungsherrschaft das Inkrafttreten des Grundgesetzes im Mai 1949 bezeichnen will, so bleibt doch noch immer ein Zeitraum von vier Jahren, innerhalb dessen demokratische Wiederaufbauarbeit geleistet werden mußte.

Wie uns die Beispiele Kambodscha und Somalia gelehrt haben, kommen realistischerweise für den Wiederaufbau eines Staatswesens nur die Vereinten Nationen in Frage. Die Regionalorganisationen sind zu schwach, um sich einer solchen Aufgabe zu stellen. Die Bilanz der Intervention von Truppen der Westafrikanischen Wirtschaftsgemeinschaft, ECOWAS, in Liberia darf man kaum ermutigend nennen. Auf die Organisation der Afrikanischen Einheit (OAU), die an notorischer Finanzschwäche leidet, darf schon gar nicht gesetzt werden. In Asien fehlt es überhaupt an einer umfassend zuständigen Regionalorganisation. Überdies kann eine Regionalorganisation

---

15 Vgl. Peter *Bardehle*, Kambodscha: ein Frieden mit Minen, in: VN, Heft 41, 1993, S. 81-87; hier S. 81 ff.

sehr viel leichter in den Geruch der Voreingenommenheit und Parteilichkeit kommen als die Vereinten Nationen, bei denen generell der Verdacht fernliegt, sie würden gleichzeitig eigene Machtinteressen verfolgen.

Innerhalb der Weltorganisation laufen wiederum alle Zuständigkeitsstränge beim Sicherheitsrat zusammen. Sowohl die Kambodscha- wie auch die Somalia-Aktion sind von ihm beschlossen und in die Wege geleitet worden. Der Treuhandrat war ganz auf die Vergangenheit ausgerichtet. Man mag zwar die Auffassung vertreten, daß die Restrukturierung eines in Verfall geratenen Staatswesens im Grunde besser bei der Generalversammlung aufgehoben wäre. Aber die Generalversammlung hat eben keine Befugnisse zum praktischen Handeln. Die tatsächliche Durchführung von Operationen auf dem Gebiet eines Mitgliedstaates zur Wahrung des Weltfriedens und der internationalen Sicherheit hat die Charta ausdrücklich dem Sicherheitsrat vorbehalten (Art. 11 Abs. 2). Es ist allerdings bedauerlich, daß hier jegliche inhaltliche und verfahrensmäßige Steuerung durch die Charta fehlt und daher der Improvisationskunst des Augenblicks eine ausschlaggebende Rolle zufällt.

Das Selbstbestimmungsrecht als destruktive Kraft

Auch das Selbstbestimmungsrecht rüttelt an den Grundfesten der Staatlichkeit. Gefeiert und unzählige Male in Resolutionen der Gremien des UNO-Systems als Grundlage von Frieden, Gerechtigkeit und Menschenrechten beschworen, läßt es sich nun nicht plötzlich über Bord werfen, nachdem seine destruktiven Seiten erkannt worden sind.

Rechtlich kann das Selbstbestimmungsrecht heute als eine gefestigte rechtliche Institution gelten. Schwächlich war es nur in der Charta der Vereinten Nationen ausgeprägt, wo es in Art. 1 Abs. 2 lediglich als Zielbestimmung für die Weltorganisation erscheint. Zu stärkerer rechtlicher Bedeutung gelangte das Selbstbestimmungsrecht erst im Jahre 1960, als die Dritte Welt mit Hilfe der sozialistischen Staaten in der Generalversammlung die Dekolonisierungs-Resolution 1514 (XV) durchsetzte, seinerzeit noch bei Enthaltung aller Kolonialmächte wie auch der USA. Die Zentralaussage der Resolution:

»All peoples have the right to self-determination; by virtue of that right they freely determine their political status and freely pursue their economic, social and cultural development«,

konsolidierte sich aber innerhalb weniger Jahre als verbindlicher Rechtssatz. Im Jahre 1966 wurde das Selbstbestimmungsrecht als gleichlautender Artikel 1 in die beiden Menschenrechtsweltpakte aufgenommen, und im Jahre 1970 wurde es in der Resolution über freundschaftliche Beziehungen und Zusammenarbeit zwischen den Staaten[16] als eines der sieben Grundprinzipien der Völkerrechtsordnung anerkannt. So konnte der Internationale Gerichtshof schon kurze Zeit später in seinem Namibia-Gutachten von 1971[17] den Rechtscharakter des Selbstbestimmungsrechts

---

16 Resolution 2625 (XXV) vom 24.10.1970.
17 ICJ Reports 1971, S. 16 und S. 31.

hervorheben, und auch sein Gutachten zur Rechtslage der West-Sahara[18] bekennt sich zum Selbstbestimmungsrecht als einem rechtsverbindlichen Gestaltungsprinzip der internationalen Ordnung. Es erscheint nur folgerichtig, wenn die Völkerrechtskommission der Vereinten Nationen im Jahre 1976 beschloß, die Verweigerung des Selbstbestimmungsrechts, insbesondere den Kolonialismus, als ein internationales Verbrechen, d.h. als eine besonders schwerwiegende Form eines Völkerrechtsverstoßes, zu qualifizieren.[19] Heute bestreitet niemand mehr, daß das Selbstbestimmungsrecht der Völker zu den Fundamenten der Völkerrechtsordnung gehört.

Freilich ist die Mehrzahl der heutigen Neustaaten keineswegs modellhaft entstanden. Die Völker sind nicht gefragt worden, in welcher Zusammensetzung sie sich zu Staaten zusammenschließen wollen. Diese Unstimmigkeit macht sich in der Gegenwart nachhaltig bemerkbar. Das Selbstbestimmungsrecht war ein »einfaches« Recht, solange es nur von Kolonialvölkern in Anspruch genommen wurde. Wenn aber Bretonen in Frankreich, Indianer in Kanada und Brasilien, Völker in der Russischen Föderation oder die Eritreer in Äthiopien das Verlangen nach staatlicher Selbständigkeit und Souveränität formulieren, versagen die hergebrachten Denkschemata.

In der politischen Praxis der Vereinten Nationen, dort, wo das Selbstbestimmungsrecht als Recht geprägt worden ist, ist bisher sein Inhalt noch niemals in Zweifel gezogen worden. Schon in der Resolution 1541 (XV) aus dem Jahre 1960 stellte die Generalversammlung fest, daß das Selbstbestimmungsrecht eine ganze Palette von möglichen Gestaltungsformen abdecke. Es könne verwirklicht werden durch die Errichtung eines souveränen und unabhängigen Staates, die freie Verbindung oder Integration mit einem anderen Staat oder die Option für jeden anderen frei gewählten politischen Status. Bestätigt wurde diese Aussage in der grundlegenden Resolution über Freundschaft und Zusammenarbeit zwischen den Staaten. Ins Auge springt hierbei, daß das Selbstbestimmungsrecht in jedem Falle auch die Gründung eines eigenen Staates ermöglichen soll. Bis heute hat es von dieser Position keine Abkehr gegeben. Daraus erklärt sich, weshalb heute das Selbstbestimmungsrecht gerade von den Staaten der Dritten Welt mit so großem Mißtrauen betrachtet wird. Denn wenn in einem System, wo sich überall auf der Erdoberfläche Staaten bereits gebildet haben, das Selbstbestimmungsrecht angerufen wird, so bedeutet dies zwangsläufig die Inanspruchnahme eines Sezessionsrechts. Zwar nehmen alle einschlägigen Rechtstexte gegen die Möglichkeit der Sezession Stellung, doch tut sich hier ein innerer Widerspruch auf, wenn sich nicht eine Harmonisierung bei der Bestimmung des Trägers des Selbstbestimmungsrechts erreichen läßt.

Sämtliche in Rechtstexten ausformulierten Aussagen zum Selbstbestimmungsrecht legen fest, daß das Selbstbestimmungsrecht ein Recht »aller Völker« sei. Einer Deutung, welche das Selbstbestimmungsrecht als ein den Kolonialvölkern vorbehaltenes Recht begreifen will,[20] ist damit eine Absage erteilt. Andererseits ist in den Vereinten

---

18 ICJ Reports 1975, S. 12 und S. 31-33.

19 Yearbook of the International Law Commission, Bd. II, Teil 2, S. 72-75 und S. 95-122.

20 So Héctor *Gros Espiell* in seiner Studie für die Unterkommission der UNO-Menschenrechtskommission »The Right to Self-Determination«, UN-Dokument E/CN.4/Sub.2/405/Rev.1, 1980, S. 10.

Nationen nie die simple Gleichung aufgemacht worden, daß jedes Volk im ethnischen Sinne Träger des Selbstbestimmungsrechts sei. Gerade für die neuen Staaten Afrikas, die durchweg aus einer Vielzahl von Stämmen und Völkerschaften bestehen, hätte eine solche Konkordanz verhängnisvolle Wirkungen ausgelöst. Ihrer aller Staatlichkeit würde nur auf Abruf bestehen. Den Ausweg aus diesem Dilemma hat man in der Weise gefunden, daß grundsätzlich Volksgruppen innerhalb eines souveränen Staates nicht als Völker im Sinne des Selbstbestimmungsrechts anerkannt werden. In der Tat hat keine der großen Sezessionsbestrebungen von der Weltorganisation Unterstützung erfahren. Die Aufstandsbewegung der Ibos im biafranischen Teil von Nigeria wurde ebenso ignoriert wie der Versuch der Bengalen im damaligen Ost-Pakistan, sich von dem Mutterland zu lösen. Heute bildet die kurdische Problematik das Lehrstück für die vorherrschende internationale Rechtsüberzeugung. Wäre es richtig, daß sich jedes Volk im ethnischen Sinne auf das Selbstbestimmungsrecht berufen kann, müßte die internationale Gemeinschaft den Kurden ihre Hilfe angedeihen lassen. Ganz offensichtlich ist sie dazu nicht bereit.

Nur ein Vorbehalt ist in der Resolution über Freundschaft und Zusammenarbeit zwischen den Staaten enthalten. Wenn eine Gruppe politisch diskriminiert und völlig von der Regierung des Landes ausgeschlossen wird, soll das Sezessionsverbot nicht gelten.[21] Dies muß insbesondere auch dann gelten, wenn die Mehrheit zu Lasten der Minderheit(en) eine Politik des Völkermordes verfolgt. Hier erwächst ein Selbstbestimmungsrecht aus dem Widerstandsrecht. In allen anderen Fällen sollen ethnische Gruppen durch die Gewährleistung eines allgemeinen Menschenrechtsstandards, zusätzlich gegebenenfalls durch die Zuerkennung eines Minderheitsstatus, befriedigt werden.

Es ist eine ganz andere Frage, ob das restriktive Begriffsverständnis im politischen Raum durchgehalten werden kann. Zwar entleert die Verengung des Volksbegriffs auf Staatsvölker und verfolgte Volksgruppen das Selbstbestimmungsrecht nicht völlig seiner Substanz; die Betonung des Selbstbestimmungsrechts der Staatsvölker macht sichtbar, daß der Souveränität des Staates eine tiefere Rechtfertigung zugrunde liegt. Aber den Selbständigkeitsbestrebungen vieler Volksgruppen, die irgendwann einmal ohne eigenes Zutun einem Staatswesen »zugeteilt« wurden, muß sie wie der Versuch erscheinen, dem Fortgang der Geschichte die Tür zuzuschlagen und den gegenwärtigen Stand der Staatenbildung auf Dauer festzuzementieren. Die Aussage, daß jedes Volk Träger des Selbstbestimmungsrechts sei, ist nun einmal in die Welt gesetzt worden, und kein politischer Führer, der Sezessionsbestrebungen hegt, wird sich davon abbringen lassen, sich auf Selbstbestimmung zu berufen, zumal auch im juristischen Schrifttum keineswegs Einigkeit darin besteht, daß die einschlägigen Rechtstexte im Lichte der restriktiven Praxis der UNO-Organe zu verstehen seien. So wird man erwarten können, daß innerhalb der Russischen Föderation das Selbstbestimmungsrecht immer häufiger als Losung zum Kampf gegen die Moskauer Zentralgewalt benutzt werden wird. Auch in Afrika wird das Selbstbestimmungsrecht

---

21 Resolution 2625 (XXV) vom 24.10.1970, Prinzip 5, Selbstbestimmungsrecht, Abs. 7.

sich zunehmend gegen diejenigen richten, die mit seiner Hilfe die Loslösung von den kolonialen Metropolen erreicht haben.

So läßt sich der Geist, der einmal aus der Flasche entwichen ist, kaum mehr bändigen. Auf der anderen Seite wird man nüchtern feststellen dürfen, daß die restriktive Interpretation des Selbstbestimmungsrechts nicht nur eine Konstruktion der eigennützigen Vorteilssicherung ist. Bezieht man das Selbstbestimmungsrecht auf Völker im ethnischen Sinne, so setzt man damit im Grunde, mit allen daraus resultierenden Gefahren, ethnische und kulturelle Homogenität als das oberste und alle anderen Werte einer menschlichen Gemeinschaft überstrahlende Prinzip. Die verheerenden Auswirkungen eines solchen tribalistischen Denkens haben sich an den Geschehnissen auf dem Boden des ehemaligen Jugoslawien in ihrer ganzen Unmenschlichkeit enthüllt. So kann die Verabsolutierung des Selbstbestimmungsrechts zu einer Rassenpolitik pervertieren, die denjenigen ausstößt, der nicht »artgleich« ist.

Letzten Endes bedarf es daher wohl eher einer Rückbesinnung auf die rechtsstaatliche Wohltat des allgemeinen Gesetzes, das für jedermann Gleichheit verbürgt. Wenn darüber hinaus ein Staat durch eine den unterschiedlichen Volksgruppen entgegenkommende Erziehungs- und Kulturpolitik die institutionellen Voraussetzungen für die Wahrung ihrer Identität und damit auch Existenz schafft, bleiben kaum noch legitime Wünsche offen. Freilich darf die Allgemeinheit des Gesetzes nicht nur ein Taschenspielertrick sein, der die wahren Machtprozesse verschleiert. So sind in vielen von ehemals europäischen Einwanderern besiedelten Ländern die Ureinwohner trotz der proklamierten Gleichheit jahrhundertelang systematisch um ihren Landbesitz gebracht worden und haben nicht die Chancengleichheit erreicht, weil ihnen der Zugang zum Erziehungswesen vorenthalten worden ist, teilweise bis zum heutigen Tage. Solange aber in Wirklichkeit Diskriminierung herrscht, wird man damit rechnen müssen, daß Selbstbestimmungsforderungen erhoben werden. Den bisher vernachlässigten Volksgruppen kann man es nicht verdenken, daß sie eine politische Absicherung ihres Status' durch eigene Regierungsgewalt für erforderlich halten. Bezeichnend ist, daß eine Arbeitsgruppe der UNO-Unterkommission für Diskriminierungsverhütung und Minderheitenschutz in Genf gegenwärtig an einer Erklärung über die Rechte der Ureinwohner arbeitet, in deren erstem Artikel sogleich das Selbstbestimmungsrecht erscheint, das allerdings nicht mit den üblichen Konsequenzen dieses Rechtes verbunden sein soll.

SCHLUSSFOLGERUNGEN

Die Staatenwelt ist an der Schwelle des dritten Jahrtausends in Bewegung geraten. Die internationale Interdependenz beschleunigt sich rasch und wächst sich in vielen Bereichen zu globalen Zusammenhängen aus. Demgegenüber hat es die internationale Gemeinschaft bisher nicht vermocht, sich mit den geeigneten Handlungsmitteln zur Auseinandersetzung mit diesen Entwicklungen auszustatten. Noch immer gibt es kein Verfahren der internationalen Gesetzgebung, das immer dann eingesetzt werden könnte, wenn wegen der Beeinträchtigung kollektiver Interessen ein Handlungsbedarf entstanden ist. Zwar lassen sich einige Zentren mit verdichteten Regierungsfunktionen ausmachen. Insbesondere der Sicherheitsrat der Vereinten Nationen wird sich zunehmend gedrängt sehen, das vorhandene Machtvakuum auszufüllen. Dennoch bleibt sein Handeln außerhalb des Bereichs der Kriegsverhütung anfechtbar, weil er eben ursprünglich als Organ zur Verhinderung zwischenstaatlicher Gewaltanwendung konzipiert war. So bleibt noch ein weiter Weg bis hin zu einer echten Weltregierung zurückzulegen. Institutionen, die Regierungsfunktionen auf universaler Grundlage wahrnehmen könnten, darf man sich im übrigen nicht simplistisch nach dem Modell einer Staatsregierung vorstellen. An zentraler Stelle lassen sich jedenfalls nur solche Aufgaben erledigen, die Interessen der Menschheit insgesamt berühren. Weder würde ein Anspruch auf umfassende Verantwortung für alle Fragen des öffentlichen Interesses jemals als legitim anerkannt, noch ließen sich mit einem vertretbaren Kostenaufwand effiziente bürokratische Strukturen für ein übermäßig breites Aufgabenspektrum aufbauen, noch wäre schließlich gesichert, daß eine umfassend zuständige Weltregierung in der Lage wäre, ihre Anordnungen durchzusetzen. Damit erweist sich das Subsidiaritätsprinzip des Maastrichter Vertrags als das natürliche Konstruktionsprinzip auch für die Übertragung von Hoheitsgewalt auf Regierungsorgane im Weltmaßstab.

Dennoch muß über die Verstärkung der institutionellen Struktur der internationalen Gemeinschaft nachgedacht werden. Insbesondere das Zerfallen von Staaten, das sicher kein Einzelfall bleiben wird, hat neue Herausforderungen geschaffen, für die gegenwärtig nur im Wege der Improvisation nach Lösungen gesucht werden kann. Sollte es insoweit zu keiner Einigung kommen, so bleibt als letzter Ausweg nur, durch die Praxis, im Wege von »trial and error«, den Sicherheitsrat allmählich in die Rolle einer Weltordnungsinstanz hineinwachsen zu lassen, die auf Grund einer extensiven Deutung des Friedensbegriffs der Charta ermächtigt ist, sämtliche Probleme aufzugreifen, die einen geordneten Zustand der internationalen Gemeinschaft nachhaltig beeinträchtigen.

DEUTSCHE INTERESSEN

Michael Stürmer

>Die Politik ist die Wissenschaft, mit angemessenen Mitteln stets in Übereinstimmung mit den eigenen Interessen zu handeln. Um in Übereinstimmung mit den eigenen Interessen handeln zu können, muß man sie kennen. Und um zu dieser Kenntnis zu gelangen, bedarf es des Studiums, der Sammlung der Gedanken und des Fleißes.«

(Aus dem »Politischen Testament Friedrich des Großen«, 1752.)

DIE SCHULE DER INTERESSEN

Unter allen Abschieden ist der vom Stande der Unschuld der schmerzlichste. Nirgendwo spürt man das stärker als in Deutschland im vierten Jahr der Einheit. Denn je mehr die Welt aus den Fugen geht, desto dringender stellt sich die Aufgabe, Standort und Interessen des Landes zu bestimmen und zu sagen, wofür die Deutschen stehen, wie weit die Bündnistreue reicht und wann, wo und wie gegebenenfalls auf das Land zu zählen ist.

Noch ist nicht ausgemacht, ob der Westen den Zusammenbruch des Ostens überlebt. Kein Land hat an der Fortexistenz des »Westens«, wie er vierzig Jahre lang war, vitaleres Interesse als Deutschland, schon wegen seiner Lage. Kein Land trägt zugleich dafür – mit Ausnahme der USA – größere Verantwortung. Und kein Land muß auch so wie Deutschland bestrebt sein, den »Westen« so weit wie möglich nach Osten auszudehnen.

Deutschland, vom Ost-West-Konflikt am meisten bedroht und zugleich – wie hätte sonst der Wiederaufstieg des Landes nach 1945 so schnell und folgerichtig stattfinden können? – am meisten begünstigt, hatte seinen geometrischen Ort in Europa sich nicht gesucht, sondern ihn von der Geographie, der Geschichte und den Supermächten angewiesen erhalten. Trotzdem war Deutschland die erfolgreichste der Mächte im bipolaren System, und selbst noch in dessen Überwindung war es der Hauptgewinner. Seitdem aber gilt auch für die deutsche Politik, was Hamlet für den dänischen Hof festzustellen genötigt war: »The time is out of joint«.

Die Lage, so wird Konrad *Adenauer* gern und ironisch zitiert, war noch nie so ernst. Der erste Kanzler verstand, den Ernstfall der Außenpolitik in Innenpolitik zu übersetzen. Er wußte, Furcht und Sicherheitsgefühl zusammenzufügen. Die dramatischen Zeitumstände taten ein Übriges. Wie ernst ist die Lage heute? Und wieviel Unernst verträgt sie? Die gute Nachricht lautet, daß die Drohung schwindet; die schlechte, daß die Gefahren steigen. Zwar befindet sich Deutschland in einer Position wie niemals zuvor, Weltwirtschaftsmacht im Zentrum des europäischen Systems, als »partner in leadership« von den Vereinigten Staaten unverdrossen gewollt und von den Russen dringend eingeladen zur Reparatur des maroden Reiches und Sicherung der schwankenden Reformen. Aber die Tatsache, daß Deutschland westlich von Moskau und östlich von Washington maßgeblicher Faktor wurde, zum besseren oder zum schlechteren »The engine of Europe«,[1] enthält auch Verpflichtungen, unter anderem die zu Realismus, Klarheit der Ziele und Berechenbarkeit der Mittel.

Der lange währende und längst lähmende Streit über das Ausmaß der den Vereinten Nationen geschuldeten Dienste, über die Interpretation des Grundgesetzes in Sachen Militäreinsatz, über Bedeutung und Reichweite des Nordatlantischen Vertrags und endlich darüber, ob aus der Zeitgeschichte 1939 bis 1945 Geschehenlassen des Krieges oder Handeln für den Frieden folgt – alles das offenbart innenpolitische Abwehrmechanismen gegen das Zeitalter der Unordnung, das von Krieg, Krisen und Katastrophen durchjagt wird, und gegen die Zumutungen, die daraus für die Deutschen entstehen.

Philosophisch-spekulativ begabt, würde man in Deutschland gern die Welt nach deutschem Bilde schaffen: aufgeklärte Geschichtslektionen lernend, immer für Entspannung eintretend, Vernunft predigend und vertrauend auf technische Rezepte. Aber auf diese Weise wird aus dem Wunschbild der Deutschen von sich selbst das Wunschbild einer Welt, die es nicht gibt. Politik läßt sich darauf nicht gründen. Sie steht in Gefahr, autistisch zu werden, bestimmt von Haushaltszwängen, Koalitionskalkülen, Beschlußlagen und Medienstimmungen. Dazu kommt die uneingestandene Angst, der Rolle des Vormundschaftszöglings zu entwachsen: Dafür soll das Bundesverfassungsgericht jene außenpolitischen Handlungsbeschränkungen wiederherstellen, die 1990 ein Opfer von »Zwei-plus-Vier« wurden. Auch die »Geschichte« soll helfen, Zumutungen der Zukunft zu verstellen: Weder das Bundesverfassungsgericht noch die deutsche Geschichtshoffnung aber werden es den Deutschen ersparen, Interesse und Standort zu bestimmen und zur Ordnung der Welt nach Maßgabe ihrer Interessen, Verantwortung und Kraft beizutragen.

Das Land, das als wirtschaftlicher Riese vordem nicht darunter litt, politisch von minderer Statur zu sein – vom »politischen Zwerg« zu reden, war immer nur gespielte Bescheidenheit – muß Maß und Gewicht neu bestimmen, weil die Zeiten schwierig, unübersichtlich und unsicher werden. Dies wird nicht nur von verbündeten und unverbündeten Nachbarn dringend und zunehmend ungehalten erbeten. »Deutsche Außenpolitik in rauhen Wassern« machte die *Neue Zürcher Zeitung*[2] immer wieder zum Thema, aus der berechtigten Besorgnis des benachbarten Kleinstaats, dem die Wohlfahrt des großen Nachbarn nicht gleichgültig sein kann. Noch deutlicher wurde alles dies in Angelo *Bolaffis* Buch »Il Sogno Tedesco – la Nuova Germania e la Coscienza Europea«, der Italiens Selbstfindung abhängig sieht von Deutschland und schrieb: »Wieder hängt das Schicksal Europas von Deutschland ab.«[3]

Auch die Bürger der neuen Bundesrepublik Deutschland, überfordert von den Ereignissen, alarmiert durch Steuer-, Schweiß- und Tränenreden und enerviert von

---

1 *The Economist*, 6.3.1993, S. 13-14.
2 *Neue Zürcher Zeitung*, 25.4.1993.
3 Angelo *Bolaffi*, Il Sogno Tedesco – la Nuova Germania e la Coscienza Europea, Rom 1993.

Ungewißheiten, sind berechtigt und interessiert zu wissen, was kommt. »Die Rolle der Deutschen – lauter Fragezeichen«, überschrieb schon 1991 einer der erfahrensten Akteure der Auswärtigen Politik eine kritische Bilanz.[4]

Der britische Außenminister Douglas *Hurd* hielt zu Anfang des Jahres 1993 über Großbritanniens nationale Interessen eine programmatische Rede.[5] Jede Generation aufs Neue müsse sich Klarheit schaffen über die Gegebenheiten der Welt, die verfügbaren Kräfte und Mittel und über das, was das Land von sich selbst fordern muß und was andere von ihm erwarten können. Was aber für England nach dem Kalten Krieg gilt, gilt nicht minder für Deutschland angesichts der Wiedervereinigung, der Rückkehr des Ostens nach Europa und der Revision des Atlantischen Systems. Zugleich gibt es europäische und atlantische Erfordernisse, die von Anfang an und prinzipiell in die Ordnung nationaler Interessen einzufügen sind, am meisten für Deutschland – aus bekannten geographischen und geschichtlichen Gründen, von wirtschaftlichen und sicherheitspolitischen Imperativen nicht zu reden.

Aber nationale Sicherheitsinteressen, wie Staatssekretär Hans Werner *Lautenschlager* bei seiner Abschiedsrede im Auswärtigen Amt 1992 feststellte, stehen in der Demokratie nicht im Zentrum der Ereignisse. Sie haben in der Regel keine Lobby, keine Stimme, keinen Fernsehkanal. Es fehlen Beitragszahler, Interessenten, eine Fraktion. Kassandra ist nicht wählbar. Wer will schon im Namen von worst case-Szenarien für präventive Diplomatie eintreten und sich hineinmengen ins politische Kräftespiel und den Verteilungskampf der Ressorts? Anders als Stahl, Ölsaaten oder Lohnfortzahlung im Krankheitsfall hat nationale Sicherheit in den Korridoren der Macht kein organisiertes Interesse. Politiker, zumal wenn Sicherheitspolitik sich überwiegend in schlechte Nachrichten, schlaflose Nächte und Geldforderungen umsetzt, finden das Thema nicht faszinierend. Die Massenmedien bringen den täglichen Horror, betrachten es aber nicht als ihre Aufgabe, ernsthafte Analyse oder gar praktischen Rat zu bieten. Die Botschaft, welche die Gänse des Kapitols durch ihr Schnattern erbrachten, war dagegen von eindrucksvoller Klarheit.

Nationale Sicherheitsinteressen sind auch deshalb von besonderer Art, weil Parteitagsreden und Majoritätsbeschlüsse wenig bewirken, und selten über Seelenbekenntnisse, Patentrezepte und Appelle an allgemeine Vernunft hinaus wegweisende Bedeutung haben. Man kann gegen den Schrecken »out of area« ein globales Gewaltmonopol der Vereinten Nationen einfordern und bis dahin guten Gewissens warten. Man kann auch die Bewältigung der Bevölkerungskatastrophe, Jahr um Jahr die Vermehrung der Menschheit um 100 Millionen, vom Export westlicher Verhaltensweisen erwarten. Man kann gegen die Ausbreitung von Waffen auf Verträge

---

4 Berndt *von Staden*, Die Rolle der Deutschen – lauter Fragezeichen, Evangelische Akademie Tutzing, 14.6.1991.

5 »Die Neue Unordnung«, Chatham House, 27.1.1993. Für Italien ist sogar eine ganze Zeitschrift, die sich ausschließlich der internationalen Interessenbestimmung widmet, gegründet worden. Ihr Ziel ist eine illusionslose Analyse materieller Faktoren der wiedererstehenden europäischen Mechanik: *Limes-Rivista Italiana di Geopolitica*.

verweisen. Man sollte aber wissen, daß alles das in jenen Wind gesprochen wird, der irgendwann, wenn der Westen nicht ernst wird, zum Orkan sich steigert.

Die beste Diplomatie ist die, die Krisen und Katastrophen vorgreifend verhindert; die beste Strategie ist die, die nicht im Zorn getestet werden muß; die beste Sicherheitspolitik ist die, die den Ernstfall zu denken weiß, um ihn nicht durchschreiten zu müssen. Das alles setzt Klarheit und Wahrheit voraus: Klarheit über eine Lage, die in großen Teilen der Welt, eingeschlossen Ost- und Südosteuropa und die islamische Zone, von Sicherheit und Zusammenarbeit weit entfernt ist. Wahrheit über die Tatsache, daß es ohne verläßliche Bündnisse und ohne verläßlichen Beitrag dazu Sicherheit nicht gibt. In der Schule der Interessen, europäisch-atlantische Klasse, hat Deutschland noch einige Aufgaben vor sich. Sie betreffen nicht nur die eine oder andere »Beschlußlage«. Sie gehen auf Modus und Substanz der Politik. Der Weg zur Wirklichkeit ist weit.

ZEIT DER STÜRME

An Europas Horizont, so schrieb György *Konrad* 1992, »kichert der Wahnsinn«. Es zeigt sich, daß vier Jahrzehnte lang Krisen und Konflikte der alten, geschichtsnotorischen Art nur storniert waren, aber nicht aus der Welt. Leidenschaft und Tragik, Krieg und Massentod kamen in Europa nicht vor, allenfalls im traurigen Metier der Historiker. Die Pax Americana hatte in den späten vierziger Jahren vieles gebracht: Den Marshall-Plan, nukleare Sicherheit, Eindämmung der »Soviet expansionist tendencies«[6] – und dazu die Überzeugung, daß die Welt konstruierbar sei, die Geschichte wenig tauge und die Zukunft in den Händen der Menschen liege. Amerika befähigte die Europäer – die sowjetische Drohung tat ein übriges –, ihre Geschichte zu überwinden. Auf dem Reißbrett waren die westlichen Gesellschaften jeden Tag ihrer Perfektion und ihrem Glück ein Stück näher zu bringen. Politik konnte allen Ernstes unter der Hypothese arbeiten, daß, wo ein Problem ist, die Lösung schon wartet.

Neuerdings aber muß man sich an den Gedanken gewöhnen, daß es Probleme gibt, die jeder Lösung spotten. Daß Gleichungen entstehen, die nicht ohne tragischen Rest aufgehen. Daß sich Kriege ereignen, die man nicht wegwünschen kann, und Bedrohungen, denen keine Eindämmung entgegensteht.

Denn das Zeitalter der Machbarkeit ist vorerst zu Ende. Handlungsfähigkeit ist in der neuen Weltunordnung nur zu gewinnen, wenn und sofern man den Ernstfallcharakter der Lage erfaßt. Aber dem stehen liebe alte Gewohnheiten entgegen, vor allem die Tatsache, daß die Politik von Konsens, Kompromiß und Kompensation, die seit der ersten Nachkriegszeit so lange so erfolgreich war, nun das verantwortungsvolle Entscheidungshandeln beengt und erschwert. Was auf amerikanisch die »checks and balances« heißt, ist in Deutschland aufgehoben in Koalitionen, im föderalen System,

---

6 George F. *Kennan*, The Sources of Soviet Conduct, in: *Foreign Affairs*, Juli 1947, S. 566-582.

in der Autorität des Bundesverfassungsgerichts, in der Tarifautonomie der Sozialpartner, in der Unabhängigkeit der Bundesbank. Alles funktionierte zur Zufriedenheit. Jetzt aber gerät die Mechanik des Ausgleichs, der Intervention und Subvention in Zerreißproben, und das hat im wesentlichen vier Gründe.

Der erste Grund liegt darin, daß die sowjetische Drohung nicht mehr organisierendes Prinzip westlicher Sicherheit ist.

Zum zweiten verändern sich überall Geometrie und Mechanik der inneren Politik. Alte Verankerungen lockern sich. Protestparteien wachsen an den Rändern und machen die grobe Vereinfachung zum Geschäft. Verbote und Gebote der Vergangenheit werden radikal und rücksichtslos in Frage gestellt.

Zum dritten hat die Desintegration der östlichen Systeme zur Folge, daß auch die westlichen in Schwierigkeiten geraten. Die Vision von Maastricht wollte eben jene Dissonanzen vorausschauend abfangen, die Europa jetzt zu schaffen machen. Deutschland aber kann von Atlantischem Bündnis und Europäischer Integration nicht Definitionen entleihen, die das Land selber schuldig bleibt.

Unterdessen tun die industriellen Demokratien, was ihnen das Natürlichste ist: Sie wenden sich nach innen, suchen Rückversicherung gegen allen Wandel und blättern in alten Geschichtsbüchern, ohne ihren Sinn zu verstehen. Es gehört nicht zu den Stärken der Demokratie, Krisen vorgreifend zu bewältigen.

In Deutschland kommen viele dieser Determinanten zusammen. Nicht allein wegen der Teilung, die einst im Zentrum des Kalten Krieges stand, und der Einheit, die definitorischer Moment des neuen Weltzustands wurde. Der politische Existenzmodus selbst hat die Grenzen seiner Wirksamkeit erreicht. Wachstum steht zum Ausgleich nicht mehr zur Verfügung, die Kreditaufnahme des Staates treibt – solange die Bundesbank tut, was ihres Amtes ist – die Zinsen hoch und unterzieht eben jene europäischen Strukturen einer Zerreißprobe, die das nicht nur größer, sondern anders gewordene Land am meisten braucht. Einsparungen sind jedermann erwünscht, aber immer unter der Maßgabe, daß sie anderswo stattfinden.

Es ist wieder die Zeit der »grandes tempêtes«. Das Metall der Politik und der Politiker wird geprüft, aber auch die Intelligenz der organisierten Interessen und die Vernunft der Bürger. Noch wichtiger aber ist es zu begreifen, daß im neuen Zeitalter der Beängstigung das Land seine äußeren Verpflichtungen nur erfüllen kann und seine Sicherheit nur wahren wird, wenn es im Innern seine zivilen Machtwährungen kultiviert und entscheidungsfähig bleibt. Wo nicht, wird der Weg zur Wirklichkeit noch weiter sein. Die Welt kann nicht beliebig lange auf, wie die Fachleute der RAND-Corporation schrieben, »Germany's Geopolitical Maturation« warten.[7] Der 1990 geäußerte Wunsch, nun erst einmal ein Jahrzehnt der Ruhe zu genießen, ist nicht von dieser Welt. Er verkennt, daß Deutschlands Wiedervereinigung, wenngleich entscheidend für die neue Geometrie, doch nichts war als der erste geordnete Akt

---

7 Ronald D. *Asmus*, Germany's Geopolitical Maturation. Strategy and Public Opinions after the Wall. (=RAND Issue Paper, Nr. 105), Santa Monica, Ca., Februar 1993.

in der langen und ungeordneten Geschichte, um Edward *Gibbon* abzuwandeln, von Niedergang und Fall des Russischen Reiches.

DEUTSCHE INTERESSEN UND EUROPÄISCHE VERTEIDIGUNG

Der Westen hat keine Zeit zu verlieren. Denn das Rendezvous mit der Geschichte findet, je länger es dauert, auf einem Weg ins Unbekannte statt. Wer diesen Weg bestimmen will, braucht die Kraft, präventive Diplomatie, Krisenmanagement und Krisenkontrolle aus der Dimension der Kommuniqués in die Wirklichkeit zu führen. Das aber erfordert nicht nur Kenntnis der Lage und der eigenen Interessen. Es erfordert vor allem die Fähigkeit, im Symptom die Krankheit zu erkennen, in der Ungewißheit die Krise und in der Krise den Ernstfall. Diese Fähigkeit war vierzig Jahre lang im Schatten von Abschreckung und Entspannung entbehrlich, jedenfalls verengt auf den einen, apokalyptischen Fall. Komplementärfarbe der Abschreckung war die Entspannung. Die Komplementärfarbe der neuen Weltunordnung indessen müßte gespannte Bereitschaft sein. Das erfordert ein Umdenken der Außenpolitik nicht nur in ihren Mitteln und Zielen, sondern schon in ihren seelischen und politischen Prämissen.

Bis zum »annus mirabilis« 1989/90 gab es europäische Verteidigung nicht, es gab nur atlantische Sicherheit. Jetzt ist eine zunehmende Distanz der Nordamerikaner von Europa zu spüren – Kanada hat längst alle Truppen abgezogen, die USA zielen auf eine Präsenz von 100 000 Mann und sehen diese nicht für spezifisch europäische Zwecke, sondern als Teil und Instrument einer globalen maritimen Strategie –, ohne daß in Europa entweder dem mit allen Kräften entgegengearbeitet wird oder aber eine west- und mitteleuropäische Verteidigung Gestalt annimmt. Die entschiedensten Vertreter einer Erneuerung des NATO-Vertrags sind die, die an seinen Segnungen bisher nicht partizipieren: die Länder des östlichen Mitteleuropa.

Heute stellen sich vier miteinander verbundene Fragen:
– Unter welchen Gefährdungen steht europäische Sicherheit?
– Was ist sichtbare und unsichtbare Agenda der NATO, gestern und morgen?
– Wieviel Verlaß ist auf die gemeinsame Außen- und Sicherheitspolitik Europas nach Maastricht und darüber hinaus?
– Was wird im Sicherheitsvakuum Mittel- und Osteuropas?

Endlich und vor allem geht es darum, den atlantischen Verbund der industriellen Demokratien in der fortdauernden Weltkrise im Innern stabil, für die Außenwelt beruhigend, allemal berechenbar und gegebenenfalls handlungsfähig zu erhalten.

Rußland bleibt, mit Winston *Churchill* zu reden, »a riddle inside an enigma wrapped in mystery«. Die sowjetische Erbfolge wird die Welt so in Atem halten wie die Erbfolge des Spanischen Weltreichs, dem einmal die Sonne nicht unterging, der Niedergang der Osmanen, die einmal von der Adria bis zum Golf herrschten und der Zerfall der Donaumonarchie, die ganz Südosteuropa in einem Bündelreich zusammenfaßte unter der Regel des Lebens und Lebenlassens. Sie alle hatten ihre

Zeit, und Niedergang und Fall brauchten Generationen und viele Jahrzehnte. Es ist unübersehbar, daß im Fall der sowjetischen Erbfolge die Fristen kürzer, die Druckpotentiale größer, die Waffen tödlicher und globaler sind. Selbst wenn es gelänge, 30 000 oder mehr nukleare Waffen der früheren Sowjetunion unter Kontrolle zu halten oder zu deaktivieren: Es bleiben Folgeprobleme, für die es kaum eine Lösung gibt.

Die zweite Gefährdung europäischer Sicherheit kommt, wie der Golf-Krieg 1990/91 zeigte, aus dem islamischen Krisenbogen, von Kaschmir bis Casablanca, der auch den südlichen Teil der sowjetischen Erbfolge durchschneidet und Ex-Jugoslawien nicht ausspart. Bei aller Verschiedenheit weist er doch gewisse strukturbildende Prinzipien auf: Staaten ohne demokratische Erfahrung und meist ohne rechtsstaatlichen Boden, gejagt von einer Bevölkerungsexplosion, die in zwanzig Jahren die Zahlen verdoppeln kann, jede wirtschaftliche Gesundung verhöhnt und in ihrem Verlauf Traditionen und Institutionen sprengt, wie im Iran, in Algerien und Ägypten in unterschiedlichen Stadien zu besichtigen. Dazu kommt die Spannung zwischen Modernisierung und Antimodernisierung, säkular westlicher Staatsidee und der fundamentalistischen, antiwestlichen Gegenbewegung totalitären Charakters.

Die dritte Gefährdung, wiederum mit der ersten und zweiten eng verbunden, ist die Proliferation von Waffen High-Tech und Low-Tech, ohne natürliche Grenze oder feste politische Kontrolle. Auch vor 1990 waren die Waffenströme groß. Seitdem aber gibt es einen Weltwaffenbasar, wo zu Ausverkaufspreisen fast alles gehandelt wird. Dazu kommen chemische und nukleare Bestrebungen von Drittweltländern. Nordkoreas Ausbruch aus dem Nichtverbreitungsvertrag seit Februar 1993 ist der dramatischste Test der nuklearen Weltmächte und ihres Kartells, und er wird von einem Dutzend Schwellenländern und anderen, die es werden wollen, gespannt beobachtet. Kommt es nicht zu einer Wende, dann ist der Nichtverbreitungsvertrag bald nicht mehr als ein Stück Papier, und die Welt treibt in die nukleare Anarchie.

Die vierte Gefährdung der Sicherheit ist die am wenigsten direkte und deshalb auch die, welche am wenigsten durch Abschreckung zu bewältigen ist: Die Vereinten Nationen (VN) beziffern seit 1990 mit zunehmender Alarmstimmung den jährlichen Bevölkerungszuwachs global auf ca. 100 Millionen Menschen. Es entsteht in den ärmsten Ländern der Welt eine dynamische Reaktion aus Übervölkerung, Umweltzerstörung, politischen Zusammenbrüchen und Völkerwanderungen. Weder die bisherige Drittweltpolitik, die Krumen von der Herren Tische warf, ist darauf eine Antwort, noch das Rezept, die Dritte Welt möge umgehend so werden wie die Erste, d. h. achthundert Jahre christliche Sozialdisziplin, fünfhundert Jahre Industrialisierung und hundert Jahre Sozialstaat nachholen. Man wird sich statt dessen auf den malthusianischen Alptraum einstellen müssen, der aber diesmal, anders als vor zweihundert Jahren in Europa, Wirklichkeit wird.

Stellt sich die Frage der sichtbaren und unsichtbaren Agenda der NATO, wird deutlich: Der Fall des Artikel 5 NATO-Vertrag – bewaffneter Angriff auf einen der Partner – ist gegenwärtig nicht in Sicht. Wohl aber gewinnt der lakonische und wenig bestimmte Artikel 4 des NATO-Vertrags neue Bedeutung: »The Parties will consult together whenever, in the opinion of any of them, the territorial integrity, political independence or security of any of the Parties is threatened«.

Das heißt, es wird entweder eine andere NATO geben, ähnlich wie in der London Declaration vom 6. Juli 1990 umrissen, mehr Fuchs als Igel, oder man wird sich mit dem Gedanken vertraut machen, daß die NATO erst hohl wird und dann nicht mehr existiert. Das allerdings würde, weil die Westeuropäische Union (WEU) die Rolle der NATO nicht spielen kann, nicht nur die äußere Sicherheit Europas auflösen, sondern auch die Verhältnisse zwischen den europäischen Staaten erheblichen Schwankungen und Spannungen aussetzen, auf die niemand vorbereitet ist.

Die NATO war da, nach dem Diktum ihres ersten Generalsekretärs Lord *Ismay*,«to keep the Americans in, the Russians out, and the Germans down«. Der zweite und der dritte Teil haben sich erledigt. Geblieben aber ist, das existentielle Interesse der Europäer, »to keep the Americans in«.

Zur Funktion der NATO gehörte immer, der amerikanischen Moderatorenrolle für die europäische Einigung feste Form zu geben und zugleich die Europäer von der Last zu befreien, sich für ihre eigene Verteidigung zu einigen. Jetzt ist die künftige Rolle der USA in Frage gestellt, am stärksten in Washington. Komplizierte Gleichgewichte zu balancieren, ist der amerikanischen Tradition fremd. Zur Mobilisierung der Nation für militärische Aktionen bedarf es nicht der Kabinettspolitik, sondern einer »clear and present danger«, vorzugsweise mit der Fratze des Teufels. Die Strategie setzt auf Vorwärtsverteidigung auf den Gegenküsten, nicht auf imperiale Dauerpräsenz. Drei Ozeane als Sicherheitsabstand gegen jede mögliche Gefahr gaben amerikanischem Sicherheitsdenken immer eine andere Grundstruktur als dem Denken der Kontinentalen. Jetzt kommt das alles zurück. Aber für die Sicherheit Mittel- und Osteuropas bleibt eine starke Präsenz der Amerikaner wichtig, ebenso für die Beruhigung postsowjetischer Nachbeben. Auch ist nicht zu verkennen, daß die Spannungen zwischen NATO-Partnern wie Griechenland und Türkei eher zunehmen werden als abnehmen, nicht zuletzt wegen Ex-Jugoslawien.

Das alles ist nur zu leisten, wenn die NATO nicht im Gehäuse des Artikel 5 gefangen gehalten wird, sondern die Aufgabe wahrnimmt, in den Konfliktlagen nach dem Kalten Krieg westlicher Diplomatie Verhandlungsgewicht zu verleihen oder, wenn es zum Schießkrieg kommt, ultima ratio der atlantischen Nationen zu sein. Das Bündnis ist zugleich weniger und mehr gefordert: weniger, weil die sowjetische Bedrohung nicht mehr an der Elbe lauert; mehr, weil die Gefahren am Ende des 20. Jahrhunderts vorgreifendes Krisen- und Konfliktmanagement erfordern.

Auch ist evident, daß die Abschreckung im wesentlichen ihr Objekt verlor, daß sie neu definiert und mit Substanz versehen werden muß und daß sie wieder ein Subjekt braucht, das heißt strategische Führungskraft. Endlich ist unübersehbar, daß die amerikanische Streitmacht in und um Europa ihre Aufgabe nicht darin erschöpfen wird, auf den bewaffneten Angriff auf das Bündnisgebiet zu warten, sondern Teil der amerikanischen Krisenstrategie und Interventionsfähigkeit im weiteren Umfeld wird. Verbieten die Europäer für diese amerikanische Rolle den Gebrauch der NATO-Fazilitäten, dann wird der Kongreß anders entscheiden, und man kann der NATO ein Denkmal setzen mit der Inschrift: »Den Atlantischen Nationen wurden alle ihre Wünsche erfüllt, und die NATO wurde Opfer ihres eigenen Erfolgs«. Heute ist mithin der definitorische Moment europäischer Sicherheit. Die Vorfrage aber lautet, ob es ihrer überhaupt bedarf. Diese Frage wird in einigen Hauptstädten entschiedener beantwortet als in anderen. Und noch mehr trennt die Europäer die Frage, ob den USA nur die Rolle des Rückversicherers zukommt oder die des aktiven Gestalters. Im Osten des Kontinents möchte man soviel Amerika wie möglich in Europa, wegen fortdauernder russischer Ungewißheiten und eigener regionaler Probleme. Im Westen sind die Meinungen geteilt zwischen den Briten, die an ihrer alten »NATO-First-Strategie« unbeirrt festhalten, und den Franzosen, die die NATO möglichst eng auf den Fall des Artikel 5 einengen wollen – ungeachtet der Erfahrung des Golf-Krieges und der Kriege im früheren Jugoslawien. Selbst dort, wo die NATO als regionaler Mandatsträger der VN tätig werden sollte, wollen die Franzosen dies nur zulassen mit einer nichtidentischen Organisation. Frankreich hat zwar, um André *Malraux'* Wort über 1940 abzuwandeln, nur eine halbe Atomwaffe und einen halben Panzer. Zugleich aber ist es das einzige Land, das sich Führungsfähigkeit in Europa zutraut. Frankreich muß zwar die Dominanz der deutschen Wirtschaftsmacht hinnehmen, leitet daraus aber noch nicht den Wunsch nach amerikanischen Balancen ab.

Die Westeuropäische Union bleibt Ausdruck dieser Ambivalenzen. Lange Zeit war sie, obwohl das Papier des Vertrags stringente Beistandsverpflichtungen enthält, nichts als eine »sleeping beauty«, wie sie einmal genannt wurde. Wann immer am atlantischen Horizont nach einem »second pillar« – wie John F. *Kennedys* elegante Form des Burden-sharing hieß – Ausschau gehalten wurde, richteten sich Blicke auf die WEU. Lag hier der Kern einer europäischen Streitmacht, einer politischen Persönlichkeit, der harte Kern gemeinsamer Außen- und Sicherheitspolitik? Die WEU-Erklärung von 1987 ging in diese Richtung, aber sie blieb folgenlos bis auf die Einrichtung eines Generalsekretariats und eines kleinen Forschungsstabs.[8] Dann folgte der Umbruch des Ost-West-Systems, und es wurde zwischen dem Deutschland von 1990 und den vier Siegermächten von 1945 verhandelt. Das Ergebnis: Das NATO-Vertragsgebiet reicht bis Oder und Neisse, die Militärorganisation vorerst bis Elbe und Werra.

In dem definitorischen Moment von 1990 schien alles möglich, eingeschlossen die Idee, der Konferenz über Sicherheit und Zusammenarbeit in Europa (KSZE) die europäische Sicherheit »von Vancouver bis Wladiwostock« anzuvertrauen, wie die Baker-Genscher-Formel, den Ereignissen weit voraus, verkündete. Ein Jahr später reichte europäische Sicherheit dann nicht einmal mehr bis Dubrovnik und Sarajewo. Gleichwohl wurden nach dem Zerfall des Warschauer Paktes und dem Zerbrechen der Sowjetunion alle Staaten und Nachfolgestaaten summarisch in die KSZE und in den neugegründeten Nordatlantischen Kooperationsrat (NAKR) aufgenommen, der

---

8 Plattform der Europäischen Sicherheitsinteressen, verabschiedet auf der Tagung der Außen- und Verteidigungsminister der Mitgliedstaaten der Westeuropäischen Union am 26. und 27. Oktober 1987, in: *EA*, 22/1987, S. D 613-616.

seitdem als Antichambre für Konsultationen und Kooperationen jeweils in Abstufungen dient. Ziel ist nicht, den NATO-Raum zu erweitern bis zur chinesischen Grenze, sondern, im Gegenteil, ihn überschaubar zu halten. In Jugoslawien, in Transkaukasien, an der unteren Donau wurden beide Institutionen, dazu die Vereinten Nationen, einem Test ausgesetzt, dem sie nicht gewachsen waren.

Mit dem Umbruch der europäischen Machtgeometrie 1990 mußte auch die »finalité politique« der Europäischen Gemeinschaften sich ändern, ja konkretisieren. Es galt nicht nur, den »acquis communautaire« im Wirtschaftlichen zu sichern – das »1992«-Programm war noch unfertig – es galt auch, die Grenzen Europas nach Osten neu zu definieren, das veränderte deutsche Gewicht einzufügen und für die Zeit nach der Übergangsphase – der »Zwei-plus-Vier«-Vertrag terminiert den sowjetisch-russischen Abzug aus Deutschland auf Ende 1994 – eine neue Sicherheitsgeometrie zu entwerfen.

Die »Regierungskonferenzen« der zwölf EG-Staaten fanden 1991 im Wirtschaftlichen einen wohlbeackerten Grund; in der Sicherheitspolitik war das nicht der Fall. So kam es, daß der Maastrichter Vertrag über die »Europäische Politische Union« vom Dezember 1991 in Wirtschafts- und Währungsfragen kühne und klare Maßgaben enthält, dasselbe aber nicht gesagt werden kann über die Gemeinsame Außen- und Sicherheitspolitik (GASP) und die Europäische Verteidigung der fernen Zukunft. Während die GASP bei näherem Zusehen sich auf Begriffe wie Kohärenz, vorbehaltlose Unterstützung, Unterrichtung und Abstimmung, konvergierendes Handeln, Koordination richtet – wobei der Ministerrat »einen gemeinsamen Standpunkt« festlegen kann – ist von der gemeinsamen Verteidigung heute (1994) kaum mehr zu sagen, als daß sie im Vertrag über die Europäische Union (EU) flüchtige Erwähnung findet.[9]

Die Europäische Union kann dann die WEU – »die integraler Bestandteil der Entwicklung der Europäischen Union ist« – ersuchen, Entscheidungen und Aktionen, welche verteidigungspolitische Bezüge haben, auszuarbeiten und durchzuführen. Indessen, dies »berührt nicht den besonderen Charakter der Sicherheits- und Verteidigungspolitik bestimmter Mitgliedstaaten« – gemeint sind nicht nur die Nuklearmächte Frankreich und Großbritannien, die auch dem Sicherheitsrat der Vereinten Nationen angehören, sondern auch die besonderen Vorbehalte anderer Länder, z. B. Deutschlands. Der Vertrag gestattet auch die besonders enge Zusammenarbeit einzelner Mitgliedstaaten – das bezieht sich auf das deutsch-französische Euro-Korps. 1996 soll ein Bericht vorgelegt werden, wie weiter zu verfahren ist. Klarheit besteht in zwei Punkten: Die WEU ist erstens die künftige Verteidigungskomponente der künftigen Europäischen Politischen Union und zweitens ein »Mittel zur Stärkung des europäischen Pfeilers der NATO«.

1992 allerdings zeigte sich, daß statt der sicherheitsverbürgenden »overarching structures« und der »interlocking institutions« nicht viel mehr entstanden war, als was

---

9 »Gemeinsame Außen- und Sicherheitspolitik umfaßt sämtliche Fragen, welche die Sicherheit der Europäischen Union betreffen, wozu auf längere Sicht auch die Festlegung einer gemeinsamen Verteidigungspolitik gehört, die zu gegebener Zeit zu einer gemeinsamen Verteidigung führen könnte«. Vertrag über die Europäische Union vom 7.2.1992; Artikel J.4, Absatz 1, in: *EA*, 6/1992, S. D 248.

ein britischer Fachmann und Ex-Mariner »a bugger's muddle« nannte: hohle internationale Organisationen, organisiert um auseinanderstrebende nationale Interessen ohne einheitsverbürgendes Prinzip. Die Europäer suchten daher, die Entwicklung der WEU zu beschleunigen, Großbritannien in die atlantische, Frankreich in die europäische Richtung, Deutschland in der Position des Schiedsrichters überfordert.

Seit dem Golf-Krieg ist die WEU nicht mehr die »sleeping beauty« der vorangehenden vier Jahrzehnte. Was sie aber statt dessen ist, ist bisher weder theoretisch definiert noch praktisch umgesetzt. In dieser Lage suchte die Petersberg-Erklärung der WEU-Außenminister vom 19. Juni 1992 festeren Grund.[10] Aber erst der Brüsseler NATO-Gipfel vom 10./11. Januar 1994 brachte hinreichende konzeptionelle Klarheit: Die WEU ist allein handlungsfähig im Verbund der NATO.

Die daraus folgenden praktischen Maßnahmen verdeutlichen, daß damit weniger als ein europäisches Sicherheitssystem im Entstehen ist, aber mehr als ein bloßes Tochterunternehmen der NATO. Die »zweite Säule«-Theorie der NATO wird getestet: Von ihren Urhebern war sie niemals gedacht als Zweiteilung globaler Verantwortung, sondern als Entlastung der USA. Als 1992 die WEU eine Art Aktionsausschuß der Westeuropäer zu werden schien, waren die alten Vorbehalte der USA wieder da: Das Bartholomew-Memorandum warnte in diplomatischen und undiplomatischen Formulierungen vor dem »ganging up« der Europäer.[11] Das politische Dilemma bleibt, daß Amerika Entlastung sucht, aber nicht Abgabe der Führung; daß die Europäer Schutz suchen, aber nicht bei sich selbst; und daß es Europa noch auf lange Zeit fehlen wird an dem, was der NATO allein durch die USA zuteil wird: nukleare Abschreckung, globale Überwachung, »real time intelligence« und dazu »sealink-« und »airlift«-Fähigkeiten. Selbst wenn aber alles dies da wäre oder beschafft werden könnte, so würde Europas Handlungsfähigkeit begrenzt bleiben durch nationale Interessen, den Vorrang der innenpolitischen Agenda und das Malaise nach dem Kalten Krieg, welches vielfach die Führungsfähigkeit von Regierungen und Staaten schwächt.

Seit der Weltenwende 1990 findet man keinen Verteidigungsminister im östlichen Mitteleuropa, der nicht, wenn eine gute Fee ihm einen Wunsch freigäbe, Aufnahme in das Nordatlantische Bündnis nennen würde. Das hat drei Gründe: innenpolitische Stabilisierung für Reformer und Reformen, Sicherheit vor wachsenden russischen Ungewißheiten und Hoffnung auf Beruhigung zwischen mißtrauischen Nachbarn. Warum ist der Wunsch trotzdem heute und noch für einige Zeit den Feen zu überlassen?

Der Warschauer Pakt ist Vergangenheit. Er war tief gestaffeltes mitteleuropäisches Glacis für die Russen, denen ihre Geschichte die Erkenntnis vermittelt, daß eine Grenze nur dann sicher ist, wenn auf beiden Seiten russische Soldaten stehen. Der Zusammenbruch des Imperiums und die Rückführung der Truppen haben nicht nur

---

10 Petersberger Erklärung des Ministerrats der Westeuropäischen Union über seine Tagung am 19. Juni 1992 in Bonn, in: *EA*, 14/1992, S. D 479-486.
11 Vgl. *FAZ*, 9.4.1991.

die Aufmarschzonen weggenommen, sondern auch das rückwärtige Verteidigungsdispositiv aufgerissen. Solange in Rußland die Westler an der Macht sind, Boris *Jelzin* an der Spitze, werden sie damit zu leben wissen. Der großrussische Nationalismus aber wird das anders bewerten, und wenn im Kreml alte Paranoia und neue Bitternis regieren, drohen Revisionen. Was den Groß-Serben in Ex-Jugoslawien gestattet ist, wird man den nuklear bewaffneten Großrussen, wenn sie auf ihr »Nahes Ausland« schauen, schwerlich verweigern können. Das ist vielleicht die schlimmste Folge der jugoslawischen Kalamitäten.

Noch ist vieles offen, Rußland geht durch eine neue Zeit der Wirren. Der Westen aber sollte es sich dreimal überlegen, von außen durch wohlmeinende, aber mißverständliche Gesten oder Garantien, heikel zu formulieren und real kaum auszufüllen, hineinzuwirken. Es bleibt das Dilemma, daß gegen westlich orientierte Reformen in Moskau Garantien nicht gebraucht werden, gegenüber eurasisch orientierten, von Enttäuschung und Mißtrauen erfüllten Großrussen sie nicht Sicherheit schaffen, sondern Spannung.

Wie wirksam aber, und wie eindeutig könnten Garantien sein? Würde der amerikanische Senat sich auf unklare Versprechungen einlassen? Amerika geht nicht in den Isolationismus, wohl aber in Richtung schneller Eingreiftruppen, maritimer Strategie und Sicherung von Gegenküsten. Amerikanisches Hauptinteresse bleibt, mit Rußland die nukleare Hinterlassenschaft zu ordnen, unbeirrt durch mindere und fernere Gefahren. Noch weniger ist denkbar, daß die USA etwelchen Garantien dadurch Tiefe und Glaubwürdigkeit verleihen würden, daß sie Truppen stationieren oder unterhalb von Stationierung sich in einer Form engagieren, die den Mitteleuropäern Rückhalt gibt und die Russen nicht vor den Kopf stößt.

Bedeutet das, daß man sich darauf beschränken muß, den Staaten, die aus der Kälte kamen, »Alles Gute« zu wünschen? Ihr Weg in die Europäische Union wird lang und schwierig, aber er ist unvermeidbar, nicht nur für Befestigung und Vertiefung ihrer sozialen und wirtschaftlichen Wohlfahrt, sondern auch für die Sicherheit Westeuropas. Damit verbunden ist die Einbindung in Westeuropas gemeinsame Außen- und Sicherheitspolitik, eingeschlossen die Westeuropäische Union. Diese ist aber nicht nur historisch eingeklinkt in die NATO, sondern bekommt dadurch erst Substanz.

Nichts zu tun ist unmöglich und nicht im westlichen Interesse. Alles zu tun ist auch nicht möglich, und auch nicht im westlichen Interesse. Die Staaten von Estland bis Bulgarien müssen miteinander friedlich-schiedlich leben lernen, wie es die Staaten Westeuropas nach 1945 zu lernen hatten. Diesen Prozeß kann der Westen fordern, aber er muß ihn auch mit allen Kräften fördern. Beruhigung und Schutz gehören dazu.

Indessen, der sicherheitspolitische Schwebezustand ist nur behutsam zu verändern. Vorerst sind KSZE, NAKR und »partnership for peace« das Beste, was der Westen zu bieten hat. Osteuropas Sicherheit aber schließt Beruhigung und zuvorkommende Behandlung Rußlands ein, ebenso wie die Mahnung an die Staaten der Region, Grenzen und Menschenrechte peinlichst zu beachten. Eine sicherheitspolitische Doppelstrategie wird gebraucht: Entschieden und weit ausgreifend durch Investitionen und Marktöffnung, vorsichtig und mit diplomatischer Finesse im Bereich verteidigungspolitischer Annäherung. Dafür bietet »partnership for peace«, wenn der Westen will, die richtigen Ansatzpunkte und Mittel.

Es ist daran zu erinnern, daß das Äußerste, was Michail *Gorbatschow* 1990 in den Verhandlungen über die deutsche Einheit abzuringen war, die Ausdehnung des NATO-Vertragsgebiets bis zur Oder war, ohne Ausdehnung der militärischen Organisation. Welche Lehren sind daraus abzuleiten vier Jahre später? Jedenfalls größte Behutsamkeit und Suche nach Zwischenformen.

Im Osten wird der Unterschied zwischen kollektiver Sicherheit auf dem Papier und kollektiver Verteidigung mit Muskeln schmerzlich sichtbar. Das Sicherheitsvakuum muß gefüllt werden, aber nicht durch Patentrezepte, und nicht über Nacht. Die auf absehbare Zeit stärkste Sicherung ist zum einen in einer Politik der Zurückhaltung der Länder Mittel- und Osteuropas zu finden, zum anderen in dem Wort des amerikanischen Verteidigungsministers 1992: »Ihre Sicherheit ist unsere Sicherheit, und wir werden gemeinsam daran bauen«. Die NATO bleibt Mittelstück aller Sicherheit. Die Gefahr der inneren Aushöhlung ist groß genug. Es hat keinen Sinn, das Bündnis durch Überdehnung unwirksam zu machen. Das deutsche Interesse, daß die neuen Demokratien östlich der Grenze in die erweiterte Sicherheitspolitik einbezogen werden, ist groß. Noch größer allerdings muß das Interesse sein, die NATO wieder handlungsfähig zu machen.

Deutschland Am Schnittpunkt Weltpolitischer Kräfte

Am 3. Oktober 1990 wurde in feierlicher Form der Welt im allgemeinen, den europäischen Nachbarn im besonderen unter Berufung auf ein unbezweifelbares Dichterwort ein »europäisches Deutschland« versprochen, kein »deutsches Europa« – zumal es ja auch unübersehbar an Kraft, Willen und Möglichkeit zu letzterem fehlte. Was ein europäisches Deutschland im wirtschaftlichen Sinne zu bedeuten hat, ist am deutlichsten im Maastrichter Vertrag zu finden: 1990 vor die Wahl gestellt, mehr Deutschland oder mehr Europa zu haben, entschieden sich die Zwölf im Verlauf des folgenden Jahres für mehr Europa, ohne allerdings zu vergessen, daß man weder das eine noch das andere so schnell und so gründlich erstrebt hatte: Daher die Schmerzen der Ratifikation in vielen Ländern der Gemeinschaft. Was dies aber für die europäische Sicherheitspolitik zu bedeuten hat, harrt in allen wesentlichen Punkten der Klärung.

Während die Nachbarn im Moment der Wiedervereinigung sich sorgten über die künftige Macht Deutschlands, fanden sie seitdem Grund zur Sorge über die Schwäche Deutschlands, das wirtschaftlich die Wiedervereinigung, die Rezession, die Krise des Sozialstaats und den Niedergang der Innovationsfähigkeit zu bewältigen hat, außen- und sicherheitspolitisch aber festen Boden erst noch finden muß. Während seit 1945 das organisierende Prinzip immer von außen kam, muß es jetzt von innen kommen: Aus der Staatsräson und damit aus der Bestimmung dessen, was das Land will und wofür es steht. Die Rolle des Musterschülers, atlantische und europäische Klasse, reicht nicht mehr, seitdem die Schule zu Ende ist. Die deutsche Außenpolitik muß nun selbst die Skripten schreiben, nach denen sie sich künftig behaupten und an der Gestaltung der Welt mitwirken will. Es gibt nur noch wenige Verbote, aber auch wenige Gebote: Das Koordinatensystem muß neu definiert werden, ebenso wie die darin wirkenden Interessen. Indessen aber entsteht in den benachbarten Hauptstädten der Eindruck, daß ein Übermaß an Idealismus in Richtung Vereinte Nationen und KSZE, Weltfrieden und »Zivilmacht« entweder auf Realitätsverfehlung schließen läßt oder aber Versteck- und Verwirrspiel ist.

Die Bundesrepublik Deutschland definierte sich in der Stunde der Einheit vorwiegend durch das, was sie nicht sein wollte: Kein »ruheloses Reich«, sagte der Kanzler; keine deutsche Übermacht, ergänzte der Außenminister; keine Errichtung neuer Mauern, weder östlich noch südlich, pflichteten andere bei. Die deutsche Politik blieb aber weitgehend die Erklärung schuldig, was in der neuen Machtgeometrie nun mit dem Gewicht Deutschlands anzufangen sei, wo die Gefahren liegen und wo die Interessen, und was nun eigentlich die Deutschen bewegen würde, außer jenem hohen und hehren Begriff der Verantwortung, der im Deutschen weder des Objekts noch des Subjekts bedarf und damit angenehm und folgenlos ist.

»Zwei-plus-Vier« war weniger und mehr als ein deutscher Friedensvertrag. Weniger, weil zahlreiche moralische und materielle Ansprüche an den Hauptverlierer des Zweiten Weltkriegs unerwähnt und unverhandelt und damit unbefriedigt bleiben durften; mehr aber auch, weil 1990 ein »European Settlement« gewollt war, mit dem Dreh- und Angelpunkt des vereinten Deutschland. Das war, gemessen an allen Vergangenheiten von 1871 über 1919 und 1945 eine Revolution, deren Tiefe und Ausmaß dadurch belegt wird, daß in der Folge Warschauer Pakt und Rat für Gegenseitige Wirtschaftshilfe einfach aufhörten, NATO und EG aber in eine Sinn- und Funktionskrise gerieten. Das Land aber, das in diesem Prozeß die stärksten Veränderungen durchmachte, Deutschland, sollte zugleich selbst Anlehnung bieten für alle Nachbarn, und dazu ein Lager für die aus den Angeln gehobenen Institutionen. Es war kein Wunder, daß die Aufgabe nur unvollkommen bewältigt wurde. Allerdings, es war 1990 unrealistisch, von der prästabilisierten Harmonie der Weltsphären auszugehen, ungeachtet aller Brandfackeln nah und fern. Es war überflüssig, seitdem Selbstfesselungen einzugehen, die niemand von außen verlangt hatte. Im Gegenteil, der Stoßseufzer in den meisten Staatskanzleien richtete und richtet sich darauf, die Deutschen möchten ihre Rolle finden und nicht Sonderwege.

Das aber heißt, daß das Land nicht nur Gefahren von außen und Interessen nach außen wahrnehmen muß. Es muß auch »pari passu« in sich selbst wieder zu einem tragfähigen Konsens kommen über Bedrohung und Bündnis, Ziele und Mittel, Macht und Möglichkeiten. Die Schmerzen des Frühjahrs 1993 über die deutsche Beteiligung an den AWACS-Einsätzen der NATO zur Beobachtung des bosnischen Luftraums haben die Lasten der neuen Weltunordnung und die Nöte der Entscheidung ironisch unterstrichen: Unvermeidlich allerdings waren sie nicht. Unterdessen standen nicht nur die technische Funktionsfähigkeit integrierter Verbände auf dem Spiel, sondern, ernster noch, die Verläßlichkeit der Bundesrepublik Deutschland, ihre Gestaltungsfähigkeit und dazu die Frage, ob die NATO, was den deutschen Alliierten angeht, noch eine Zukunft hat oder nur Vergangenheit.

Voraussetzung nationaler Handlungsfähigkeit, zumal für Deutschland, sind Überwindung des wirtschaftlichen Malaise und Wiederherstellung jener Standortbedingungen, auf denen das ganze fragile Gebäude der Anspruchsgesellschaft ruhte und ruht. Die Fortführung der europäischen Integration, westliche Vertiefung und östliche Erweiterung, bleibt zweifellos das erste und wichtigste nationale Interesse der Deutschen.

Die Einheit, der Abzug der Russen und die Neugruppierung der weltpolitischen Gefahrenlagen sind für die Bundesrepublik Deutschland keine Stunde Null, und deutsche Außenpolitik braucht nicht von A bis Z neu erfunden zu werden. Und doch ist nichts mehr wie es vordem war. Deshalb aber tut man gut daran, alles zu prüfen und dann, von Geographie und Geschichte ausgehend, Interessen zu bewerten und zu ordnen. Drei Bestimmungsgrößen vor allem sind wichtig: die Vereinigten Staaten, Europa nach Maastricht und das Verhältnis zu Rußland.

Das Verhältnis zu den USA

Im September 1993 wurde das 11. Gepanzerte Kavallerieregiment der US-Army, das bis zum Ende des Kalten Krieges die »Fulda-Lücke« bewachte, in die Vereinigten Staaten zurückverlegt. Bis 1995 sollen Rückzüge und Rekonstitution der US-Truppen in Deutschland vollendet sein. Dann bleiben noch 100 000 Mann, 65 000 davon Heerestruppen. Die nukleare Komponente wird bis auf einen Rest zurückgezogen. Entscheidend kommt es darauf an, daß die in Westeuropa verbleibenden Truppen nicht auf Rotationsbasis da sind, sondern auf Dauer und mit dem Terrain vertraut, und daß sie in einer Konfiguration in Europa sind, die zum erneuten Aufwuchs befähigt.

Es geht nicht allein um eine militärische, sondern eine politische Frage. Die Antwort hängt von den Gefahren ab, welche die Amerikaner in Europa in Zukunft sehen, und von den Aufgaben, die sie sich stellen. Sie werden hier sein nicht aus Gewohnheit oder historischer Sentimentalität, sondern allein wenn und insoweit es amerikanischen Interessen entspricht. Diese waren bis 1990 klar definiert.

Niedergang und Fall des Sowjetreichs entzogen dieser Strategie politische Begründung und strategisches Objekt. Aufgabe des Nordatlantischen Bündnisses im allgemeinen, der amerikanischen Truppen im besonderen muß das sein, was man im 19. Jahrhundert mit Blick auf die britische Flotte die »force in being« nannte: eine durch schiere Präsenz auf politische Leidenschaften und kriegerische Gelüste beruhigend einwirkende Kraft.

Drei Funktionen zeichnen sich ab: Den Unwägbarkeiten der sowjetischen Erbfolge, die noch lange nicht zur Ruhe kommen wird, Festigkeit und Berechenbarkeit entgegenzusetzen, eingeschlossen im Nuklearen. Den Völkern Osteuropas, die sich im Sicherheitsvakuum fühlen, Vertrauen und Maßstäbe zu geben und insbesondere

Rußland in seiner als »Nahes Ausland« beanspruchten Interessensphäre zur Mäßigung anzuhalten. Zum Gleichgewicht in Westeuropa beizutragen und insbesondere national-nukleare Ehrgeize zu besänftigen. Mit einem Wort, die Wiederkehr der alten Dämonen undenkbar zu machen. Allerdings muß man leider sagen, daß weder die Zahl der 100 000 US-Soldaten in Europa noch die von den übrigen Alliierten festgelegten Zahlen zu den strategischen Zielen in irgendeiner kausalen Beziehung stehen: Sie sind vor allem Ergebnis nationaler Haushaltsnöte.

Zugleich wird die nordamerikanische Präsenz politisch schwieriger: In den öffentlichen Meinungen diesseits und jenseits des Atlantik wie in Verteilung von Oberbefehl und Verantwortung. Was an Infrastruktur hinter der NATO steht, wird europäisch schwerlich zu verdoppeln sein; nicht Transportkapazitäten, nicht C^3-Systeme oder globale Aufklärung, nicht differenzierte Formen nuklearer Abschreckung. Gleichwohl muß Manövrierraum geschaffen werden für das, was als Gemeinsame Außen- und Sicherheitspolitik im Maastrichter Vertrag den Kern der Europäischen Politischen Union bilden soll und auf lange Sicht doch allein in der strategischen Allianz realisierbar ist.

Die Amerikaner werden, auch wenn in ein paar Jahren die Ziffer 100 000 innenpolitisch noch haltbar sein sollte, unterdessen den Europäern unbequeme Fragen stellen, von denen die der Stationierungskosten noch zu den leichteren gehört. Am wichtigsten wird sein, daß die NATO sich nicht ausschließlich auf Verteidigung des Bündnisterritoriums beschränkt – »out of area or out of business« gilt dafür – und damit auf einen auf Sicht unwahrscheinlichen Fall des Angriffs. Die Amerikaner werden ihre Truppen nicht allein für erklärte, sorgsam abgestimmte Bündniszwecke, sondern auch jenseits von Europa einsetzen wollen. Sie werden auf der nuklearen Abschreckungskomponente bestehen und Luftverteidigung gegen Raketen aus Richtung Mittelmeer und Golf-Region fordern. Auch die Frage der Führung stellt sich komplizierter und differenzierter als zuvor: Wo Amerika nicht mit Landtruppen zur Verfügung stehen will, wird die US-Army schwerlich den Oberbefehl reklamieren können.

Ohne Regelung dieser Strukturfragen wird wahrscheinlich Amerikas europäische Militärpräsenz auf Termin gestellt sein: europäische Sicherheit dann allerdings auch.

Die Europäische Union

Heute und auf absehbare Zeit ist die Europäische Union die allein handlungsfähige Form Europas, allerdings mit beschränkter Partitur und engem Instrumentarium. Von ihrer Ausstrahlung hängt gleichwohl die Zukunft des Kontinents ab in einer Welt, die an der kommenden Jahrhundertwende bestimmt sein wird von:
- vier großen wirtschaftlichen Kraftzentren: Nordamerika, Japan mit seiner Wohlstandszone, West- und Mitteleuropa und wahrscheinlich China.
- vier großen Faktoren der Ungewißheit, der Unkontrollierbarkeit und der Gefahr: die sowjetische Erbfolge mit ihren europäischen, asiatischen und afrikanischen

Folgen, der islamische Krisenhalbmond von Kaschmir bis Casablanca, Waffenproliferation, Bevölkerungsexplosion und Völkerwanderungen.

Seit dem weltpolitischen Umbruch von 1989/90 ist die Gemeinschaft der Zwölf in einen revolutionär veränderten Kontext geworfen.

Deutschland bis zur Wiedervereinigung war hinsichtlich Größe, Bevölkerung und Bruttosozialprodukt in der gleichen Größenordnung wie Frankreich und Großbritannien und die Summe aus Italien plus Benelux. Seit der Wiedervereinigung und der Öffnung des Ostens indessen ist die ältere geschichtliche Lage wieder hergestellt, daß Deutschland kraft Lage und Größe alle Teile Europas bestimmt und zugleich von allen Teilen Europas beeinflußt wird. Deutschland ist in diesem Sinne wieder das europäischste aller Länder geworden. Das Land ist, ob es will oder nicht, bei Strafe des Alleinseins und der Handlungsunfähigkeit, zum Europäertum verurteilt. Bisher hat man, die »finalité politique« offenlassend, die Antwort in der These gesucht, daß die Wirtschaft der Politik folgt. Jetzt aber stellen sich, weil das bipolare System nicht mehr die Europäer der eigenen Entscheidung enthebt, Verfassungsfragen und heischen Antwort.

Zugleich aber vermag Deutschland diese Rolle nur zu spielen, wenn und sofern die Vereinigten Staaten ihre dreifache Rolle unter veränderten Bedingungen fortführen: atlantische Führung; europäischer Ausgleich; weltpolitische Balance.

In »Zwei-plus-Vier« wurde 1990 die deutsche Einheit in das entstehende post-bipolare weltpolitische System eingefügt, welches sich indessen nur noch als Übergangsform erwies angesichts von Niedergang und Fall des sowjetischen Reiches. In den europäischen Regierungskonferenzen, die im Verlauf des Jahres 1991 dem »Zwei-plus-Vier«-Prozeß folgten, sollte das vereinigte Deutschland eingeordnet werden – und betrieb dies zusammen mit Frankreich am stärksten – in die künftige westeuropäische Union, die nach dem Ende der Teilung, der sowjetischen Bedrohung und der amerikanischen Eindämmungspolitik Europa zum Subjekt seiner eigenen Geschichte machen sollte. Für Frankreich sollte die Wirtschafts- und Währungsunion der Gewinn sein, für Deutschland die Politische Union: In jedem Fall sollte der Verbund der Maastrichter Verträge verhindern, daß sich in Zukunft zwei europäische Lager blockierten: ein von Frankreich geführtes lateinisches und ein von Deutschland geführtes mitteleuropäisches. Die Gefahr ist inzwischen nicht gesunken.

Die europäische Grundfrage des kommenden Jahrzehnts wird lauten, ob das Europa der Zwölf beides leisten kann: Intensivierung und Extensivierung. Intensivierung im Sinne von Handlungs- und Ausgleichsfähigkeit, Extensivierung im Sinne der positiven Gestaltung des Umfelds, der präventiven gemeinsamen Diplomatie, der Mitwirkung an den großen weltpolitischen Ordnungs- und Entscheidungsfragen. Gelingt das nicht, so wäre die Alternative zuerst Lähmung und dann Zerfall. Extensivierung auch im Sinne von Marktöffnung und politischer Beruhigung des östlichen und südlichen Vorfelds durch wirtschaftliche Mittel, erweiterte Sicherheitspolitik wie 1947/48 Amerikas Marshall-Plan. Der zweifache Test hat längst begonnen.

Indessen: Im Innern wird EU-Europa nach Überwindung der Rezessionsphase wahrscheinlich eine strukturelle Arbeitslosigkeit von etwa zehn Prozent der

»workforce« behalten – was einen gründlichen Umbau der Sozialhaushalte und der Klientelbeziehungen der politischen Parteien in allen Staaten erfordert und national zu bewältigen sein wird, solange es europäisch dafür weder Kraft noch Instrumente gibt. Darin liegt eine starke Sprengkraft, zum einen wegen der protektionistischen Patentlösungen, die die Staaten gegensätzlich beurteilen werden, zum anderen wegen der industriepolitischen Versuchungen, die anstelle des Marktes staatliche Struktur-politik zu setzen suchen unter Hinweis auf amerikanische und japanische Vorbilder. Die sozialpolitischen Fragen, die im bisherigen Politikstil nicht lösbar sein werden, können Westeuropa so zum Schicksal werden, wie die große Depression der dreißiger Jahre. Es kommt hinzu, daß die Integration der Gesellschaften und Wirtschaften des östlichen Mitteleuropa die Probleme – Erstweltqualität zu Drittweltlöhnen vor der Haustüre – und die Härte des Strukturwandels noch verschärft, und daß die langsame Vergreisung der westeuropäischen Bevölkerung zusätzliche Umverteilungsprobleme nach sich zieht. Verschärfung der Sozialkämpfe, Erkältung des politischen Klimas, Rückkehr zu nationalen Lösungen und Verstärkung der Extreme sind absehbar. Es wäre ein Wunder, wenn dies, ohne daß wir etwas dafür tun, Europa zugute käme. Kein Land allerdings würde dann so nachhaltig betroffen sein wie Deutschland.

Nach außen wird Europa alles tun müssen, um Katastrophen wie die im ehemaligen Jugoslawien beizeiten abzufangen: Nicht allein wegen des resultierenden Elends, der Unmenschlichkeit und der Gebote des Völkerrechts, sondern auch, um gegen Massenflucht, das Klima der Angst und den Eindruck der Hilflosigkeit etwas zu tun, und damit gegen den Legitimitätsverlust von Regierungen, Parteien und Bündnissen. Solche Krisen können vom Südufer des Mittelmeers rasch aufbrechen, ebenso auch im weiteren Mittel- und Osteuropa, bis hin zum Kaukasus und zur unteren Donau und in der asiatischen Türkei. Überall in diesen Bereichen sind europäische Interessen unmittelbar gefährdet, und wirtschaftliche Mittel allein können, wie das Beispiel der leerlaufenden Jugo-Reformen seit 1989 zeigte, nicht Politik, außenpolitische Hand-lungsfähigkeit und kraftvolles Krisenmanagement ersetzen. Außerdem muß Europa, um auf der Höhe der neuen dramatischen Phase seiner Geschichte zu sein und die Interessen der europäischen Völker zu wahren, im Kräftefeld zwischen dem post-sowjetischen Drama – das nicht nur Zerfall enthält, sondern auch Rekonstruk-tionen – und nordamerikanischen Ungewißheiten und Rückzügen eine eigenständige Position aufbauen: Europa hat keine Alternative dazu, seine Interessen nach innen zu integrieren und nach außen zu wahren.

In einem Wort: Die künftige Gestaltung Europas wird nicht in erster Linie abhängen von dem, was den Europäern von Kopenhagen bis Athen wünschbar oder konstruktiv sinnvoll erscheint, sondern was in der neuen Weltunordnung von außen erzwungen oder durch Strukturkrisen im Innern diktiert wird. Allein dann, wenn Regierungen und Parlamente diese Herausforderungen beizeiten erkennen und auf sie konstruktiv und gemeinsam antworten, hat Europa Zukunft als politisches Subjekt. Scheitert ein solcher Zukunftsentwurf, dann gilt allerdings nicht die Regel des Nullsummenspiels zwischen den Staaten und Nationen auf der einen und Europa auf der anderen Seite: Es wird keine Gewinner geben, sondern nur Verlierer.

Weil Europa selbst wie auch der weltpolitische Rahmen sich im revolutionären Umbruch befinden und auf absehbare Zeit dieser Umbruch weitergehen wird, wird man die bisher geltenden Schwergewichte umzudenken haben: »Zwei-plus-Vier« und selbst noch der Maastrichter Vertrag waren überwiegend auf Bewältigung der Vergangenheit gerichtet. Die Zukunft aber hat längst begonnen mit Umbrüchen, die Europa entweder zum hilflosen Objekt machen oder aber eine Subjektrolle erzwingen. Alles kommt deshalb darauf an, in der strategischen Allianz mit Nordamerika, die sich nicht von alleine machen wird, und im engen deutsch-französischen Verbund, der gegenwärtig eher gefährdet erscheint, nach außen handlungsfähig zu werden. Das aber kann nicht abgehen ohne Klarheit über Interessen und Mittel und den Willen zu Handlungsgewicht und präventiver Diplomatie. Nach innen wird entscheidend sein, daß die Regierungen mit der Kommission in Brüssel eine langfristige Perspektive des Wachstums und der offenen Märkte entwickeln und Führung geben, die die nationalen Interessen nicht gegeneinander ausspielt, sondern im europäischen Interesse aufhebt.

Das Rätsel Rußland

In der Welt nach dem Kalten Krieg ist Deutschland, ob das Land will oder nicht, dazu gezwungen, Anwalt des Ostens zu sein im Westen. Ein »Rapallo-Spiel« würde dem Osten nicht helfen, den Westen nicht engagieren und Deutschland zu einem unerfreulichen Wiedersehen mit der Geschichte verhelfen.

Birgt die Lage von 1992 Ansätze einer Wiederholung der Geschichte? Rapallo 1922 war eine Rebellion gegen den Westen; die deutsche Wiedervereinigung 1990 geschah mit dem Westen, die Desintegration des äußeren Imperiums der Sowjetunion erfolgte »pari passu«. Der deutschen Einheit ist seit vierzig Jahren solide vorgearbeitet worden durch die Westintegration der Bundesrepublik Deutschland, ihren Aufstieg zur Wirtschaftsmacht, das angesammelte Vertrauenskapital und durch die Prozesse und das Gefüge der Rüstungskontrolle. Alles spricht dafür, diese Verankerungen pfleglich zu behandeln. Der Übergang vom Sowjetimperium zur nach-sowjetischen Neuordnung im Osten aber kann nur schiedlich-friedlich erfolgen, wenn wiederum der Westen – Deutschland höflich den Vortritt lassend – an den Aufräumungsarbeiten wie an der Neukonstruktion aktiven und helfenden Anteil nimmt und wenn er dies gemeinsam tut. Vertiefung und Erweiterung der Europäischen Union mögen in der Theorie im Widerspruch stehen. In der praktischen Politik geht es darum, in Europa ein Gefüge zu schaffen, das das große Spiel der Machtegoismen verhindert oder jedenfalls begrenzt. Die wirtschaftliche Integration ist dafür ein Mittel, ähnlich wie die militärische im Atlantischen Bündnis. Für deutsch-russische Zusammenarbeit gibt es tausend Gründe. Zu einem deutsch-russischen Sonderbund gibt es nur Gegengründe.

Deutschland kann sich seiner geographischen Lage nicht entziehen. Es bleibt der Ort, der alle Halbinseln, die Europa bilden, miteinander und mit der eurasischen Landmasse verbindet. Rapallo enthält beides, die Versuchung und die Verdammnis der deutschen Lage in Europa. Die Erinnerung wird im Westen und im Osten und noch lange bleiben.

Es liegt aber auch für die Deutschen darin eine Geschichtslektion besonderer Art. Die mittel- und osteuropäische Nachbarschaft Deutschlands kann nicht genesen ohne vorhergehende Stabilisierung der russischen Reformen: Immer bleibt Rußland der bestimmende Faktor. Deutsche Staatskunst muß alles tun, Rußland in die westlichen Systeme einzubeziehen, um die Bürde des Ostens nicht allein zu tragen. Das aber ist nur möglich, wenn das Land heute und morgen den Weg meidet, der einmal nach Rapallo führte. Die Lehren der deutsch-russischen Geschichte sind zweifach:
– mit den Russen sich gutzustellen, so eng wie möglich, und
– Rußland auf Abstand zu halten, so weit wie möglich.

WIE WEITER?

Die Bundesrepublik Deutschland war, als sie 1949 entstand, mehr Objekt als Subjekt. Und doch hat schon die erste Bundesregierung wie selbstverständlich nationale Interessen verfolgt, auch wenn man es nicht so nannte, und jeder Nachfolger *Adenauers* hat es nicht anders gehalten.

Interessen wurden, da sie in Alleingängen nicht zu verwirklichen waren – was zuerst und vor allem für die nationale Einheit gelten mußte – eingefügt und so mit den Interessen der westlichen Hauptmächte verknotet, daß Vertrauen und zugleich Stärkung entstand. Die »Kultur der Zurückhaltung« (Volker *Rühe*) war aus der Not geborene Tugend, schon weil eine nationale Ellenbogen-Politik dem Land übel bekommen wäre. Sie hätte nicht mehr, sondern weniger Spielraum zur Folge gehabt.

Jeder Souveränitätsgewinn wurde – von Montan-Union 1952 und NATO-Beitritt 1955 über die Europäischen Gemeinschaften bis noch zu »Zwei-plus-Vier« und dem Maastricht-Vertrag – durch Machttransfer ausgeglichen und kompensiert. Indirektes Handeln wurde Leitprinzip, das galt am stärksten für die Vertretung nationaler Interessen. Da seit dem Ende des ersten Nachkriegsjahrzehnts das westliche Gefüge feststand, galt es seitdem, im Prozeßmanagement deutsche Interessen als mehr oder weniger allgemeine darzustellen und zu verwirklichen und zugleich das Gefüge der Allianzen nach Osten zu nutzen als Kräfteverstärker. Man sprach kaum über Interessen: Aber man lebte nicht im politischen Traumland. Deutsche Interessen, so war die Grundregel, mußten, um effektiv zu sein, europäisch und atlantisch sein: Wobei letzteres aus geopolitischen und nuklearen Gründen schwieriger war als das Steuern des europäischen Verbunds. Prozeßmanagement in vorgegebener, nur langsam veränderbarer Geometrie war die Form, in der deutsche Interessen zu gestalten waren. Sie wurden, das Kunstwort der Politiker zu gebrauchen, multilateralisiert. So konnte es lange Zeit so scheinen, nicht zuletzt den Deutschen selbst, als bestehe das deutsche Interesse darin, eigentlich keines zu haben. Wenn aber vom deutschen Interesse die Rede war, wie in der späten Ära Schröder Mitte der sechziger Jahre oder 1983, als die Sozialdemokratie ihren Wahlkampf gegen die amerikanische INF-Stationierung »im deutschen Interesse« akzentuierte, so war jedesmal ein Beigeschmack von Auflehnung zu spüren in einer Feststellung, die doch eher von der banalen Art war. Das ist bis heute so geblieben: Aber zum einen müssen sich die Deutschen daran gewöhnen, daß die Feststellung nationaler Interessen nicht ein nationalistisches Super-Ego verrät, zum anderen werden sich auch die Nachbarn mit diesem Aspekt der Normalität vertraut zu machen haben.

Berechenbarkeit (Helmut *Schmidt*) und Vertrauensbildung durch Dialog und Zusammenarbeit (Hans-Dietrich *Genscher*) klangen mit der Zeit immer formelhafter, waren aber ein praktischer Beitrag, die Last der Vergangenheit zu überwinden und in der Kontinuität Konrad *Adenauers* den Deutschen wieder Gewicht zu geben in den Konzilien des Westens und Verhandlungsgewicht nach Osten. Das hatte zur Folge, daß Dabeisein oft wichtiger erschien als die Frage, was man eigentlich durchsetzen wollte. Nur insofern gilt, daß die Bundesrepublik Deutschland bis 1989 »nie eine souveräne, nie eine wirklich nationale, nie auch nur eine weitgehend autonome internationale Politik« gehabt habe (Lothar *Rühl*). Die Deutschen sind, Staat und Nation, gut damit gefahren – wie sich niemals deutlicher zeigte als 1990.

Heute allerdings stellt sich die Frage, wie nach dem Auseinanderfallen des festen Rahmens deutsche Politik so anzulegen ist, daß sie beides leistet: die authentische Vertretung deutscher Interessen und den Verbund mit den Verbündeten. Die Auflösung des Widerspruchs liegt darin, daß nach wie vor alle wesentlichen deutschen Interessen nur eine Chance der Verwirklichung haben, wenn und soweit sie mit wesentlichen Interessen wesentlicher Alliierter übereinstimmen. Das gilt für die großen Fragen der internationalen Sicherheit ebenso wie für die Gestaltung des östlichen und südlichen Krisenbogens, für die Gestaltungsfragen des Welthandels ebenso wie für die Währungspolitik.

Allerdings ist unübersehbar, daß das Insistieren auf Kontinuität, welches noch zu der »Zwei-plus-Vier«-Phase als Leitmotiv gehörte, seitdem nicht mehr reicht. Es zeigt sich, daß das alte Prozeßmanagement unter dem Leitstern der Gemeinsamkeit seine Grenzen erreichte. Die Bundesrepublik muß, um ihre Interessen zu wahren, Führung entwickeln. Um Führung zu entwickeln, muß sie ihre Interessen umsichtig und mit Augenmaß definieren: als Überzeugungsaufgabe nach innen, als Integrationsaufgabe nach außen. Die »Kultur der Zurückhaltung« in der teils erzwungenen, teils willig übernommenen Selbstbindung reicht nicht um zu sagen, wohin es nun gehen soll. Über Kontinuitätssicherung hinaus wird es künftig unausweichlich auch um strategische Gestaltung gehen. Das heißt, deutsche Politik braucht ein langfristiges Entwicklungskonzept, das auf zunehmende Internationalisierung nationaler Interessen setzt. Zwischen der alten Multilateralität und dem neuen »Europa der Nationen« muß es ein Drittes geben. Es wird zur strategischen Rolle Deutschlands gehören, ähnlich wie es nach 1945 die USA hielten, nationale Interessen in den Dienst internationaler Ordnung zu stellen: Die Verweigerung internationaler Aufgaben wäre ebenfalls Sonderweg. Anders als nach 1945 aber wird heute auch Europa gefordert, und in Europa wird sich Deutschland nicht die Last der Weltordnung ersparen können: Sonst gibt es weder Europa noch Weltordnung.

Anders als die Vereinigten Staaten oder – in geringerem Maße – Großbritannien erfreut sich Deutschland nicht einer geostrategischen Lage, die einen festen Bezugsrahmen für Interessendefinition bietet. Seit der Wiedervereinigung ist indessen jener geopolitische Determinismus wieder in Mode gekommen, der aus dem nationalen Denken des 19. Jahrhundert kommt, die Weimarer Republik an der klaren Westbindung hinderte, und der noch im Jahrzehnt *Adenauers*, Deutschland als Mitte und Brücke zu definieren suchte: wider alle geostrategischen Gegebenheiten und alle deutschen Interessen. Man muß sich hüten vor diesem geopolitischen Romantizismus, der aus der Lage in der Mitte des Kontinents eine Politik tous azimuts abzuleiten sucht: Die wirtschaftlichen Interessen, die strategische Lage, die Werte der Demokratie und des freien Handels weisen in die westliche Richtung, und in sie allein. Im Osten ist heute und auf lange Zeit kein Ankergrund zu finden für deutsche Interessen, sondern nur gefährliche und in Alleingängen niemals beherrschbare Gefahren und Risiken.

Adenauer definierte deutsche Interessen nicht in der Mitte des europäischen Kontinents, sondern im atlantischen Sicherheits- und im europäischen Wirtschaftsverbund. Hat *Adenauers* Weitsicht, nun sie ihr Ziel erreichte, ausgedient? Deutschland hat zu jedem Zeitpunkt seiner Geschichte nach Osten gegeben und vom Westen genommen: Ideen, Technik, Kapital. Nichts deutet darauf hin, daß darin in absehbarer Zeit Änderungen eintreten. Im Gegenteil, Deutschland wird aus dem europäischen Osten und weit darüber hinaus, was wirtschaftliche Kraft und politische Entscheidungsfähigkeit anlangt, in einer Weise beansprucht werden, die alles übersteigt, was der Kalte Krieg dem Land je abverlangte.

Unterdessen bleibt daran zu erinnern, daß die Europäische Gemeinschaft zu keiner Zeit seit 1958 eine selbsttragende Konstruktion war. In ihrer Entstehung war sie des amerikanischen Protektorats bedürftig. Bis heute hat sie nicht hinreichend Verfassung und Staatlichkeit entwickelt, um nach innen die Wirtschafts- und Währungsunion abzusichern, nach außen aber die Interessen der beteiligten Staaten durchzusetzen im verantwortlichen Management der Macht. Der zweite Teil des Maastrichter Vertragswerks über die Europäische Politische Union, viel Vision und wenig Wirklichkeit, erweist es.

Deutschland aber ist nur so lange handlungsfähig, wie es mit Frankreich die Kooperation, mit den Seemächten des Atlantik aber die strategische Allianz aufrechterhält. Die gegenwärtig drohenden Distanzierungen zwischen Westeuropa und Nordamerika sind gefährlich genug. Kommen dazu noch deutsche Ungewißheiten, sei es die Nostalgie der Mittellage, sei es die Wunschwelt der »Nichts-als-Zivilmacht«, dann könnte das Land sich bald dort finden, wo es weder Zukunft noch Sicherheit noch Interessen hat, nämlich zwischen Ost und West.

Nach dem Kalten Krieg ist zwar das Ende der Geschichte nicht gekommen. Die europäische Sicherheit aber wurde brüchig, die atlantischen Bindungen fragwürdig, die östlichen Revolutionen zweideutig. Das vereinigte Deutschland ist auf neue Weise verwundbar geworden: Nicht allein durch Armutszonen in naher und ferner Nachbarschaft, Völkerwanderungen und ökologische Gefahren. Es wurde auch als der größte und potentiell mächtigste Staat in Europa in eine Dimension gerückt, in

der es mehr Anlehnung geben muß, als es selber findet. Die noch in der Wiederver-
einigungsphase gedachte neue Sicherheitsarchitektur Europas hat sich als Schall und
Rauch erwiesen. Geblieben ist das Gebot, deutsche Interessen geltend zu machen in
den effektiven Bündnissen EU und NATO, und nicht in dekorativen Visionen. Man
wird alles dafür tun müssen, daß die westlichen Bündnisse den Umbruch meistern.

Handlungsfähigkeit für Deutschland bedeutet zuerst und zuletzt westliche Bünd-
nisfähigkeit.

DIE BUNDESREPUBLIK ALS WELTWIRTSCHAFTSMACHT

Norbert Kloten

AUSSENWIRTSCHAFT UND MACHT

Der Rang der Bundesrepublik Deutschland als eine Weltwirtschaftsmacht ist unbestritten. Mit den USA und Japan bildet sie im gängigen Urteil eine Triade. Gemeint ist damit, daß diese drei Länder nicht nur die weltwirtschaftlichen Waren- und Dienstleistungsströme, die Geld- und Kapitalmärkte – gemeinsam mit London – sowie den Zahlungsverkehr dominieren, sondern daß es auch in ihrer Hand liegt, der Weltwirtschaft die ihr gemäße wirtschaftliche und monetäre Ordnung zu geben. Beklagt wird seit Jahren vor allem von den USA, daß die Bundesrepublik zu wenig bereit sei, die ihrer wirtschaftlichen Stärke entsprechende politische Gestaltungsrolle anzunehmen.

Die Eigenschaft, Weltwirtschaftsmacht zu sein, manifestiert sich somit zum einen in der Präsenz eines Landes auf den Weltmärkten und auch im Gewicht seiner Währung als internationales Transaktions- und Anlagemedium. Diese Teilhabe am weltwirtschaftlichen Geschehen ist – marktwirtschaftliche Ordnungen unterstellt – im wesentlichen Niederschlag unternehmerischer Dispositionen, also des Tätigseins nationaler Unternehmen und Banken jenseits der Landesgrenzen, sie ist im Grundsatz ökonomischer Natur. Resultierende sind Wirtschaftsstärke (bezogen auf ein Land insgesamt) einerseits und Marktmacht (bezogen auf die Weltmärkte im einzelnen) andererseits.

Weltwirtschaftsmacht erweist sich zum anderen in zielgerichteten Einflußnahmen auf weltwirtschaftliche Rahmenbedingungen, Strukturen und Prozesse. Nach Max *Weber* konkretisiert sich Macht in der Fähigkeit, den eigenen Willen anderen aufzuzwingen. Gemeint ist damit politische Macht, die sich zwecks Durchsetzung gewollter Zustände geeigneter Hebel bedient. Träger politischer Macht ist vornehmlich der Staat. Die Grenzen sind nicht immer scharf gezogen. Private Marktmacht kann sich mit staatlicher politischer Macht strategisch und operativ verbinden.

INDIKATOREN UND WELTWIRTSCHAFTLICHE RAHMENBEDINGUNGEN

Ihre starke Stellung in der Weltwirtschaft hat sich die Bundesrepublik im Verlaufe von viereinhalb Jahrzehnten – von der Währungsreform im Jahre 1948 an gerechnet – erworben (Tabelle 1). Als Indikatoren für die zwischenzeitliche Entwicklung eignen sich besonders die Anteile an der Weltausfuhr und an der Welteinfuhr im Zeitablauf. Wichtige Hinweise vermitteln zudem die jeweiligen Anteile am Bruttoinlandsprodukt der Organisation für wirtschaftliche Zusammenarbeit und Entwicklung (OECD), die allerdings je nachdem, ob sie zu konstanten oder zu laufenden Preisen und Wechselkursen gerechnet werden, zu stark voneinander divergierenden Zeitreihen führen. Die statistischen Daten bedürfen so der Interpretation mit Rückgriff vor allem auf die Entwicklung der Wechselkurse. Am 21. Januar 1994 betrug z.B. der gewogene Außenwert (gegenüber 18 Industrieländern; Ende 1972 = 100) der D-Mark 189,6; des US-Dollars 77,9; des japanischen Yen 285,1; des französischen Franc 80,5 und des Pfund Sterling 55,7.

Tabelle 1: Indikatoren der wirtschaftlichen Stärke ausgewählter Länder auf Weltebene

		jeweils in v.H.					
		1950	1960	1970	1980	1990	1991/92
Anteil am OECD-BIP	Deutschland	–	–	10,7	10,3	7,0	7,2
zu konstanten	Verein. Staaten	–	–	38,9	37,7	44,4	44,0
Preisen und kon-	Japan	–	–	11,4	13,2	16,2	16,8
stanten Wechsel- kursen	Frankreich	–	–	8,0	8,3	5,9	5,9
Anteil am OECD-BIP	Deutschland	–	–	–	10,5	9,2	9,2
zu laufenden Prei-	Verein. Staaten	–	–	–	34,6	33,5	32,1
sen und Wechsel-	Japan	–	–	–	13,6	18,0	20,1
kursen	Frankreich	–	–	–	8,5	7,3	7,2
Anteil an der	Deutschland	3,5	10,1	9,7	9,6	12,2	11,3
Weltausfuhr	Verein. Staaten	17,8	17,9	13,9	11,1	10,7	11,2
	Japan	1,5	3,6	6,2	6,5	8,3	8,8
	Frankreich	5,4	6,1	5,8	5,6	6,1	6,0
Anteil an der	Deutschland	4,5	8,5	9,3	9,2	9,9	10,6
Welteinfuhr	Verein. Staaten	14,6	13,4	12,4	12,3	14,3	13,8
	Japan	1,6	3,8	5,9	6,9	6,4	6,4
	Frankreich	5,1	5,3	5,9	6,6	6,5	6,3

Quelle: OECD Main Economic Indicators; Statistisches Bundesamt: Statistisches Jahrbuch, Statistisches Jahrbuch für das Ausland; Institut der deutschen Wirtschaft: International Economic Indicators 1992. (Abweichungen von anderweitig veröffentlichten statistischen Daten beruhen vornehmlich auf unterschiedlichen Abgrenzungen.)

Der Vergleich mit den USA und Japan, zudem mit Frankreich als die – mit Abstand – dann folgende Weltwirtschaftsmacht zeigt, daß die Bundesrepublik einen herausragenden Anteil am Weltexport und einen nur wenig geringeren am Weltimport hat. Daran gemessen nimmt sie mit den sehr viel größeren USA die Führungsposition ein. Anders wäre das Bild, würde etwa auf die auswärtigen Direktinvestitionen wichtiger Industrieländer abgestellt (Tabelle 2).

Tabelle 2: Auswärtige Direktinvestitionen ausgewählter Länder 1988/1990
          im Vergleich zu 1985/1987

Land bzw. Zeitraum	Direktinv. (netto) im Ausland	Direktinvestitionen/BIP	Direktinvestitionen/Exporte
	Mrd. US $	in %	in %
Deutschland			
1985/87	24,2	0,9	3,0
1988/90	48,1	1,2	4,0
USA			
1985/87	62,9	0,5	6,9
1988/90	84,7	0,5	6,1
Japan			
1985/87	40,5	0,7	6,0
1988/90	126,4	1,4	13,7
Großbritannien			
1985/87	59,7	3,5	13,3
1988/90	94,3	3,6	15,1
Frankreich			
1985/87	16,9	0,8	3,5
1988/90	68,7	2,2	9,4

Quelle: Diverse nationale Statistiken.

Die Tabelle 2 belegt, daß sich die deutschen Unternehmen bislang vornehmlich auf die Wettbewerbsfähigkeit des Standorts Bundesrepublik gestützt haben, doch seit einigen Jahren bemüht sind, weit mehr als früher Produktionskapazitäten im Ausland aufzubauen. Andere Industriestaaten sind ihnen dabei noch immer voraus.

Die außenwirtschaftliche Entwicklung ist auf das engste mit der raschen Entfaltung der Weltwirtschaft nach dem zweiten Weltkrieg verbunden. Diese verdankt wesentliche Impulse dem Vertrag von Bretton-Woods im Jahre 1944 und dem im Oktober 1947 in Genf vereinbarten Allgemeinen Zoll- und Handelsabkommen (GATT), das an den handelspolitischen Teil der sehr viel weiter gespannten Havanna-Charta anknüpfte. Wie Treibsätze wirkten die GATT-Runden von Genf 1947 bis Tokio 1973-1979. Wurden in den Zollrunden 1947-1951 sowie 1956 und 1961-1962 selektiv einzelne Tarifpositionen ausgehandelt, führten die sechste und siebte GATT-Runde zu linearen Senkungen der Zollsätze. Durch das Prinzip »Konsultationen vor Retorsionen« konnte multilaterales Vorgehen vor einseitige Vergeltungsmaßnahmen gestellt und so ein »Protektionswettlauf« vermieden werden. Doch nicht zu verhindern war, daß vermehrt subtilere Methoden des Protektionismus die Fortschritte des GATT auf zollpolitischem Gebiet begleiteten.

Angesichts eines sich mehr und mehr intensivierenden Wettbewerbs auf Weltebene, generiert über Jahre hinweg vornehmlich durch japanische Exportoffensiven, später zunehmend stimuliert durch ehrgeizige junge Industrieländer (Newly Industrialized Countries, NICs), mehrten sich Ende der siebziger und Anfang der achtziger Jahre die Anzeichen protektionistischer Abwehrmaßnahmen. Nicht von der GATT-Liberalisierung erfaßte Handelshemmnisse und GATT-konforme Abwehrmaßnahmen gewannen an Gewicht, nichttarifäre Handelsschranken wurden aufgebaut, verdeckte und direkte Subventionen gewährt. Der Prozeß der Liberalisierung kam ins Stocken, bis nach überaus langwierigen Verhandlungen im Dezember 1993 endlich die Uruguay-Runde, die schon 1986 in Punta del Este vereinbart worden war, abgeschlossen werden konnte. Der neue GATT-Vertrag gilt ab 1995. Wiederum werden vornehmlich die Zollschranken im Warenverkehr gesenkt, doch wurden auch einige Zugeständnisse zur Marktöffnung bei Dienstleistungen erreicht, zudem wurden bei landwirtschaftlichen Produkten Nicht-Zollbarrieren in Zölle umgewandelt. Noch bestehende Importquoten für Textilien und Bekleidung sollen innerhalb von zehn Jahren abgeschafft werden. Hinzu kommen Präzisierungen der Anti-Dumping-Regelungen und ein verstärkter Schutz geistigen Eigentums. Das GATT soll in Zukunft Welthandelsorganisation (World Trade Organisation, WTO) heißen und einen ähnlichen rechtlichen Status wie der Internationale Währungsfonds (IWF) und die Weltbank erhalten.

Die europäische Integration stärkte mit ihren handelsschaffenden wie mit ihren handelsumlenkenden Effekten vor allem den wirtschaftlichen Verbund Europas, doch derart beeinflußte sie auch die Struktur der Weltwirtschaft. In jüngster Zeit ist es vor allem der Zusammenbruch der Volksdemokratien in Zentral- und Osteuropa, der sich auswirkt. Mit ihm zerriß das bestehende dirigistische Netz der wirtschaftlichen Beziehungen im Rat für Gegenseitige Wirtschaftshilfe. Betroffen sind in erster Linie die Nachfolgestaaten des Sowjetimperiums und seiner Satelliten (unter Einschluß der Wirtschaft der ehemaligen DDR), doch betroffen sind auch die Lieferanten und die Bezieher diesseits des Eisernen Vorhangs, allen voran die Bundesrepublik als wichtigster Exporteur industrieller Ausrüstungen in den Osten.

NATIONALE BESONDERHEITEN: ORDNUNGSPOLITISCHE POSITIONEN UND WIRTSCHAFTLICHE SACHVERHALTE

Die konsequent marktwirtschaftliche Ausrichtung der deutschen Wirtschaftspolitik seit der Währungsreform im Juni 1948 ließ die Bundesrepublik schon bald zum Protagonisten einer Öffnung der Märkte nach außen werden. Die Geradlinigkeit, mit der die Deutschen dem Liberalisierungsgebot als einer zentralen wettbewerbspolitischen Maxime entsprachen, wurde zunächst eher ungläubig und skeptisch zur Kenntnis genommen. Schrittmacher war die Organisation für wirtschaftliche Zusammenarbeit in Europa, OEEC, (die Bundesrepublik ist seit Oktober 1949 Vollmitglied) mit der Gründung der Europäischen Zahlungsunion im September 1950, die der Multilateralisierung des Zahlungsverkehrs der Partnerländer den Weg bahnte, und mit Liberalisierungkodizes im weltweiten Kontext. Im August 1950 beschloß der

Rat der OEEC (seit 1961 OECD) einen Liberalisierungskodex, der u.a. allgemeine handelspolitische Verhaltensregeln aufstellte und mit ihnen den in der ersten Nachkriegszeit vorherrschenden handelspolitischen Bilateralismus durchbrach. Es folgten 1951 ein umfassender, später wiederholt ergänzter Liberalisierungskodex und schließlich 1959 ein besonderer Kodex für den Kapitalverkehr. Die Bundesrepublik sah sich bei allen Liberalisierungsmaßnahmen in vorderster Front. Bereits Ende 1958 erklärte sie die volle Konvertibilität der D-Mark. Das Außenwirtschaftsgesetz vom 28. April 1961 bestätigte nur noch einen seit Jahren gegebenen Zustand: Der Waren-, Dienstleistungs-, Kapital-, Zahlungs- und sonstige Wirtschaftsverkehr mit fremden Wirtschaftsgebieten sowie der Verkehr mit Auslandswerten und mit Gold zwischen Gebietsansässigen sind grundsätzlich frei, Beschränkungen nur in Ausnahmefällen erlaubt.

Die lange Zeit unbestritten starke Wettbewerbsfähigkeit der deutschen Wirtschaft reflektiert die enorm rasche wirtschaftliche Gesundung nach 1949, den Zwang, sich auf den Auslandsmärkten zu behaupten, das hohe technologische Know-how, viele Produkt- und Prozeßinnovationen, die spezifische Struktur der deutschen Wirtschaft mit ihrem hohen Anteil an Investitionsgütern, die kraftvolle Expansion der wirtschaftlichen Nachfrage auf Weltebene gerade nach solchen Produkten sowie die immer intensiver werdende spezifische Arbeitsteilung in Europa. Das spiegelt sich in der Warenstruktur des deutschen Außenhandels wie in deren regionaler Zuordnung (Tabelle 3).

Tabelle 3: Die Struktur des deutschen Außenhandels 1992

Warenstruktur in v.H.	Ausfuhr	Einfuhr
Grundstoffe und Produktionsgüter	22,2	22,4
Investitionsgüter	57,3	41,1
darunter Maschinenbau	15,0	6,7
Straßenfahrzeuge	18,3	11,0
Elektrotechnische Artikel	12,0	10,3
Verbrauchsgüter	12,7	17,6
Regionalstruktur in v.H.		
Frankreich	13,0	12,0
Italien	9,3	9,2
Niederlande	8,3	9,6
UK	7,7	6,8
Belgien	7,4	7,0
.		
.		
USA	6,4	6,6
Japan	2,2	6,0

Quelle: Statistisches Bundesamt (Hrsg.), Statistisches Jahrbuch 1993 für die Bundesrepublik Deutschland, Wiesbaden 1993.

Begünstigt wurde die Entwicklung des deutschen Außenhandels durch die bald starke Stellung der D-Mark auf den internationalen Finanzmärkten.

Die Unabhängigkeit schon der Bank Deutscher Länder, dann der Deutschen Bundesbank und die konsequente Ausrichtung der Geldpolitik auf die Stabilität des Geldwerts erwiesen sich als Gütezeichen deutscher Währungs- und Wirtschaftspolitik. Die D-Mark wurde zum Symbol des Wirtschaftswunders der fünfziger und auch noch der sechziger Jahre. Sie ist nach wie vor eine der stärksten Währungen der Welt (gemessen am gewogenen Außenwert der D-Mark gegenüber den Währungen ausgewählter Industrieländer); sie ist zugleich die wichtigste Transaktions- und Anlagewährung nach dem US-Dollar (Schaubild 1). Ihr Rang erhellt sich auch aus der Tatsache, daß der Anteil der D-Mark an den offiziellen Devisenbeständen der Welt von 14,6 v.H. im Jahre 1980 (zum Vergleich US-Dollar 69,2 v.H. und Yen 4,2 v.H.) auf 20,1 v.H. im Jahre 1990 (US-Dollar 65,7 v.H. und Yen 9,4 v.H.) gestiegen ist. Der Anteil der D-Mark an den Bruttoumsätzen auf den Weltdevisenmärkten belief sich im April 1992 auf rund 20 v.H.

Mit der Errichtung des europäischen Währungssystems Ende 1978 wurde die D-Mark zur Ankerwährung der Europäischen Gemeinschaften (EG), die Deutsche Bundesbank zur dominierenden Zentralbank. In den zentral-, ost- und südosteuropäischen Staaten nimmt die deutsche Währungseinheit heute neben den nationalen Währungen, ja diese zum Teil substituierend, die Funktionen einer Recheneinheit sowie eines Zahlungs- und Wertaufbewahrungsmittels wahr.

KONJUNKTURVERBUND UND RANGORDNUNGEN AUF WELTEBENE

Das Eingebundensein der Bundesrepublik in die weltwirtschaftliche Arbeitsteilung bescherte dieser alle Vorteile, die sich aus ihr ergeben, doch sie ließ die deutsche Wirtschaft wie die Wirtschaft eines jeden anderen Landes mit einem hohen Anteil der außenwirtschaftlichen Beziehungen am Bruttosozialprodukt zunehmend abhängig von den Entwicklungen auf Weltebene werden. Diese befinden mehr als alles andere über die wirtschaftliche Lage auch eines ökonomisch so starken Landes wie der Bundesrepublik. Die Weltwirtschaft ist schon lange nicht mehr das Substrat des Handelns weitgehend autonomer Volkswirtschaften; sie wurde in den letzten Jahrzehnten zu einem eigenen motorischen Zentrum der wirtschaftlichen Entwicklung – selbst für die immer noch stark auf die eigene Wirtschaft hin orientierten USA.

Das Hineinwachsen in den weltwirtschaftlichen Verbund mehrte die konjunkturelle Abhängigkeit der Bundesrepublik von ihren außenwirtschaftlichen Beziehungen. Mit der konsequenten Liberalisierung nach außen und der wachsenden Präsenz auf den Weltmärkten Ende der fünfziger und zu Beginn der sechziger Jahre, begleitet von einem sich verstärkendem konjunkturellen Gleichlauf insbesondere mit den USA, wurden die Konjunkturzyklen mit ihrem wirtschaftlichen Auf und Ab so dominant,

Schaubild 1:

Internationale Bedeutung der Währungen im Jahre 1990

**Anteile an den Weltdevisenreserven zuzüglich der
Guthaben in privater ECU (Jahresendstände in %)**

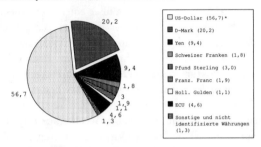

- □ US-Dollar (56,7)*
- ▨ D-Mark (20,2)
- ■ Yen (9,4)
- ▦ Schweizer Franken (1,8)
- ▥ Pfund Sterling (3,0)
- ▤ Franz. Franc (1,9)
- □ Holl. Gulden (1,1)
- ■ ECU (4,6)
- ▦ Sonstige und nicht
  identifizierte Währungen
  (1,3)

**Anteile an den Emissionen internationaler Anleihen -
einschl. Auslandsanleihen (Jahresdurchschnitte in %)**

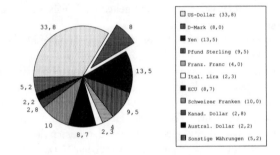

- □ US-Dollar (33,8)
- ▨ D-Mark (8,0)
- ■ Yen (13,5)
- ▦ Pfund Sterling (9,5)
- ▤ Franz. Franc (4,0)
- □ Ital. Lira (2,3)
- ■ ECU (8,7)
- ▨ Schweizer Franken (10,0)
- ▦ Kanad. Dollar (2,8)
- ■ Austral. Dollar (2,2)
- ▦ Sonstige Währungen (5,2)

**Anteile an den Fremdwährungsforderungen (einschl. ECU)
der Banken in den Industrieländern ** (Jahresendstände
in %)**

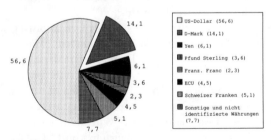

- □ US-Dollar (56,6)
- ▨ D-Mark (14,1)
- ■ Yen (6,1)
- ▦ Pfund Sterling (3,6)
- ▤ Franz. Franc (2,3)
- ■ ECU (4,5)
- ▨ Schweizer Franken (5,1)
- ▦ Sonstige und nicht
  identifizierte Währungen
  (7,7)

*   Einschl. der in den EFWZ eingebrachten Dollarguthaben.
** Auf Fremdwährung lautende Inlands- und Auslandsforderungen der an die BIZ berichtenden Banken
in Europa sowie in Japan und Kanada. – *Quelle:* IWF, OECD, BIZ.

Quelle: Monatsberichte der Deutschen Bundesbank, Nr. 5, 1991, S. 26.

daß sich der Gedanke einer die wirtschaftliche Entwicklung stabilisierenden »Globalsteuerung« durchsetzte. Das »Gesetz zur Förderung der Stabilität und des Wachstums der Wirtschaft« vom Juni 1967, damals als »prozeßpolitisches Grundgesetz« und adäquate Ergänzung der bis dahin geschaffenen marktwirtschaftlichen Ordnung gefeiert, vermochte den Erwartungen nicht zu entsprechen. U.a. gelang nicht die »außenwirtschaftliche Absicherung« gegenüber einem permanenten Unterlaufen der eigenen Stabilitätsbemühungen durch den Einstrom ausländischer Zahlungsmittel. Auch nach dem endgültigen Zusammenbruch des Dollar-Standards als letzter Stufe des in Bretton Woods geschaffenen Währungssystems Ende Februar 1973 wurde die deutsche Inlandskonjunktur wieder und wieder durch realwirtschaftliche Entwicklungen auf den Weltmärkten, auch von exogenen Schocks, wie den Ölpreisdiktaten vom Spätherbst 1973 und von 1979 an, sowie krisenhaften Entwicklungen auf den Devisenmärkten bestimmt. Die an flexible Wechselkurse geknüpften Hoffnungen erfüllten sich nur zum Teil. Weltweite Wirkungen zeitigten vor allem Aufstieg und Fall des Dollarwechselkurses zwischen 1979 und 1987 (mit dem Wendepunkt im Jahre 1985). Die Last der Folgen (insbesondere sehr hohe Dollar-Zinsen) zu tragen hatten vor allem die hochverschuldeten Entwicklungsländer in Latein-Amerika. Für die Bundesrepublik ergaben sich eher vorübergehende, damals indes gern hingenommene Wettbewerbsvorteile.

Je stärker die Präsenz eines Landes auf den internationalen Märkten ist, um so mehr bieten sich auf Dauer Angriffsflächen vor allem für aufkommende Industriestaaten mit einem noch hohen und unausgelasteten Arbeitskraftpotential und dazu passenden niedrigen Reallöhnen. Über Produkt- und Prozeßimitationen, mit einer aufholenden Technologie und auch einem Mehr an Direktinvestitionen seitens der alten Industrieländer werden sie Schritt für Schritt zu wirksamen Wettbewerbern, ohne die vielen sich über die Jahre hinweg akkumulierenden Lasten der etablierten Länder mit zumeist hohen Staatsquoten, eng geknüpften sozialen Netzen und einem Übermaß an Regulierungen, Umweltauflagen etc. tragen zu müssen. Die ostasiatischen NICs, die schon längst den Zugang zu modernster Technologie gefunden haben, haben überzeugend demonstriert, welches Potential in zuvor noch unentwickelten Volkswirtschaften steckt, sofern es aktiviert zu werden vermag.

Die Angleichung der wirtschaftlichen Bedingungen in bislang weniger entwickelten Ländern an die Gegebenheiten in den führenden Industriestaaten muß deren Positionen im Weltmaßstab relativieren. Damit wird in der Regel ein Verlust an Wirtschaftsmacht verbunden sein, zumindest werden die aufholenden Länder ihre Stimme auf Weltebene geltend machen wollen. Großbritannien ist heute schon ein klassisches Beispiel für Positions- und – wenngleich weniger ausgeprägt – für Machtverluste: Der Anteil des Vereinigten Königreichs an der Welteinfuhr sank von 1950 bis 1991 von 11 v.H. auf 5,2 v.H., derjenige an der Weltausfuhr von 12,1 v.H. auf 5,7 v.H. Ähnlich bergab ging es mit dem Anteil Großbritanniens am realen Bruttoinlandsprodukt der OECD: 1992 belief er sich nur noch auf 4,9 v.H. zu konstanten Preisen und Wechselkursen. Nach den klassischen Aufholern der Nachkriegszeit: Deutschland und Japan (viele andere Länder, wie etwa Italien, verdienten ebenfalls erwähnt zu werden), sind es heute eben die NICs (die vier »kleinen Tiger«), die die Weltrangordnung von unten her neu formieren (Tabelle 4). Bald dürften noch andere hinzustoßen, auch aus Lateinamerika, wie etwa Mexiko.

Tabelle 4: *Die wichtigsten Welthandelsnationen:*
           Anteil am Weltexport 1992 in Prozent

USA	12,2
Deutschland	11,5
Japan	9,3
Frankreich	6,4
Großbritannien	5,2
Italien	4,9
Niederlande	3,8
Kanada	3,7
Belgien	3,4
Hongkong	3,3
Taiwan	2,2
Korea	2,1
Schweiz	1,7
Übrige	30,3

Quelle: Eigene Berechnung der Deutschen Bundesbank, Frankfurt/Main, Januar 1994.

Die Bundesrepublik kann es nicht mehr für gegeben nehmen, daß sie ihren Rang als Weltwirtschaftsmacht zu behaupten vermag (für Japan gilt auf längere Sicht Gleiches). Über Jahrzehnte hinweg galt es als selbstverständlich (auch für die Annahmen in Wirtschaftsprognosen), daß die Ausfuhr der Bundesrepublik stets um ein bis zwei Prozentpunkte stärker zunimmt als das Welthandelsvolumen. Das hat sich geändert. So stieg der Welthandel 1991 real um 3,6 v.H., die deutsche Warenausfuhr indes nur um 1,5 v.H. Die entsprechenden Werte für 1992 lauten + 5,2 v.H. bzw. + 2 v.H. Doch bei der Interpretation dieser Ziffern ist Vorsicht geboten. In ihnen wirken sich vor allem Begleitumstände der deutschen Einigung aus. Diese bedingte ein Mehr an eigener Absorption des deutschen Bruttoinlandsprodukts. Mit den finanziellen Transfers aus dem westlichen in das östliche Deutschland verbindet sich ein kräftiger realer Transfer von Waren und Dienstleistungen. Entsprechend sank der Anteil der Ausfuhr am deutschen Bruttosozialprodukt von 36,2 v.H. im Jahre 1990 auf 23,6 v.H. im Jahre 1992 für Gesamtdeutschland. 1991 war das Jahr eines fast dramatischen Umschlags in der traditionell von hohen Überschüssen gekennzeichneten Leistungsbilanz (1990 noch gut 76 Milliarden D-Mark) hin zu einem bis dahin nicht vorstellbaren Defizit (1991 rund 33 Milliarden D-Mark; 1992 39,5 Milliarden D-Mark). Den Ausgleich besorgen Kapitalimporte. Die Konsequenz ist, daß das deutsche Netto-Auslandsvermögen, das sich noch in den achtziger Jahren rapide vermehrt hatte, seit 1990 Jahr für Jahr dahinschmilzt. Zwar nehmen die deutschen Geld- und Sachanlagen im Ausland nach wie vor zu (sie beliefen sich 1993 auf 2 066 Milliarden D-Mark), doch die Verbindlichkeiten haben sich innerhalb eines halben Jahrzehnts nahezu verdoppelt (auf gut 1,6 Billionen D-Mark). Übertrafen die Forderungen die Verbindlichkeiten im Jahre 1990 noch um 534 Milliarden D-Mark, so waren es Ende 1993 rund 100 Milliarden D-Mark weniger.

INTERNATIONALE WETTBEWERBSFÄHIGKEIT UND STRATEGISCHE HANDELSPOLITIK

In der Bundesrepublik verbreitet sich zunehmend die Sorge, daß es auch nach einer Konsolidierung der wirtschaftlichen und finanziellen Lage im Innern nicht mehr gelingen wird, verlorenes Terrain auf Weltebene zurückzugewinnen. Befürchtet wird ein Verlust an Wettbewerbsfähigkeit auf Dauer, insbesondere ein Zurückbleiben in den heutigen Schlüsseltechnologien wie Informationstechnik, Biotechnik, neue Werkstoffe, neue Energien, Luft- und Raumfahrttechnik, Umwelttechnik. Vermehrt wird einer außenhandels- und technologiepolitischen Neuorientierung das Wort geredet. Verlangt wird eine Abkehr von deutscher außenwirtschaftlicher Orthodoxie mit ihrer unabdingbaren Orientierung am Freihandelsprinzip und an den klassischen außenhandelspolitischen Instrumenten wie der unbedingten Meistbegünstigungsklausel. Propagiert werden Fair Trade statt Free Trade und Formen einer »strategischen Handelspolitik«, wie sie heutige Lehren der internationalen Wirtschaftsbeziehungen analytisch zu begründen versuchen. Die zentrale These besagt, daß es für eine Volkswirtschaft wohlfahrtssteigernd sein kann, sich protektionistischer Maßnahmen zu bedienen, wenn unvollständiger Wettbewerb, ein hoher Kapitalbedarf vor Aufnahme der Erzeugung von Produkten (vor allem für Forschung und Entwicklung sowie notwendige Prozeßinnovationen), eine mit zunehmender Produktion einhergehende Kostendegression und ein hinreichendes Maß an Wirtschaftsmacht (eigenes Verhalten muß das Verhalten anderer beeinflussen) gegeben sind. Strategische dirigistische handelspolitische Maßnahmen sollen dann heimischen Anbietern lukrative dominante Marktpositionen bringen, neue und zukunftsträchtige Märkte erschließen und sie gegen ausländischen Wettbewerb verteidigen, ferner Schlüssel- und Querschnittstechnologiefelder mit dem Ziel besetzen, potentiellen ausländischen Konkurrenten von vornherein das Eindringen zu verwehren oder – falls schon bestehend – ausländische Dominanz zu brechen.

Die Befürworter von Formen einer strategischen Handelspolitik negieren zumeist, daß
- die Bundesrepublik mit ihrem außenwirtschaftspolitischen Credo bislang gut gefahren und sich weltweit ein hohes Ansehen erworben hat, das nicht leichtfertig verspielt werden sollte,
- Fehleinschätzungen technologischer Entwicklungen und der mit ihnen verbundenen internationalen Marktchancen mindestens ebenso wahrscheinlich sind wie zutreffende Vorhersagen,
- selbst im Hochtechnologiebereich die (potentielle) Konkurrenz in der Regel stark ist, also Märkte selten sind, auf denen dauerhaft Renten anfallen,
- durch GATT-konforme Sanktionen, Anti-Dumping- und Anti-Subventionsmaß-

nahmen (Retorsionen betroffener Länder) unbeteiligte Branchen und Sektoren betroffen werden,

- der hohe Mitteleinsatz zu einem Gerangel um staatliche Subventionen führt, an dem nicht nur die eigentlich geförderten Sektoren, sondern auch Unternehmen aus Branchen beteiligt sind, die sich durch den aus dem Freihandel resultierenden Wettbewerbsdruck in ihrer Existenz bedroht sehen,
- ineffiziente Lobbyaktivitäten und opportunistischer Eintritt in subventionierte Technikfelder zu Fehlleitungen knapper öffentlicher Mittel führen dürften.

Hinzu kommt, daß die Bundesrepublik nicht mehr ohne Abstimmung im Rahmen der Europäischen Union (EU) handelspolitische Maßnahmen treffen kann.

Es gibt nur wenige empirische Beispiele für einen Erfolg strategischer handelspolitischer Maßnahmen. Sie sind bestenfalls nur zu rechtfertigen, wenn durch ein Zusammenspiel zwischen staatlichen Stellen und marktbeherrschenden Unternehmen in konkurrierenden Ländern auf den Weltmärkten Positionen aufgebaut werden oder aufgebaut werden sollen, die technologie- und absatzpolitische Wettbewerbsnachteile in den betroffenen Ländern auf Dauer begründen.

Bundesregierung und deutsche Wirtschaftsverbände haben sich bislang besonnen gezeigt. Man verkennt nicht die Probleme, weder ihrer Struktur noch ihrem Gewicht nach. Doch es blieb bei dem Bekenntnis zu einer marktwirtschaftlichen Ordnung wie zu den handelspolitischen Zielen und Maßnahmenkatalogen von GATT, so auch gegen einen Dirigismus jeder Art, mag sich auch bei uns manch staatliches Handeln und manch politisches Begehren aus der Wirtschaft in einer ordnungspolitischen Grauzone befinden. Zudem ist man sich der Tragweite – gleichsam hausgemachter – Fehlentwicklungen weitgehend bewußt. Dem Nachfrageboom 1990 und noch 1991 – ein typisch keynesianischer demand push, der allerdings in keiner Weise zur konjunkturellen Lage paßte – folgten zwei Lohnrunden (1991 und 1992), die weder kostenniveau- noch konjunkturneutral waren. Die Kosten je Produkt-, auch je Umsatzeinheit erhöhten sich (bei steigender Geldentwertungsrate) so sehr, daß – verstärkt durch rezessive Tendenzen auf Weltebene – die bis dahin sehr hohen Gewinnmargen der Unternehmen rapide schrumpften. Die Folge war ein bis dahin noch nicht erlebter Einbruch bei Investitionen und Wachstum, der strukturelle Verwerfungen, begünstigt durch einen vom Herbst 1982 bis 1990 anhaltenden Konjunkturaufschwung, offenlegte. Die finanziellen Transfers vom Westen in den Osten Deutschlands ließen ebenso wie die weiter expandierenden Sozialbudgets die Abgabenquoten und die Staatsquote rasch steigen – bei gleichzeitig außerordentlich stark zunehmender Verschuldung der öffentlichen Hände, vor allem des Bundes. Die Bundesbank reagierte mit hohen Refinanzierungszinsen. Die Lage hat sich inzwischen entspannt, wenngleich nicht bei den öffentlichen Finanzen und auf dem Arbeitsmarkt. Auch sind die Zeichen einer nachhaltigen konjunkturellen Wende noch schwach ausgebildet.

Die Bundesregierung reagierte auf die internen Gegebenheiten, aber auch in Sorge um die deutsche Wettbewerbsfähigkeit im Ausland mit finanz- und wirtschaftspolitischen Programmen, die zu Recht vornehmlich auf eine Konsolidierung der öffentlichen Finanzen (»Solidarpakt« vom 13. März 1993) und auf die Stärkung der

Wachstumskräfte der Deutschen Wirtschaft abstellen (»Bericht der Bundesregierung zur Zukunftssicherung des Standortes Deutschland« vom 2. September 1993 und »Aktionsprogramm für mehr Wachstum und Beschäftigung« vom 19. Januar 1994). In den Programmen aufgelistet ist vieles, was seit Jahren auf der »Agenda« steht, dennoch sind sie Ausdruck ernstzunehmender und positiv zu wertender Anstrengungen. Fraglich ist allerdings – und das ist für die gegenwärtige Verfassung der Bundesrepublik symptomatisch -, wieviel von dem in Aussicht Gestellten verwirklicht werden wird. Das gilt auch für die mit dem »Aktionsprogramm« weitgehend identischen programmatischen Teile des Jahreswirtschaftsberichts der Bundesregierung vom 21. Januar 1994, der von wieder zunehmendem Vertrauen in die konjunkturelle Entwicklung bestimmt ist. Zu wenig bedacht wird bei allem, daß selbst viele an sich richtige Einzelmaßnahmen nur relativ wenig auszurichten vermögen, solange die Konfiguration der gesamtwirtschaftlichen Daten, vor allem die allzu starke Inanspruchnahme des Sozialprodukts durch den Staat, noch der Korrektur bedürfen.

WIRTSCHAFTLICHE STÄRKE UND POLITISCHE MACHT SIND NICHT IDENTISCH

Die Bundesrepublik ist Signatarstaat aller wesentlichen weltweiten Abkommen und entsprechend Mitglied der durch diese geschaffenen Institutionen. Sie hat sich derart verpflichtet, die vereinbarten verfahrensmäßigen und institutionellen Regelungen zu respektieren. Doch zugleich ist sie an den zugehörigen Willensbildungs- und Entscheidungsprozessen beteiligt. Sie nimmt überdies teil an den »Weltwirtschaftsgipfeln«, an internationalen Währungskonferenzen, den Treffen der sieben größten Industrienationen (G-7, früher G-5: USA, Großbritannien, Frankreich, Japan und die Bundesrepublik, später erweitert um Kanada und Italien). Zumeist wird unmittelbar von der wirtschaftlichen Stärke der Bundesrepublik auf ihre Verhandlungs- und Gestaltungsmacht geschlossen, wenn es um Änderungen der weltwirtschaftlichen Rahmenbedingungen, um Formen einer weltweiten Kooperation oder die Eingrenzung von krisenhaften Entwicklungen geht. Seit Jahren sehen sich die Bundesrepublik und mit ihr Japan, vor allem von den USA, gedrängt, eine Führungsrolle auf Weltebene zu übernehmen. Beide Wunschpartner haben jedoch bislang vornehmlich zurückhaltend reagiert, Japan eher mehr noch als die Bundesrepublik – heute weit zurückliegende Geschehnisse mahnen zur Behutsamkeit. Die robuste Unbekümmertheit, mit der die USA ihr politisches und wirtschaftliches Machtpotential in Verhandlungen geltend machen, ist der Bundesrepublik ebensowenig gegeben, wie die zumeist offenbare Orientierung Frankreichs und Großbritanniens an nationalen Interessenlagen.

Die Bundesrepublik ist bemüht, – gerade weil sie die economie dominante in Europa ist – ihre Interessen in Einklang mit europäischen Erfordernissen zu bringen. Sie respektiert die handelspolitischen Kompetenzen der Europäischen Union. Nach außen ist sie gleichwohl gewichtiger Gesprächspartner und nach innen einer der Meinungsführer der EU.

Die grundsätzlich marktwirtschaftliche Ausrichtung der deutschen Außenwirtschaftspolitik begrenzt den Argumentations- und Verhandlungsspielraum der Bundesrepublik, verlangt multilaterale statt bilaterale Lösungen, schließt – jedenfalls im Grundsatz – dirigistische Praktiken wie »freiwillige« Selbstbeschränkungsabkommen, importbeschränkende Quotierungen oder selektive Subventionierungen einzelner Unternehmen und Sektoren aus und konfligiert mit Vorstellungen über einen »dritten Weg« im Sinne einer »Neuen Weltwirtschaftsordnung«. Die Bundesrepublik hat sich so auch nicht an dem Do-ut-des-Gerangel während der Verhandlungen zur Uruguay-Runde beteiligt, also dem Versuch, Ziele und Praktiken einer strategischen Handelspolitik in multilaterale Vertragstexte einzubringen; sie war auf Ausgleich und den erfolgreichen Abschluß der Verhandlungen in Orientierung an der Tradition des GATT bedacht.

Daß dies gelang, dürfte weitreichende Folgen für das integrierte Europa haben. Da die Zuständigkeit für die Handelspolitik seit über 20 Jahren bei der EU und nicht mehr bei den einzelnen Mitgliedstaaten liegt, müssen handelspolitische Aktionen auf EU-Ebene abgestimmt werden, was auch für die gemeinsame Vertretung nach außen, insbesondere bei internationalen Verhandlungen gilt. Dennoch hat es wiederholt divergente einzelstaatliche Regelungen gegeben, was nun nach Inkrafttreten des Binnenmarkts kaum mehr möglich ist. Vor allem sind keine Politikstrategien mehr durchsetzbar, die einem der EU-Länder zu Lasten anderer nützen. Die Befürworter einer strategischen Handelspolitik drängen folglich auf technologie- und industriepolitische Aktivitäten im Innern – die neue, kontrovers diskutierte, vor allem in der Bundesrepublik scharf kritisierte Legitimation enthält Titel XIII (Art. 130) EG-Vertrag – sowie auf dirigistische importbeschränkende Praktiken nach außen. Die Sorge um eine »Festung Europa« ist weit verbreitet. Die sogenannten »Europa-Verträge« mit Polen, Ungarn und damals noch der Tschechoslowakei sind trotz einiger »Nachbesserungen« eindeutiger Beleg für ein nach wie vor ausgeprägtes »abschirmungspolitisches« Denken (auch die Bundesrepublik hat bei den Verhandlungen ihre »Interessen« geltend gemacht). Das Uruguay-Abkommen setzt dem – wohlgemerkt mit Zustimmung der EU – engere Grenzen. Die Welt befindet sich nunmehr wiederum auf dem Pfad einer globalen Liberalisierung, deren stärkste Fürsprecher überdies heute die jungen dynamischen Industriestaaten sind.

Nach dem ersten Ölpreisdiktat und dem sich anschließenden weltweiten Verteilungskampf wurde das Fehlen eines »kollektiven Managements« zur »Koordinierung der Weltpolitik« schmerzlich empfunden. Die OECD leidet unter ihrem Mangel an politischer Autorität, die IWF-Tagungen sind auf währungsspezifische Fragen ausgerichtet. Der damalige Bundeskanzler Helmut *Schmidt* und der damalige französische Staatspräsident Valéry *Giscard d'Estaing* sahen den Ausweg in »Weltwirtschaftsgipfeln«. Der ersten Konferenz dieser Art im November 1975 in Rambouillet folgte ein jährlicher »Gipfelreigen«, der allerdings insgesamt nicht die in ihn gesetzten Erwartungen erfüllen konnte. Auf den Treffen, an denen neben den Mitgliedern der G-7 auch der Präsident der Kommission der EU teilnimmt (auf deutsches Drängen hin wird eine Ausweitung auf acht Mitglieder zugunsten Rußlands erwogen), hat sich die Bundesrepublik bislang – weit mehr als Japan – mit konstruktiven Vorschlägen beteiligt. Der Bonner Gipfel 1978, auf dem die Teilnehmer ein abgestimmtes expansives fiskalpolitisches Aktionsprogramm vereinbarten, ist das bislang einzige Beispiel einer unmittelbaren Umsetzung der Gipfeldiplomatie in politisches Handeln. Gleichwohl sind die Gipfeltreffen eine durchaus hoch einzuschätzende Gelegenheit für Kontaktnahmen und auch Formen einer indirekten Abstimmung. Legitim ist, wenn auf ihnen (wie auch bei anderer Gelegenheit) ein – vom Potential an politischer und wirtschaftlicher Macht nicht zu trennender – Druck auf Staaten ausgeübt wird, die sich den international vereinbarten Kodizes versagen, vor allem ihre eigenen Märkte – wie auch immer – dem internationalen Wettbewerb zu entziehen versuchen.

Unbestritten sind Kompetenz und Stärke der Bundesrepublik auf monetärem Felde. Doch auch hier haben grundsätzliche Positionen, vor allem das Bekenntnis zur Stabilität des Geldwerts und zur Autonomie der Zentralbank, es ihr bislang verwehrt, dem wiederholten Drängen der USA wie auch europäischer Staaten, etwa Frankreichs, nach aufeinander abgestimmten weltweiten wechselkursorientierten Operationen an den Devisenmärkten oder der verbindlichen Einigung auf Zielzonen für Wechselkurse etc. nachzugeben. Die auf internationalen Währungskonferenzen nach mühsamen Verhandlungen getroffenen Vereinbarungen fielen so inhaltlich recht vage aus mit der Folge sich anschließender kontroverser Interpretationen. So war es beim Plaza-Abkommen vom 22. Dezember 1985 und weit mehr noch beim Louvre-Abkommen am 22. Februar 1987. Das Festhalten am Ziel einer »außenwirtschaftlichen Absicherung« wie auch die wenig guten Erfahrungen mit programmatischen Interventionen in die Devisenmärkte lassen Bundesregierung und Bundesbank zudem sehr vorsichtig gegenüber dem immer wieder erneut vorgebrachten Verlangen nach einer neuen Weltwährungsordnung, gekennzeichnet durch stabile, wenngleich anpassungsfähige Wechselkurse und eine darauf ausgerichtete Währungspolitik, sein. Gleiche Motive bestimmen auch die eher skeptische deutsche Haltung gegenüber den in den letzten Jahren intensivierten Plänen, den Bretton Woods-Institutionen (Internationaler Währungsfonds und Weltbank, die im Jahre 1994 ihr 50. Jubiläum begehen) zusätzliche Ordnungs- und Kontrollfunktionen als Vorstufe einer Neuordnung des Weltwährungssystems zuzuweisen. Auch aus deutscher Sicht bedarf es einer Stärkung der Positionen beider Institutionen wie zugehöriger Korrekturen aller Art, doch eben mit einem Augenmaß für das den heutigen Gegebenheiten Adäquate.

DIE ROLLE DER BUNDESREPUBLIK IM NORD-SÜD-KONFLIKT

Das Attribut, Weltwirtschaftsmacht zu sein, verpflichtet den Träger dieser Macht, im Rahmen dessen, was ihm möglich ist, sowie in Orientierung an das Sinnvolle und Gebotene zu einem Ausgleich zwischen Reich und Arm auf Weltebene beizutragen. Es geht um die Minderung des »Nord-Süd-Gefälles«.

Die Bundesrepublik hat sich stets zu dieser Aufgabe bekannt und auch auf ihre

Weise dazu Beachtliches geleistet. Sie blieb jedoch insgesamt und in den letzten Jahren verstärkt hinter den Normen zurück, die die Staatengemeinschaft sich gesetzt hat. Andere Industrieländer stehen gleichwohl nicht besser, zumeist sogar schlechter da. Den Vergleich erschweren problematische, zudem kontrovers auslegbare kalkulatorische Ansätze.

Die Nord-Süd-Politik der Bundesrepublik, also die Gestaltung ihres Verhältnisses zu Ländern der »Dritten Welt«, war und ist geprägt durch die grundsätzliche Präferenz für marktwirtschaftliche Ordnungen und für mit diesen kompatible politische Programme. Das umfassende System wechselseitiger ökonomischer Abhängigkeiten, das einen marktwirtschaftlich gesteuerten und sich ständig revidierenden Entwicklungsverbund der Volkswirtschaften begründet, umschließt als Kehrseite der Teilhabe an der weltwirtschaftlichen Arbeitsteilung Bindungen auf Gegenseitigkeit und bewirkt Anpassungen, die weit über das Wirtschaftliche hinausreichen. Mehr abverlangt wird dabei den Ländern, die sich in einer aufholenden Entwicklung befinden oder ihre Hoffnungen auf diese setzen. Der Aufholprozeß bedingt die Rezeption zugehöriger westlicher Denk- und Handlungsmuster. Zu haben ist das nicht ohne Neuorientierungen im Wertesystem, einem Wandel der sozialen Rollen und auch einer bis an die Wurzeln heranreichenden Zerstörung, zumindest Relativierung tradierter Lebensformen. Diese Länder haben also nicht nur wirtschaftliches Wachstum zu generieren, Not und Elend hinter sich zu lassen, sondern ihnen obliegt es zudem, ihre gesellschaftlichen Verhältnisse weitgehend neu zu strukturieren.

Die Bundesrepublik hat dies alles frühzeitig erkannt und anerkannt. Aber sie hat sich gleichwohl über Jahrzehnte hinweg unbeirrt gegen ein Denken in mittelfristigen Entwicklungsplänen, vor allem zugunsten industrieller »Schlüsselindustrien« und zu Lasten der Landwirtschaft, das die Frühzeit der Entwicklungspolitik kennzeichnete, gewandt; so war sie auch nicht bereit, die Bestrebungen der Gruppe der 77 (»Group of 77«) mit damals bald mehr als 100 Mitgliedern, die schon die erste Konferenz für Handel und Entwicklung (UNCTAD) der Vereinten Nationen im Jahre 1964 inhaltlich bestimmten, zu unterstützen; die Vision eines dritten Weges und damit einer Neuen Weltwirtschaftsordnung zwischen Kapitalismus und zentralistischer Planwirtschaft, auf die viele Dritte-Welt-Politiker viele Jahre lang geradezu fixiert waren, war in der Bundesrepublik nur ein Thema für entwicklungspolitisch engagierte Zirkel. Die beiden Berichte der Nord-Süd-Kommission unter dem Vorsitz von Willy *Brandt* aus den Jahren 1980 und 1983 fanden freundliche Beachtung, doch keineswegs das Echo, das ihnen anderswo zuteil wurde.

Die Bundesrepublik beteiligte sich auf ihre Weise an der Entwicklungspolitik mit eigenen, wiederholt revidierten Programmen und organisatorischen Strukturen, die schon früh geschaffen, wenngleich ebenfalls von Zeit zu Zeit angepaßt wurden. Die Erfolge brauchen im ganzen trotz vieler Fehlschläge im einzelnen und einer fast permanenten Kritik an der deutschen Entwicklungspolitik – aus divergierendem Blickwinkel – nicht den Vergleich mit dem von anderen Ländern Bewirkten zu scheuen.

In der zentralen Frage der Verschuldung der Dritten Welt hat sich die Bundes-

republik immer wieder kooperativ gezeigt. Sie war indes bemüht, die Deutsche
Bundesbank – auch in Respektierung ihres autonomen Status – nicht in ein direktes
Obligo zu bringen; sie sollte bleiben, was einer Notenbank gemäß ist: Kontrolle des
monetären Geschehens, soweit die D-Mark betroffen ist, und »lender of last resort«.
Die eigentlichen Initiativen bei der Regelung der Gläubiger-Schuldner-Beziehung hat
sie den Vereinigten Staaten und dem Internationalen Währungsfonds überlassen. Die
deutsche Stimme hatte dennoch im Prozeß der Meinungs- und Willensbildung im
IWF und außerhalb Gewicht. Bei allen ausgearbeiteten Programmen (Baker-Plan –
1985 und Brady-Plan – 1989) hat die Bundesregierung auf ausgewogene Lösungen
gedrängt. Sie sollten u.a. das für die Bundesrepublik Tragbare weder unmittelbar
noch mittelbar übersteigen. Als Mitglied des Pariser Clubs (Interessengemeinschaft
der staatlichen Gläubiger) hat die Bundesrepublik wiederholt und durchaus großzügig
vor allem Ländern der Sahel-Zone Schulden erlassen. Die Schenkungen und unent-
geltlichen Leistungen der Bundesrepublik beliefen sich 1990 auf rund 4,5 Milliarden
US-Dollar und 1991 auf fast 4 Milliarden US-Dollar.

Die Nord-Süd-Problemlage hat sich in den letzten Jahren wesentlich gewandelt.
Die Gruppe der 77 existiert de facto nicht mehr. Das liegt nicht nur an unterschiedlichen politischen Positionen, die in ersten Jahren durch die gemeinsame Konfrontation
gegenüber den »Reichen« überbrückt worden waren; das ist viel stärker noch das Resultat eines enormen Differenzierungsprozesses in der wirtschaftlichen Entwicklung.
Den »Tigerstaaten« auf den Fersen sind heute Malaysia und Thailand. Indien und
Indonesien, auf eine besondere Weise auch China, erfreuen sich einer dynamischen
wirtschaftlichen Entwicklung und so auch hoher realer Wachstumsraten. In Ostasien
haben eigentlich nur die Philippinen den Anschluß verpaßt. Die ansonsten noch
zurückgebliebenen Länder Süd- und Südostasiens müssen dies aktuellen oder früheren
politischen Verhältnissen zurechnen.

In Lateinamerika ist es auf breiter Front zu einem Sinneswandel gekommen. Eine
ganze Reihe von Ländern hat gelernt, auf die eigene Kraft zu vertrauen und nicht
mehr wie bislang alles Übel dem kolonialen Erbe und dem US-Imperialismus bzw.
dem Kapitalismus schlechthin anzukreiden. Dort wird heute mehr noch als anderswo
in Kategorien sozialer Marktwirtschaften (lateinamerikanischer Prägung) gedacht.
Einige Länder wie – für viele Beobachter noch vor wenigen Jahren unvorstellbar – Ar-
gentinien und Bolivien, Chile sowieso, haben erstaunliche Entwicklungen hinter sich.
Mexiko ist mittlerweile Mitglied des Nordamerikanischen Freihandelsabkommens
(NAFTA). Noch gibt es in Mittel- und Südamerika Armenhäuser und noch sind –
selbst in einem von Natur aus so reichen Land wie Brasilien – allenthalben drängende
gesellschaftspolitische Probleme nicht gelöst. Viele politische und wirtschaftliche
Fehlentwicklungen sind denkbar und nach wie vor nicht unwahrscheinlich, doch die
Situation heute ist mit der noch vor einem Jahrzehnt, geschweige denn zuvor, nicht
vergleichbar. Bis vor kurzem galten die achtziger Jahre als ein verlorenes Jahrzehnt
(»lost decade«). Für das Urteil bestimmend waren die Erwartungen zu Beginn des
Jahrzehnts und die zunehmenden Schrecken der Verschuldung während des Jahrzehnts (in Lateinamerika und in Afrika). Das pessimistische Urteil hatte seine Gründe,

und diese sind wiederum nicht zu trennen von Besonderheiten US-amerikanischer Politik. Aber dieses Jahrzehnt war – vielleicht wegen der exzessiven Erfahrungen – in Lateinamerika auch eine Phase geistiger Besinnung, der Suche nach neuen Methoden des Schuldenmanagements und ihres Ausprobierens, und das nicht nur im Rahmen der Baker- und der Brady-Initiativen sondern auch durch das sich Zunutzemachen von Lösungen, die auf der Anwendung marktgemäßer Verfahren beruhen.

Der afrikanische Kontinent, dem einst vergleichsweise günstige Entwicklungsaussichten zugesprochen worden waren, hat seit Jahren wenig Erfreuliches, dafür umso mehr Bedrückendes zu bieten. Das braucht nicht ausgeführt zu werden. So liegen heute besonders hier, doch auch anderswo Licht und Schatten enger und härter beieinander als früher. Das verlangt u.a. ein Umdenken in entwicklungspolitischen Kategorien. Aber selbst derart ist keine Basis mehr gegeben für die Forderung nach einem dritten Weg, zumindest nicht im früher gemeinten Sinne. Die Grundhaltung der Bundesrepublik zur Nord-Süd-Problematik hat sich auch insofern als gerechtfertigt erwiesen.

Die Regelung der Beziehungen zwischen reichen und armen Ländern hat indes von ganz anderer Seite her neue und schwerwiegende Dimensionen erhalten. Zum einen liegt das an der ökologiepolitischen Problematik im weltweiten Kontext. Zu lösen sind die immer dringlicher sich stellenden Aufgaben nur durch ein Zusammenspiel auf internationaler Ebene, also auch mit den armen Ländern und nicht gegen sie. Das bedingt Lösungsansätze und Formen einer multilateralen Kooperation, die noch nicht gefunden sind. Zum anderen hat das Geschehen in Mittel- und Osteuropa Prozesse ausgelöst und zu Neuformationen geführt, die ganz neue Länderspektren und auch wirtschaftsgeographische Verhältnisse geschaffen haben. Zur Nord-Süd-Problematik ist so in gewisser Weise eine in manchem ähnlich gelagerte West-Ost-Problematik getreten. Auch insofern ist die Welt in ihren Teilen einander näher gerückt, ohne indes auf die neue Herausforderung schon adäquat reagiert zu haben. Die Bundesrepublik wird sich aufgrund ihrer historischen Vergangenheit, ihres Wirtschaftspotentials und ihrer geographischen Lage politisch und wirtschaftlich besonders betroffen sehen.

EIN RESÜMEE

Die Position eines Landes als Wirtschaftsmacht auf Weltebene ist nicht eindeutig bestimmbar. Wenn wirtschaftliche Stärke gemeint ist, die Teilhabe am Waren- und Dienstleistungsverkehr oder die Präsenz auf internationalen Güter- und Finanzmärkten, so vermitteln die üblichen Indikatoren Hinweise auf Entwicklungen und aktuelle Rangordnungen, doch kaum Einblicke in die das Geschehen bestimmenden Kräfte. Gerade Spitzenpositionen können anfällig sein für Herausforderungen dynamischer Wettbewerber. Das einmal Erreichte ist so ständig gefährdet. Die Bundesrepublik befindet sich heute nach Jahrzehnten einer fast permanenten Festigung der eigenen Position in einer kritischen Phase. Ausdruck dessen ist die Diskussion um den Standort Bundesrepublik.

Wirtschaftliche Potenz enthält Hebel für politisches Handeln. Politische Macht geltend machen zu können, ist ein Privileg. Seinem Gebrauch sind indes Grenzen gesetzt. Sie resultieren aus der Verantwortung eines einzelnen Landes gegenüber der Weltgemeinschaft, aus sich selbst bindenden konzeptionellen Grundentscheidungen und auch aus Nachteilen, die sich bei einer Orientierung an eigenen Interessen nicht nur für betroffene Länder, sondern auf Dauer auch für das eigensüchtig handelnde Land erwachsen können. Die Bundesrepublik hat zu Recht ihre starke Stellung auf Weltebene niemals als einen Freibrief verstanden – weder für die Umsetzung damit verbundener Macht in fragwürdige Formen einer dirigistischen Außenwirtschafts-, Technologie- und Industriepolitik, noch für deren Nutzung als Instrument einer rahmensetzenden Politik auf Weltebene, die sich an vordergründigen nationalen Anliegen ausrichtet. Sie war so auch stets bereit, die Bindungen, die aus ihrer Mitgliedschaft in internationalen Organisationen, wie Internationaler Währungsfonds und Weltbank, aus der Geltung internationaler Abkommen, wie dem vertraglichen Niederschlag der GATT-Runden, und aus dem Gemeinschaftsrecht bzw. dem intergouvernementalen Recht der Europäischen Gemeinschaften (heute der Europäischen Union) resultieren, ohne Abstriche zu akzeptieren. Regulierungen solcher Art werden als Elemente sich neu formierender Ordnungen einer, zumindest wirtschaftlich, immer mehr zusammenwachsenden Welt verstanden.

Im Grundsatz gilt Gleiches für das Verhältnis der Bundesrepublik zu Ländern der Dritten Welt. Anerkannt wird, daß technische und finanzielle Hilfen, auch Stundung und Erlaß von Schulden, letztlich nur dazu beitragen können, den Spielraum der Empfängerländer zur wirtschaftlichen und gesellschaftlichen Entfaltung in eigener Regie und in eigener Verantwortung zu erweitern. Eingeräumt wird zudem – wenngleich (im europäischen Verbund) nicht kongruent gehandelt –, daß Entwicklungshilfe kein Ersatz ist für das prinzipielle Offenhalten der eigenen Grenzen zugunsten von Produkten aus Entwicklungsländern. Viele dieser Länder sehen in der Sozialen Marktwirtschaft der Bundesrepublik heute mehr noch als früher ein attraktives, allerdings den jeweiligen Verhältnissen anzupassendes Modell (post-)kapitalistischen Wirtschaftens.

DAS DEUTSCHE DILEMMA

Hans-Peter Schwarz

»Gemeinhin bezeichnet man mit Dilemma jedes Verhältnis, das zwei gleich schwierige Möglichkeiten eröffnet, uns vor die Wahl zwischen zwei gleich unangenehmen Dingen stellt« – so die klassische lexikalische Begriffsdefinition.[1] In diesem recht verwaschenen Verständnis wird ein Spannungsverhältnis angesprochen, für das auch der Begriff Zielkonflikt Verwendung finden könnte.

An und für sich ist der Begriff Zielkonflikt nützlich, weil er zur Klärung über die Nah- und Fernziele, über die dafür eingesetzten Mittel und Strategien, auch über die Konsequenzen von Politiken dient – beabsichtigte und unbeabsichtigte Konsequenzen gleichermaßen.

Zum vertieften Verständnis grundlegender Gegebenheiten eignet er sich aber weniger. Denn es gehört vielfach zum Wesen politischer Entscheidungen, daß unterschiedliche Optionen jeweils mit unangenehmen Konsequenzen verbunden sind und negative Reaktionen im politischen Umfeld zur Folge haben.

Das gilt auf vielen Feldern der Politik, so auch in der Außenpolitik. Die Kunst der Diplomatie besteht häufig darin, in klarer Kenntnis von Zielkonflikten oder von gleicherweise unangenehmen Reaktionen ausländischer Regierungen einen vermittelnden Kurs zu steuern, die Quadratur des Kreises zu versuchen, Scheinkompromisse oder einen tatsächlichen Ausgleich zu entwickeln sowie das Unangenehme für das eigene Land wie für die Partner zu minimieren.

An Beispielen mangelt es auch beim Blick auf aktuelle deutsche Außenpolitik nicht – Vertiefung und Erweiterung der Europäischen Union (EU); Ausbau der Westeuropäischen Union (WEU) und Erhaltung der NATO; gleichzeitige Pflege privilegierter Beziehungen zu Frankreich und zu den USA. So ließe sich in bezug auf die sogenannten grundlegenden Optionen fortfahren und dieselbe Widersprüchlichkeit zeigt sich beim Blick auf viele einzelne Politikfelder.

Daher die anfängliche Feststellung, ein solches Verständnis von Dilemma sei verwaschen. Faßt man den Begriff so, dann könnte oder müßte von allem und jedem die Rede sein.

Wir verwenden deshalb im folgenden den Begriff Dilemma in zugespitzterem Verständnis. Er soll solche und nur solche Bedingungen erfassen, die entweder zu Extremsituationen mit entsprechender Bestandsgefährdung des Landes führen könnten oder die von der Natur der Sache her auf absehbare Zeit überhaupt nicht lösbar sind, sondern nur ertragen werden können, wobei jede Lösungsstrategie gleicherweise sehr unangenehm ist. Existenzgefährdung oder wenigstens sehr große Unbekömmlichkeit aller denkbaren Lösungen, manchmal auch beides zusammen – das muß auftreten, wenn Politiken als Dilemma verstanden werden sollen.

---

1 Meyers Großes Konversations-Lexikon, Bd. 5, 6. Auflage, Leipzig/Wien 1903, S. 8.

VERGANGENE DILEMMAS

In der uns bereits sehr fern gerückten Epoche bis 1990 fand sich die bundesdeutsche Außenpolitik vor einigen wenigen Dilemmas, aus denen ungünstigenfalls Existenzgefährdung erwachsen konnte.

Unter den Bedingungen des Kalten Krieges in Deutschland und Europa war ein klassisches Sicherheitsdilemma gegeben. Um sowjetische Expansion oder die Auslösung eines Krieges in Zentraleuropa überhaupt zu verhindern, hat sich die Bundesrepublik ins westliche Bündnis integriert – wohl wissend, daß die Verteidigungsstrategie im Kriegsfall zur völligen oder teilweisen Zerstörung führen würde.

Dieses Sicherheitsdilemma wurde durch die Nuklearfrage noch zugespitzt. Würde sich Bonn allein an der Rationalität des Abschreckungskalküls orientiert haben, so hätte sich für deutsche Eigentümerschaft von Kernwaffen ein noch viel überzeugenderes Plädoyer halten lassen als für die »force de frappe« Frankreichs oder für eine im Prinzip unabhängige Kernwaffenstreitmacht Großbritanniens. Doch 1001 gute allianzpolitische Argumente und die Sorge vor unkalkulierbaren sowjetischen Retorsionsmaßnahmen sprachen dagegen.

So war das Land knapp vier Jahrzehnte lang von einem im Extremfall wahrscheinlich nicht recht verläßlichen amerikanischen Atomschirm abhängig mit der zusätzlichen Komplikation französischer und britischer Nuklearwaffen. Und das Dilemma wurde noch durch den Umstand verschärft, daß in bezug auf den Kriegsfall erst recht schwer zu entscheiden war, ob wohlverstandenen deutschen Überlebensinteressen durch Kernwaffeneinsatz oder durch Vermeiden dieses Einsatzes besser gedient gewesen wäre. Daß zudem die Deutschen in der DDR im Kriegsfall mit betroffen gewesen wären, verschärfte das nukleare Dilemma, für das es im Extremfall keine akzeptable Lösung gegeben hätte.

Ein vergleichbares Dilemma stellte seit 1948 die Gegebenheit einer zweiten Diktatur auf deutschem Boden dar mit allen wohlbekannten Komplikationen aufgrund der Teilung – menschliche Tragödien, die Lage West-Berlins, Sicherheitsbedrohung und ideologische Bedrohung durch die DDR.

Das Dilemma war moralischer Art. Wie sollte man mit einer deutschen Diktatur umgehen? Es beinhaltete viele praktische Fragen des Staatsrechts und des Völkerrechts, es zwang zu den absurdesten Regelungen in der Berlin-Frage, es war eine unlösbare Belastung sowohl bundesdeutscher Westpolitik als auch der Ostpolitik. Vieles, was sich heute noch als Problem der Aufarbeitung der DDR-Vergangenheit darstellt, entspringt dem grundlegenden Dilemma zwangsweiser Teilung und unvermeidlichen Nebeneinanders des in einer westlichen Demokratie respektive einer kommunistischen Diktatur organisierten deutschen Volkes.

Je unausweichlicher sich die Teilung Deutschlands verfestigte, umso unvermeidlicher erwuchs aus dem Dilemma des Nebeneinanders von Demokratie und Diktatur in einem geteilten Volk ein grundsätzliches Dilemma bundesdeutscher Wiedervereinigungspolitik. Diese zielte auf Revision des Status quo der deutschen Teilung ab, doch eben dieser Status quo wurde von den östlichen Regierungen und zunehmend auch von den westlichen als Voraussetzung ost-westlicher Entspannung begriffen. Der jahrzehntelang bis ins Frühjahr 1990 hinein nicht enden wollende Streit über die Deutschlandpolitik und die Entspannungspolitik war ein Ausfluß dieses grundsätzlichen Dilemmas.

War auch der seinerzeitige Gegensatz zwischen dem amerikanischen Atlantismus und der Politik Charles *de Gaulles* in den Jahren 1960 bis 1969 ein solches Dilemma, für das es letztlich nur sehr unangenehme Lösungen gab, eine tiefgreifende Störung des so positiven deutsch-französischen Sonderverhältnisses oder Entfremdung der amerikanischen Schutzmacht? Das ist damals vielfach so gesehen worden, doch zeigten schon die Jahre 1966 bis 1969, daß es vermittelnde Lösungen gab. Erst recht bewiesen dies die folgenden beiden Jahrzehnte.

Alles in allem hatte man es in dieser Hinsicht also mit schweren Zielkonflikten zu tun, aus denen sich zwischen 1962 und 1968 ungünstigenfalls ein Dilemma hätte ergeben können.

Weshalb wird in einer Studie, die sich mit aktuellen und künftigen Dilemmas deutscher Außenpolitik beschäftigt, an diese vergangenen Dilemmas erinnert? Nun, dieser zeitgeschichtliche Rückblick mag verdeutlichen, wie fundamental sich die heutige Lage Deutschlands von derjenigen bis zur Wiedervereinigung unterscheidet.

Nachdem der vollständige russische Rückzug aus den Ländern der ehemaligen DDR unwiderruflich ist, nachdem sich zwischen Deutschland und dem uns durchaus gutnachbarlich verbundenen neuen Rußland zudem noch ein breiter »cordon sanitaire« von Demokratien oder von ziemlich unabhängigen Republiken erstreckt, existiert das klassische deutsche Sicherheitsdilemma des Kalten Krieges nicht mehr.

Die Nuklearfrage mag wieder zum Problem werden, falls es unter ungünstigen Umständen in Rußland und anderswo zum Rückfall in Expansionismus und Diktatur käme. Sie könnte sich wohl früher oder später auch dann stellen, wenn eines oder mehrere Mitglieder der Staatengesellschaft erstmals mit dem Horrorszenario nuklearer Erpressung durch eine kriminelle Regierung oder durch Nuklear-Kriminelle konfrontiert werden sollte, was irgendwann zu befürchten steht. Doch für eine absehbare Zukunft ist der Alptraum des nuklearen Sicherheitsdilemmas entfernt. Auch die USA sowie die atomar gerüsteten westeuropäischen Partner werden nur noch zur nuklearen Rückversicherung gebraucht.

Genauso weggefallen ist das Dilemma, das sich aus der Existenz der DDR ergab und an dem sich die Bundesrepublik über 40 Jahre hinweg wundgerieben hat – mit einer durchweg widersprüchlichen, aber letztlich wider Erwarten erfolgreichen Politik des prinzipiellen Offenhaltens der deutschen Frage.

Erst recht kann nicht mehr davon gesprochen werden, unsere Frankreich- und Amerika-Politik sehe sich vor einem unlösbaren Dilemma. Zielkonflikte existieren zwar, sie sind aber praktisch genauso lösbar wie bereits in den Jahren 1969 bis 1990. Von einer existentiellen Bedrohung oder auch nur von einem sehr quälenden Dilemma zwischen primär Frankreich-orientierter und primär Amerika-orientierter Außenpolitik kann nicht im Ernst gesprochen werden.

Gibt es also überhaupt noch Dilemmas gegenwärtiger oder künftiger Außenpolitik? Und worin sind diese zu erkennen?

DAS DILEMMA DEUTSCHER GRÖSSE UND DYNAMIK

In der Tat beginnt sich ein neues Dilemma bereits abzuzeichnen, das Deutschland und Europa vor ähnlich unlösbare Widersprüche stellen wird wie die jüngst vergangenen Dilemmas aus den Jahrzehnten des Kalten Krieges. Allerdings wäre es nicht ganz richtig, dabei von einem ganz neuen Dilemma zu sprechen. Vielmehr scheinen grundlegende Sachverhalte der historischen »deutschen Frage« wieder in Kraft zu treten.

Was ist diese deutsche Frage? Die Antworten darauf sind vielfältig und haben seit dem frühen 19. Jahrhundert zahlreiche Aspekte berührt. Die wissenschaftliche Literatur zur »deutschen Frage« im 19. und im 20. Jahrhundert füllt ganze Bibliotheken.[2] Periodisch fassen Historiker oder Politologen die jeweils zeitgenössische Sicht der Dinge zusammen, plädieren für die ihnen einleuchtenden Ordnungsvorstellungen und polemisieren mehr oder weniger entschieden gegen anderslautende Konzepte und Deutungen. In dieser Hinsicht unterscheiden sie sich nicht von den jeweiligen Kontroversen in Politik und Publizistik. Dabei trifft man auf verschiedene Theoreme.

Da ist erstens das Theorem von der Inkompatibilität einer deutschen Großmacht und der Freiheit in einem europäischen Gleichgewichtssystem.

Schon die Vorstellung eines deutschen Zentralstaats als solche hat immer wieder Bedenken erweckt. Im Jahr 1816 beispielsweise, nach Errichtung der Bundesversammlung des Deutschen Bundes, schreibt Arnold Ludwig Hermann *Heeren*, einer der

---

2 Hier können nur einige jener neuesten Studien genannt werden, die bibliographisch den derzeitigen Forschungsstand erfassen und von denen aus das weitverzweigte ältere Schrifttum zu erschließen ist. Das heißt nicht, daß sich der Verfasser mit den dort vertretenen Ordnungsvorstellungen identifiziert. Vgl. Wolf D. *Gruner*, Die deutsche Frage in Europa 1800-1990, München/Zürich 1993 (Serie Piper Bd. 1680); *ders.*, Deutschland mitten in Europa. Aspekte und Perspektiven der deutschen Frage in Geschichte und Gegenwart, Beiträge zur deutschen und europäischen Geschichte, Bd. 5, Hamburg 1992. Vgl. auch Imanuel *Geiss*, Die deutsche Frage, Bd. 1, Mannheim usw. 1992 und Wolfgang J. *Mommsen*, Nation und Geschichte. Über die Deutschen und die deutsche Frage, Bd. 1115, München 1990. Zum Geschichtsbewußtsein vor und während des Einigungsprozesses vgl. Werner *Weidenfeld*/Karl-Rudolf *Korte* (Hrsg.), Handbuch zur deutschen Einheit, Bonn 1993. Die recht divergierenden Einschätzungen deutscher Historiker zwischen 1945 und 1990 finden sich bei *Schwarz*, Mit gestopften Trompeten. Die Wiedervereinigung Deutschlands aus der Sicht westdeutscher Historiker, in: Geschichte in Wissenschaft und Unterricht, Heft 11, 1993, S. 683-704. Vgl. auch Herbert *Hömig* (Hrsg.), Von der deutschen Frage zur Einheit Europas. Studien zur Geschichte des 19. und 20. Jahrhunderts, Bd. 1, Bochum 1991. Als anregendste, empirisch fundierteste Monographie über die deutschen Einstellungen zur Teilung vgl. Timothy *Garton Ash*, Im Namen Europas. Deutschland und der geteilte Kontinent, München/Wien 1993. Zur Darstellung der deutschen Frage im 19. Jahrhundert bis zum Ende des Kaiserreichs vgl. Thomas *Nipperdey*, Deutsche Geschichte 1800-1866. Bürgerwelt und starker Staat, 5. Auflage, München 1991; *ders.*, Deutsche Geschichte, 1866-1918. 1. Arbeitswelt und Bürgergeist, ebd. 1990 und 2. Machtstaat vor der Demokratie, ebd. 1992. Dazu auch Thomas *Nipperdey* (Hrsg.), Nachdenken über die deutsche Geschichte, 2. Auflage, München 1986.

klügsten Analytiker des europäischen Staatensystems zwischen dem späten 15. Jahrhundert und dem napoleonischen Zeitalter: Wäre Deutschland »eine große Monarchie mit strenger politischer Einheit; ausgerüstet mit allen den materiellen Staatskräften, die Deutschland besitzt«, so wäre der sichere Bestand der anderen europäischen Staaten gefährdet: »Würde ein solcher Staat lange der Versuchung widerstehen können, die Vorherrschaft in Europa sich anzueignen, wozu seine Lage und Macht ihn zu berechtigen schienen?«.[3]

Als Otto *von Bismarck* dem Deutschen Reich eine halbhegemoniale Stellung in Europa errungen hatte, wurde dies u.a. von Benjamin *Disraeli* als Revolutionierung des europäischen Staatensystems begriffen. »Was ist in Europa geschehen?«, rief er am 9. Februar 1870, unmittelbar nach der Reichsgründung, im britischen Unterhaus aus: »Das Gleichgewicht der Kräfte ist vollständig zerstört worden.« Im erfolgreichen Krieg gegen Frankreich habe sich »die deutsche Revolution«[4] vollzogen. Deutschlands »Griff nach der Weltmacht« im Ersten Weltkrieg und Adolf *Hitlers* Griff nach der Weltmacht nur wenig mehr als zwanzig Jahre später, schienen dies zu bestätigen.

Nach dem Zweiten Weltkrieg erschien die Reduktion deutscher Kraft und Größe durch Teilung vielen im Inland und Ausland als eine Gewähr für künftige europäische Stabilität. Ein den Deutschen gegenüber durchaus wohlmeinender Historiker wie James *Joll* schrieb 1969: »Die gegenwärtige Europäische Gemeinschaft würde ... auf keinen Fall aufrechterhalten werden können, sollte Deutschland jemals wiedervereinigt werden. In diesem Fall würden wir die Neuauflage einer historischen Situation erhalten, wie wir sie bereits vor 1914 und in der Zwischenkriegszeit erlebt haben, in der die natürliche wirtschaftliche, demographische und geographische Stärke Deutschlands dergestalt sein würde, daß sie das Gleichgewicht gefährden und damit zur einzig möglichen Form europäischer Einigung die eines Europa unter deutscher Hegemonie machen würde«.[5]

Bekanntlich ist diese Auffassung seit den frühen siebziger Jahren auch in Deutschland vielen plausibel erschienen, nicht allein deutschen Historikern. So meinte beispielsweise Sebastian *Haffner* im Jahr 1972, »daß man auch ohne Weltmacht auskommt und sogar ohne Einheit, und daß man, wenn man es nur will und richtig anstellt, in zwei kleinen Staaten besser und sicherer leben kann als in einem großen«.[6] *Haffner* argumentierte, zwei deutsche Staaten von der ungefähren Taillenweite Frankreichs, Italiens, Großbritanniens bzw. der kleineren Ostblockstaaten seien für Europa gut. Diese müßten so nicht mehr um ihre Existenz fürchten, Deutschland aber

---

3 Arnold Ludwig Hermann *Heeren*, Der deutsche Bund in seinen Verhältnissen zu dem europäischen Staatensystem; bei Eröffnung des Bundestages dargestellt. Göttingen 1816, S. 11 f. Zit. nach *Gruner*, Deutschland mitten in Europa, a.a.O. (Anm. 2), S. 71.

4 The Weekly Hansard, 3. Serie, Bd. CCIV, S. 81-82. Zit. nach Edward *Crankshaw*, Bismarck. Eine Biographie, München 1983, S. 364.

5 James *Joll*, Europe. A Historian's View, Leeds 1969, S. 20; übers. nach *Gruner*, Deutschland mitten in Europa a.a.O. (Anm. 2), S. 10.

6 Sebastian *Haffner*, Zweimal Deutschland und keine Feinde (5. Folge der Serie Deutschland, deine guten Seiten), in: STERN, Nr. 46, 1972, S. 78-86.

sich nicht vor einer neuen Einkreisung: »Wäre es nicht Torheit, in diesen Teufelskreis zurück zu wollen? Sollte man nicht froh sein, daß man ihm entronnen ist?«

Die hier wiedergegebenen Auffassungen sind bis zur Wiedervereinigung im Jahr 1990 von vielen Seiten artikuliert worden. Allerdings werden sie seither nur noch verhalten geäußert.

Immerhin hat es aber Margaret *Thatcher* für richtig gehalten, in ihren Memoiren daran zu erinnern, weshalb sie 1989/90 der Wiedervereinigung widerstrebte: ein wiedervereinigtes Deutschland sei »schlichtweg viel zu groß und zu mächtig« auf dem europäischen Spielfeld – ein deutscher »Moloch«[7]. Die Sorge bleibt, daß ein dynamisches 80-Millionen-Deutschland dem europäischen Gleichgewicht sehr unbekömmlich ist. Also: das Dilemma der Größe und der Dynamik Deutschlands.

DEUTSCHER NATIONALISMUS

Diese Befürchtung verbindet sich mit einem zweiten Theorem, das auf die schwer auflösbaren Zusammenhänge zwischen dem Machtbewußtsein einer europäischen Großmacht und dem deutschen Nationalismus abhebt. Daß die Geschichte der »verspäteten Nation« (Helmuth *Plessner*) hinlänglich Grund zu entsprechenden Sorgen gibt, bedarf keiner weiteren Erörterung. Zwar versteht sich die Bundesrepublik Deutschland als Musterfall post-nationalistischer Mäßigung, wobei vor allem auf die deutsche Polen-Politik verwiesen wird. Tatsächlich gibt es in der neueren und neuesten Geschichte kein Beispiel für die Friedfertigkeit, mit der ein großes Land die Okkupation von rund einem Drittel ältesten Territoriums bei Austreibung der dort verwurzelten Bevölkerung hingenommen hat.

Aber die unvermutete Plötzlichkeit, mit der die in Sachen Nation so offensichtlich lethargische Bundesrepublik 1989/90 die Wiedervereinigung durchsetzte, macht doch nachdenklich.

Wenn aber eine »Renationalisierung« deutscher Politik befürchtet wird, so vor allem deshalb, weil der Zerfall des Ostblocks den völkischen Nationalismus in gleichfalls unerwarteter Art und Weise hat aufflammen lassen. Darf man erwarten, daß das größer gewordene Deutschland diesmal die Ansteckung zu vermeiden weiß?

GEOGRAPHISCHE UND KULTURELLE MITTELLAGE

Ein weiteres – drittes – Theorem, in dem historisch begründete und aktuelle Befürchtungen zusammenfallen, ist in der geographischen Mittellage Deutschlands zu sehen. Mittellage als Erklärungsgrund für harte Machtpolitik, doch auch für die geschichtlichen Katastrophen Deutschlands – der Historiker waren und sind viele, die diese Determinante herausarbeiten. Die »Lebensvoraussetzung der kontinentalen

---

7 Margaret *Thatcher*, Downing Street No. 10. Die Erinnerungen, Düsseldorf usw. 1993, S. 1095, 1103.

Mittellage«, argumentiert 1924 Hermann *Oncken*, bestimme »seit einem Jahrtausend« das deutsche geschichtliche Schicksal am tiefsten.[8] Von allen Kulturvölkern der Erde, schrieb Franz *Schnabel* wenige Jahre später, seien die Deutschen durch die geographischen Rahmenbedingungen ihres Siedlungsraums am schwersten belastet gewesen – Folge: eine deutsche Sondertradition.[9] Das Thema »Sonderweg« war also einer Reihe von Historikern schon vor dem Jahr 1945 zumindest in der Sache geläufig.

Noch 1949, im fahlen Licht der deutschen Katastrophe, formulierte Friedrich *Meinecke*, die geopolitische Lage Deutschlands »inmitten Europas« habe diesem die Alternative aufgezwungen, »entweder Depressionsgebiet zu bleiben oder Machtstaat zu werden«.[10] Machtstaatsidee als Antwort auf die Gefährdungen in der Mittellage – man mag darin ein typisch borussisches Konzept erkennen.

Nach 1945, als das Deutsche Reich ein zweites Mal zusammengebrochen war, wurde es üblich, auf die katastrophalen Erschütterungen hinzuweisen, denen die Deutschen über die Jahrhunderte hinweg immer wieder ausgesetzt gewesen seien. So hat beispielsweise Carlo *Schmid* 1964 die eher zu Tragödien führende Uneindeutigkeit des Geschichtsverlaufs Deutschlands, »Herzstück Europas«, gleichfalls als Ergebnis der Mittellage gedeutet: »Es war zu allen Zeiten ein Land des Durchgangs und des Übergangs, brodelnder Schmelztiegel aller geistigen Bewegungen und Schlachtfeld mehr für fremde Heere denn für eigene«.[11]

Besonders die nie endgültige Festgelegtheit der Grenzen Deutschlands hat häufig zu resignierenden oder alarmistischen Feststellungen Anlaß gegeben. Ein Land ohne feste Grenzen, so lautet ein oft aufgegriffener Topos. A.J.P. *Taylor*, ein scharfsichtiger Skeptiker, somit nicht eben durch historiographisches Wohlwollen gekennzeichnet, hat das »geographische Deutschland« mit einer Ziehharmonika verglichen, ohne natürlichen Fixpunkt für Ausdehnung oder Kontraktion: »Every German frontier is artificial, therefore impermanent; that is the permanence of German geography«.[12] Selbst Konrad *Adenauer* hat das so gesehen: Deutschland, geographisch »im Herzen Europas«, in Gefahr, »zerrieben zu werden«.[13] Sobald man die tausendjährige Geschichte der Deutschen in Langzeitperspektive betrachtet, kann die Mäßigung der Jahrzehnte seit 1945 in der Tat nicht mehr allzu sehr beruhigen. Was wird sich im 21., 22. oder 23. Jahrhundert ereignen?

Im Zusammenhang damit haben Phänomene wie Kulturaustausch, Kulturassimilation, Kulturkonflikt, Kulturdominanz häufig Beachtung gefunden.

---

8 Hermann *Oncken*, Der Sinn der deutschen Geschichte (Vortrag von 1924), in: *ders.*, Nation und Geschichte. Reden und Aufsätze 1919-1935, Berlin 1935, S. 15-44; hier S. 19.

9 Vgl. Franz *Schnabel*, Deutschland in den weltgeschichtlichen Wandlungen des letzten Jahrhunderts, Leipzig 1925, S. 2.

10 Friedrich *Meinecke*, Irrwege in unserer Geschichte (1949). Werke zur Theorie und Philosophie der Geschichte, Bd. IV, Stuttgart 1959, S. 205-211; hier S. 207.

11 Carlo *Schmid*, Deutschland – Terra magica (1964), in: *ders.*, Europa und die Macht des Geistes. Gesammelte Werke in Einzelausgaben, Bern/München/Wien 1976, S. 333-348; hier S. 335.

12 Alan John Parcivale *Taylor*, The Course of German History. A Survey of the Development of Germany since 1815, London 1951 (1945), S. 13.

13 Konrad *Adenauer*, Erinnerungen 1945-1953, Stuttgart 1965, S. 96.

In kulturgeographischer Sicht der Dinge finden sich die Deutschen in einer Mittellage zwischen den unterschiedlichen Kulturregionen Europas – slawischer Osten einerseits, romanischer Westen und Süden andererseits, auch: germanischer Norden und Nordwesten. Das Thema stellt sich von Epoche zu Epoche anders.

Zweifellos ist im Europäischen Wirtschaftsraum neuerdings ein hohes Maß an sozio-ökonomischer und politischer Homogenisierung geglückt. Nun ist Deutschland aber einmal mehr in die Rolle eines Grenzlandes des entwickelten Westens gerückt, Vermittler zu den Regionen des Ostens und Südostens, die sich in vollem Umbruch befinden, von diesen Völkern zugleich als Helfer erwünscht, doch auch als potentielle Hegemonialmacht gefürchtet. Und umgekehrt fand sich im Deutschen Reich über die Jahrhunderte hinweg ein Bewußtsein geschichtlicher Vorrangstellung, das natürlich am Kaiserhof in Wien am stärksten ausgeprägt war. Noch in den Jahrzehnten der Aufklärung wurde dies beispielsweise Kaiser *Joseph II.* wie folgt vorgetragen: »Das Deutsche Reich ist sowohl in Ansehung seiner Größe und Macht als seines Ranges der vornehmste Staat in Europa ...«.[14] Das hielt sich da und dort noch lange. Zwar haben spätere romantische Vorstellungen kultureller deutscher Weltsendung (»heilig Herz der Völker«) längst einer nüchternen Betrachtungsweise Platz gemacht. Doch die kulturgeographische Position des erneut mächtigen, nach Osten ausstrahlenden Deutschland ist nach wie vor durch Besonderheit gekennzeichnet.

Das Thema »mitten in Europa« erfaßt auch die Dimensionen Wirtschaft und Strategie, wobei die einzelnen Regionen Deutschlands naturgemäß mehr nach Osten, nach dem Westen oder Süden, auch nach Nordosten orientiert waren. Was aber früher Gegenstand regionaler Orientierung war, mußte nach der Reichsgründung vom Gesamtstaat bewältigt werden – Dauerthema somit der Diskussion über Westorientierung, Ostorientierung und Schaukelpolitik.

Doch auch in den Dimensionen Wirtschaft und Strategie hat sich seit Gründung der Bundesrepublik eine fugenlose Integration in die westlichen Wirtschafts- und Sicherheitsgemeinschaften vollzogen. Immerhin: als großes Land in Randlage ist Deutschland für den östlichen Raum auch künftig der wichtigste Wirtschaftspartner und militärstrategisch stärker auf die Vorgänge im Osten fixiert als die Mächte des europäischen Westens.

Damit gerät das erneuerte Deutschland wieder in eine Position, die aus der Geschichte des 19. und des frühen 20. Jahrhunderts wohlbekannt ist. Im Westen grenzte es damals an wirtschaftlich fortgeschrittene Gesellschaften mit entwickelten verfassungsstaatlichen Strukturen, während sich im Osten und Südosten wirtschaftlich weniger entwickelte Völker mit gleichfalls unterentwickelter verfassungsstaatlicher Kultur fanden. Die verfassungspolitischen Unterschiede Deutschlands zur westlichen Welt mochten erheblich sein oder nicht, in jedem Fall fühlten sich die Deutschen nach

---

14 Hermann *Conrad* (Hrsg.), Recht und Verfassung des Reiches in der Zeit Maria Theresias. Wissenschaftliche Abhandlungen der Arbeitsgemeinschaft für Forschung des Landes Nordrhein-Westfalen, Bd. 28, Köln/Opladen 1964, S. 418.

Westen hin kulturell und wirtschaftlich gleichrangig, was versteckte Minderwertig-
keitskomplexe nicht ausschloß – zu studieren etwa im Verhältnis des Wilhelminischen
Deutschen Reiches oder selbst noch des Dritten Reiches zu Großbritannien. Nach
Osten und Südosten hin fühlten sich die Deutschen jedenfalls sozio-ökonomisch
überlegen. Das galt selbst dann, wenn sie die östliche Großmacht Rußland und später
die Sowjetunion fürchteten.

So gesehen war Deutschland – nochmals mit A.L.H. *Heeren* zu sprechen – nicht
allein ein »Zentralstaat« im Sinn potentieller Vormacht. Deutschland stand auch
geographisch im Mittelpunkt des europäischen Staatensystems, berührte »ganz oder
beinahe, die Hauptstaaten des Westens und Ostens; und nicht leicht kann auf der
einen oder anderen Seite unseres Weltteils sich etwas ereignen, was ihm gleichgültig
bleiben könnte«.[15]

Großmacht, Nationalstaat, Mittellage – mit diesen drei Stichworten verbinden sich
historisch begründete Sorgen. Dazu tritt schließlich noch – viertens – die Befürchtung
erneuten Einschwenkens auf einen verfassungspolitischen Sonderweg.

VERFASSUNGSPOLITISCHER SONDERWEG

Historisch gesehen läßt sich überhaupt nicht bestreiten, daß sich Deutschland
aufgrund der besonderen Bedingungen bei der Reichsgründung und im preußisch-
deutschen Reich mit dem liberalen Verfassungsstaat westlicher Prägung schwerer tat
als die Länder des westlichen Europa.

Wie immer man den Gang der Entwicklung von *Bismarck* bis *Hitler* auch erklärt
und differenziert, so ist die Bedeutung der inneren Ordnung Deutschlands für seine
Akzeptanz durch Europa unbestritten. Nur ein demokratischer Verfassungsstaat war
»Europa-kompatibel«, genauer gesagt: »Westeuropa-kompatibel«. Und eine deutsche
Großmacht schien schon allein deshalb verdächtig, weil sie sich in jüngster Vergangenheit verschiedentlich durch Nationalismus und – so im Dritten Reich – durch
antidemokratischen Totalitarismus als Europa-unverträglich erwiesen hatte.

So stellt sich in stark vereinfachtem Aufriß die Problematik dar, die als »historische
deutsche Frage« bezeichnet werden kann.

Bekanntlich suchte und sucht derzeit die deutsche Politik, auch die Publizistik,
die hier skizzierten Vorbehalte gegen die Wiederherstellung eines großen deutschen
Nationalstaats vor allem mit zwei Überlegungen zu entkräften.

Zum ersten wird zu Recht darauf verwiesen, daß die Bundesrepublik Deutschland
eine seit langem konsolidierte Demokratie ist. Somit, meint man, seien alle Befürchtungen, die sich aus dem einstmals virulenten Nationalismus herleiten lassen, doch

---

15 *Heeren*, a.a.O. (Anm. 3), S. 11.

stark zu relativieren. Die »zweite Chance« (Fritz *Stern*)[16] werde wahrscheinlich besser genutzt als die erste. Wenn auch ein Deutsches Reich mit preußischem Kern oder gar von nationalsozialistischer Gesinnung für die Nachbarn ein Alptraum gewesen sei, so gebe es gute Gründe, dem wiedervereinigten, demokratischen und friedlichen Deutschland nicht dasselbe Mißtrauen entgegenzubringen.

Zum zweiten habe sich ein in die westlichen Gemeinschaften integriertes Deutschland wiedervereinigt – keine autonome Großmacht mehr, sondern ein postmoderner Staat, der sich öffnet und zur rechtlich geregelten Einwirkung auf die eigenen Angelegenheiten geradezu einlädt. Der klassische moderne Staat, kann man neuerdings sogar bei englischen Autoren lesen, hatte seine Sicherheit und seine Wohlfahrt durch Autonomie zu sichern versucht, der postmoderne durch Integration.[17] Vor allem die Europäische Union, so wird argumentiert, könne als System kunstvoller Einhegung der deutschen Macht begriffen werden.

Diese beiden in der Tat völlig neuen Gegebenheiten der Lage Deutschlands sollen, so hofft man, eine Wiederkehr jenes grundlegenden Dilemmas verhindern, in dem sich das Deutsche Reich befunden hat – zu stark, um nicht Unmut und gegnerische Koalitionen zu provozieren, zu schwach aber letztlich, um Europa seinen Willen aufzuzwingen.

In Kenntnis dieser früheren Dilemmas ist denn auch die europäische Integrationspolitik zwischen 1989 und 1992 von der Bundesregierung forciert worden. Die Einbettung Deutschlands in die Europäischen Gemeinschaften sollte, so hieß es, »unumkehrbar« gemacht werden.

Doch ist die Erwartung wirklich berechtigt, daß Deutschland diesmal dem Dilemma entgeht, das mit den Stichworten »Großmacht«, »Nationalstaat«, »Mittellage« und illiberaler »Sonderweg« umschrieben wurde?

AUSWEGE AUS DEM DILEMMA?

Am zuversichtlichsten lassen sich die verfassungspolitischen Prognosen formulieren. Extremismen und Gewalttätigkeiten finden zwar vor dem Hintergrund jüngster deutscher Vergangenheit berechtigterweise mehr Beachtung als Aktivitäten extremistischer Gruppen in anderen Demokratien. Ein besonders beunruhigender Sonderfall ist Deutschland aber nicht, und bisher ist auch die verfassungsstaatliche Integration der seit 1933 über sechzig Jahre lang in zwei totalitären Systemen sozialisierten Ostdeutschen bemerkenswert widerstandslos verlaufen. Die im Februar 1878 von Jacob *Burckhardt* getroffene Feststellung gilt zwar auch für Deutschland: »Seitdem die

---

16 Fritz *Stern*, Die zweite Chance, in: Udo *Wengst* (Hrsg.), Historiker betrachten Deutschland. Beiträge zum Vereinigungsprozeß und zur Hauptstadtdiskussion (Februar 1990 – Juni 1991), Bonn 1992, S. 139-143.
17 Vgl. die diesbezügliche Unterscheidung bei Robert *Cooper*, Gibt es eine neue Welt-Ordnung?, in: *EA*, 18/1993, S. 507-516.

Politik auf inneren Gärungen der Völker gegründet ist, hat alle Sicherheit ein Ende«.[18] Aber Deutschland erscheint nicht gefährdeter als andere Demokratien. In dieser Hinsicht muß man somit schon sehr ängstlich oder ideologisch recht festgezogen sein, um ein baldiges Wiederauftauchen des deutschen Dilemmas zu befürchten.[19]

EIN EUROPÄISCHER BUNDESSTAAT?

Sehr viel zurückhaltender muß die Frage beantwortet werden, ob sich die deutsche Großmacht diesmal besser als Europa-kompatibel erweisen wird als das gescheiterte Deutsche Reich.

Alle Anzeichen sprechen nämlich dafür, daß sich der deutsche Staat nicht in einer Europäischen Union auflösen wird oder – wie ein CDU-Parteitag dies noch 1992 gefordert hat – in einem europäischen Bundesstaat[20].

Der Hauptgrund für die Fortdauer der deutschen Staatlichkeit ist in der mangelnden Bereitschaft der EU-Staaten, größerer wie kleinerer zu sehen, einen europäischen Bundesstaat zu schaffen. Selbst wenn sich in Deutschland klare Mehrheiten dafür finden würden, fehlen die Partner.

Es ist falsch, wie das oft geschieht, darin in erster Linie die Auswirkung altverwurzelter nationalistischer Neigungen zu kritisieren. Das Problem stellt sich ganz anders, eben deshalb aber schwieriger. Den EU-Regierungen widerstrebt ein europäischer Bundesstaat, weil sie Demokratien sind. In kürzerer oder längerer nationalstaatlicher Geschichte haben sich jeweils in den vorfindbaren Staaten jene Elemente herausgebildet und verfestigt, die insgesamt die modernen Demokratien konstituieren: komplexe Verfassungsordnungen und Verwaltungssysteme, Parteiensysteme, nationale Gewerkschaften, binnenstaatlich organisierte Mediensysteme, politische, administrative und erzieherische Eliten, die jeweils mehr oder weniger ausschließlich auf den bestehenden Staat bezogen sind. In diesen Demokratien herrscht zwar die Erkenntnis, daß wirtschaftliche Wohlfahrt und äußere Sicherheit nur im engen Integrationsverbund gedeihen kann. Doch die gewachsene Orientierung auf das eigene politische System ist nach wie vor überragend.

Diese westeuropäischen Demokratien sind zugleich gewachsene Wirtschaftsgesellschaften mit unterschiedlichen Strukturen, mit unterschiedlicher Produktivität, mit unterschiedlichen Sozialsystemen, auch von unterschiedlichem Wohlstand. Partikular geprägt, und zwar durch die jeweiligen Nationalstaaten, sind auch die Kultursysteme – allein Belgien bildet eine signifikante Ausnahme.

---

18 Jacob *Burckhardt* an Friedrich *von Preen*, 21. Februar 1878, in: *ders.*, Briefe, Bd. VI, Basel/Stuttgart 1966, S. 230.

19 Typisch für solche Befürchtungen ist die 1990 erschienene Streitschrift des spanischen Anarcho-Radikalen Heleno *Saña*, Das Vierte Reich, Hamburg 1990.

20 Beschluß Nr. A 1 »Wie wir uns Europa denken« schränkt zwar ein, das Ziel der »Europäischen Verfassung« lasse sich »nicht mit herkömmlichen Begriffen fassen«. Dem folgt aber der Satz: »Die CDU strebt jedoch insgesamt eine bundesstaatliche Lösung an", 3. Parteitag der CDU Deutschlands, Düsseldorf 26.-28. Oktober 1992, Protokoll, S. 402.

Zweifellos handelt es sich um offene Republiken, die seit den fünfziger und den sechziger Jahren gelernt haben, sich systematisch und multilateral zu verbinden. Manche sprechen somit von »postnationaler Demokratie« (Karl Dietrich *Bracher*),[21] andere von »postmodernen Staaten« (Christopher *Coker*), wieder andere von einem »Europa der Vaterländer« (Charles *de Gaulle*) von »offener Republik« (Dieter *Oberndörfer*),[22] von »neuem Nationalstaat« (Alain *Minc*),[23] von »europa-offenem Verfassungsstaat« in einer europäischen Rechtsgemeinschaft der Staaten (Paul *Kirchhof*)[24] oder von einem »Europa der Nationalstaaten« (John *Major*).[25]

Solchen Formeln liegen recht unterschiedliche Konzepte der Organisation Europas zugrunde. Aber alle gehen von der Auffassung aus, daß vorerst nur eine Verflechtung von Staaten möglich ist, nicht aber die Schaffung einer europäischen Nation.

Selbst die Politische Union gemäß dem Vertrag von Maastricht beruht allein auf völkerrechtlichen Verträgen, nicht wie jede Demokratie auf Verfassungsrecht. Die souveränen Staaten bleiben – auch wenn sie erhebliche Teile ihrer Autonomie in das Regelwerk der Europäischen Union eingebracht haben.

Die eigentlichen Gegensätze gelten der Frage, wieviel an Autonomie die Staaten preisgeben sollen ungeachtet des grundsätzlichen Festhaltens an ihrer Souveränität, die notabene Volkssouveränität der jeweiligen Staatsnation ist. Kann – dies ist die im Moment aktuellste Frage – in einem System miteinander vernetzter, aber doch stark partikulär geprägter Wirtschaftsgesellschaften die Währung europäisiert werden? Die Frage ist in den Europäischen Gemeinschaften mehrheitlich positiv beantwortet worden – bei praktischer Ausklammerung von Großbritannien und Dänemark und bei erheblicher Skepsis in vielen Ländern. Doch bisher haben die Finanzmärkte gegen das Vorhaben entschieden. Ob, wann, mit welchen Teilnehmern und mit welchem Erfolg das riskante Experiment durchgeführt werden kann, ist fraglich.

Genauso fraglich ist die mit dem Maastricht-Vertrag gleichzeitig angepeilte Vergemeinschaftung der Wirtschaftspolitik, der Außenpolitik und der Verteidigung. Konsultation und Koordination in einem dichten Regelwerk sind gesichert. Die Vergemeinschaftung, die ein System von Mehrheitsentscheidungen ohne Veto-Recht der einzelnen Teilnehmer erfordern würde, bleibt vorerst nur ein Ziel.

Das bedeutet aber: In diesem komplizierten System wird die Bundesrepublik Deutschland auch künftig den Part der stärksten Wirtschaftsmacht spielen. Sie erkauft die Öffnung des Binnenmarktes für ihre Waren, Dienstleistungen und ihr Kapital mit Hinnahme eines Regelwerks, das ihre Übermacht einschränkt. Dennoch: Sie bleibt die europäische Zentralmacht mit allen damit verbundenen Ambivalenzen. Einerseits

---

21 Karl Dietrich *Bracher*, Der deutsche Einheitsstaat: ein Imperativ der Geschichte?, in: *Wengst*, a.a.O. (Anm. 16), S. 39-44; hier S. 42.
22 Vgl. Dieter *Oberndörfer*, Der Wahn des Nationalen. Die Alternative der offenen Republik, Freiburg 1993.
23 Alain *Minc*, Die Wiedergeburt des Nationalismus in Europa, Hamburg 1992, S. 212.
24 Paul *Kirchhof*, Der deutsche Staat im Prozeß der europäischen Integration, in: Josef *Isensee*/Paul *Kirchhof* (Hrsg.), Handbuch des Staatsrechts der Bundesrepublik Deutschland, Bd. VII, Heidelberg 1992, S. 855-887.
25 Zit. nach *The Economist*, 25.9.1993, S. 19-29.

wird sie vielfach als ökonomische Führungsmacht in Anspruch genommen, als solche auch kritisiert. Andererseits ist sie verpflichtet, ihre Überlegenheit gemeinschaftlich einzubinden.

Labilitäten und Spannungen bleiben nicht aus – die Währungskrisen der Jahre 1992 und 1993 illustrieren das. Doch Spannungen würden auch auftreten, wenn die D-Mark in einer ECU-Währung aufgegangen wäre. Deutschland kann seiner Größe und Leistungsfähigkeit nicht entkommen, und viele Anzeichen sprechen dafür, daß der erreichte Integrationsstand nicht wesentlich verdichtet werden kann.

Gegen die Erwartung eines »Absterbens des Staates« spricht auch der Umstand, daß die Europäische Union, selbst ein System regional organisierter Staaten, ihrerseits in ein umfassenderes Staatensystem plaziert ist. Die beitrittswilligen Länder – Österreich, Schweden, Finnland, vielleicht auch Norwegen – würden ihre Staatlichkeit durchaus nicht aufgeben, die Reform-Republiken der Višegrád-Gruppe erst recht nicht. Und auch jene, die nur für Assoziationsverträge in Frage kommen, bleiben autonome Staaten.

Wenn eine große, offene Demokratie mit vielen anderen Partnern in komplizierten Regelsystemen (EU, WEU, NATO) kooperiert und zu allem hin noch die Gegensätze zu den Nichtmitgliedern der Regelsysteme auszugleichen hat, sind Spannungen ganz unvermeidlich. Sie werden bei jenen Staaten auftreten, die aus welchen Gründen und mit welcher Berechtigung auch immer das sehr starke Deutschland als bedrückend empfinden und bestimmte politische Entscheidungen oder Nichtentscheidungen dieses stärksten Partners ressentieren. Dabei ist die Herstellung antideutscher Koalitionen innerhalb der Regelsysteme nicht auszuschließen.

Spannungen können und werden aber auch in Deutschland selbst auftreten, wenn sich unter Wählern und Eliten die Auffassung durchsetzen sollte, daß bestimmte gemeinschaftlich gefaßte Entscheidungen oder gar die Regelsysteme als solche deutschen Interessen zuwiderlaufen. Die zwischen 1991 und 1993 in Deutschland geführte Diskussion über die Zukunft der D-Mark, über die Jugoslawien-Politik der Europäischen Gemeinschaft oder über die GATT-Verhandlungen illustriert auch nachweislich der Meinungsumfragen diese Möglichkeit. Man wird versuchen, solche Spannungen zu minimieren, verhindern lassen sie sich nicht, und wie stark sie das europäische Staatensystem künftig erschüttern, weiß niemand.

Die Grenzen der Vertiefung, der Zwang zur Erweiterung und die Notwendigkeit, Europa als Ganzes zu konzipieren, lassen alle jene frustriert zurück, die aus der Staatlichkeit Deutschlands in eine quasi-staatliche Politische Union ausbrechen möchten. Wenig spricht also dafür, daß Deutschland dem Dilemma seiner Größe auf dem langen Weg nach Europa wird entkommen können.

RENATIONALISIERUNG – EINE GEFAHR?

Günstiger steht es mit jenem Element des deutschen Dilemmas, das sich aus dem Nationalbewußtsein ergeben könnte. Das Nationalbewußtsein im EU-Bereich

ist mit dem völkischen Nationalismus der Epochen vor Beginn der fünfziger Jahre
nicht mehr vergleichbar. In der Bundesrepublik selbst dominieren individualistische,
universalistische, utilitaristische und durchweg säkulare Einstellungen – kein Gedanke
mehr an die Quasi-Religiosität eines aufs deutsche Volk oder auf das Deutsche Reich
fixierten Nationalismus jener Jahrzehnte, in der die Deutschen dumpfer, hochmütiger,
ängstlicher, provinzieller und viel weniger klug gewesen sind.

Was als »Nationalismus« in der EU auftritt, ist der Egoismus partikulärer Wirtschaftsgesellschaften, national geprägter Kulturen und die Binnenzentrierung moder-
ner Demokratien. Mit dem altertümlichen Nationalismus von ehedem hat dies wenig
mehr gemein, auch nicht mit dem Tribalismus auf dem heutigen Balkan oder im
Kaukasus.

Wird der so ganz offenkundig unvernünftige ethnische Nationalismus des Ostens
und Südostens auch die postmodernen Staaten des westlichen Europa anstecken?
»Renationalisierung«, wie das wenig überlegte Schlagwort lautet, aufgrund von
Nachahmung?

Zweifel sind am Platz. Erscheinungsformen und Folgen des ethnischen Nationalismus sind so abstoßend, daß in den post-nationalen Demokratien im EU-Bereich
dessen Delegitimierung wahrscheinlicher ist als die Wiederbelebung. Deutsche, Franzosen, Italiener und Briten brauchen sich gar nicht ihrer eigenen Vergangenheit zu
erinnern, um ethnischen Nationalismus als sehr unbekömmlich zu empfinden. Es
reicht, den Blick auf Kroatien, Bosnien, Serbien oder auf die Kaukasus-Region zu
richten.

Das gilt durchaus auch für Deutschland. Es hat die romantische Narrenphase des
völkischen Nationalismus hinter sich.

AMBIVALENZ DER MITTELLAGE

Problematischer steht es mit jenem Ensemble von Bedingungen, das in dem Be-
griff »Mittellage« erfaßt wird. Deutschland ist in der Tat wieder der europäische
Zentralstaat, und zwar ein Zentralstaat am Rande zweier Welten. Es ist der östlichste
Staat des weitgehend konsolidierten Westens, zu allem hin auch noch dessen stärkster
Staat, muß sich aber gleichzeitig als Akteur im Aufbau- und Spannungsfeld des
postkommunistischen Ostens bewähren.

Seit 1990 hat Deutschland diese Aufgabe mit Umsicht und durchaus auch mit
Verantwortungsgefühl angepackt. Doch werden die Spannungen, Enttäuschungen und
Konflikte ausbleiben können?

Die Zukunft der Reformdemokratien und der neuen Republiken im Osten ist unsicher. Selbst wenn aus Polen, aus der Tschechischen und der Slowakischen Republik,
aus Ungarn, aus Slowenien – um nur die am nächsten gelegenen zu nennen – wie
durchaus zu erhoffen, auf Dauer stabile Demokratien und funktionierende Marktwirtschaften werden, bleibt naturnotwendig eine vergleichsweise lange Übergangszeit
bis zur Vollmitgliedschaft in der Europäischen Union.

In dieser Phase wird Deutschland als stärkster Nachbar des EU-Systems auf das Wirtschaftsleben in diesen Nachbarrepubliken starken Einfluß nehmen und zugleich Kritik auf sich ziehen, wenn sich die Europäische Union wie bereits absehbar, protektionistisch und unsensibel verhält. Soll es sich dabei sehr nachdrücklich zum Sachwalter der Višegrád-Gruppe machen oder wird es unter Verweis auf die Widerstände in der EU seinerseits bremsen? Ressentiments bei allen Beteiligten sind jedenfalls fast unvermeidlich.

Probleme würden sich aber erst recht einstellen, falls in einzelnen der Nachbarstaaten oder in allen, ähnlich wie seinerzeit in der Zwischenkriegszeit, die Entwicklung zur Demokratie rückläufig würde. Dabei könnten sich aus unerwünschten Entwicklungen in dem sehr labilen Bereich der Gemeinschaft Unabhängiger Staaten und in den baltischen Staaten leicht zusätzliche Komplikationen ergeben. Ob es der EU oder der NATO dabei immer gelingen wird, eine schlüssige und einheitliche Politik gegenüber dem Großraum im Osten und Südosten zustande zu bringen, ist fraglich. Die Erfahrungen von nunmehr schon drei Jahren westlicher Jugoslawien-Politik sprechen eher dagegen.

Anders als viele Partner in den westlichen Regelkreisen, die von Mitteleuropa, Osteuropa und Südosteuropa entfernt liegen, kann sich Deutschland jedoch den Problemen dieser Regionen überhaupt nicht entziehen, selbst wenn es dies versuchen wollte. Auch Nichthandeln oder deutscher Isolationismus wäre durchaus ein Handeln.

Manche Beobachter fürchten, in den Staaten des Ostens könne eine Art »Lateinamerikanisierung« Platz greifen. Das hieße: politische Labilität der Systeme mit häufigem Wechsel von autoritären Militärdiktaturen und von Zivilregierungen; Unfähigkeit, eine international wettbewerbsfähige Marktwirtschaft aufzubauen; Fortdauer unproduktiver staatswirtschaftlicher Sektoren; Inflation; Emigration; Verarmung erheblicher Teile der Bevölkerung. Daß sich daraus im Osten eine Mixtur von nationalistischer Selbstbezogenheit, von populistischem Nationalismus und von antiwestlichen Ressentiments ergeben könnte, ist unschwer vorauszusehen.

Leicht könnte somit das benachbarte, sehr große und starke Deutschland in eine Rolle geraten, die derjenigen der USA gegenüber Mittelamerika und Südamerika in gewisser Hinsicht vergleichbar wäre. Daß auch in Deutschland seit längerem, ähnlich wie in den USA, ein ungeschiedenes Nebeneinander von hochgemutem außenpolitischem Idealismus und egoistischer Realpolitik auftritt, wirkt zudem erschwerend. Die Gefahr, daß die Bundesrepublik nicht allein wegen ihrer Überlegenheit und wegen angeblich zu geringem Entgegenkommen ressentiert wird, sondern auch zu allem hin noch als ein Land, das beispiellose Heuchelei praktiziert, würde die Beziehungen nicht eben erleichtern.

Dies alles muß nicht eintreten, kann aber durchaus eintreten, und selbst wenn Deutschland einen Teil der Last auf die Europäische Union abschieben möchte, dürfte es sich den hier skizzierten Schwierigkeiten kaum entziehen können.

Aus Sicht der EU-Partner könnte Deutschland, das aus Eigeninteresse und aus Verantwortungsgefühl für eine sehr entgegenkommende, engagierte EU-Politik gegenüber dem Osten wirbt, zwar nicht bereits als ein »östliches Land« gelten, aber doch als eine Macht, die man schon deshalb wenig schätzt, weil sie eine recht selbstsüchtige Gemeinschaft wohlhabender Staaten mit den Problemen von Unordnung und Armut vor der eigenen Haustür konfrontiert, ja konfrontieren muß.

Möglicherweise könnte sich im Verlauf solcher Schwierigkeiten die wohl auf absehbare Zeit noch hochgemute, verantwortungsvolle Einstellung in einer breiten deutschen Öffentlichkeit gegenüber Polen und anderen Staaten des Ostens oder Südostens verändern. Protektionistischer Egoismus, Verachtung, Angst vor den Labilitäten in diesem Raum, Fremdenfeindlichkeit oder auch pazifistischer Neutralismus wären nicht auszuschließen. Damit würde im Verhältnis zu einem Teil der slawischen Nachbarn genau jene negative Grundeinstellung wieder zurückkehren, deren zeitweiliges und partielles Vorherrschen in den Jahrzehnten zwischen der Reichsgründung 1871 und dem Zusammenbruch 1945 nachträglich und durchaus zu Recht als folgenschwere Fehleinstellung kritisiert wurde.

Nicht die Größe Deutschlands würde also in dieser Hinsicht das deutsche Dilemma wiederkehren lassen, sondern die Größe der Probleme im Osten in Verbindung mit der fatalen Wiederkehr jener Herausforderungen, die sich aus der deutschen Mittellage ergeben.

Würde dies dann auch erneut zu jener Labilität deutscher Außenpolitik, vielleicht auch der Innenpolitik führen, in der man eine psychologische Grundstimmung sowohl des Kaiserreichs als auch der innerlich zerrissenen Weimarer Republik erkannt hat? »Das ruhelose Reich 1866-1918« (Michael *Stürmer*), »Angst, Aggressivität, Überheblichkeit, Rücksichtslosigkeit, Selbstgefälligkeit, Minderwertigkeitskomplex, Sentimentalität« als »typischer Teil des deutschen Charakters«,[26] Sorge vor dem »Unsteten und Schaukelnden der deutschen Außenpolitik« (Konrad *Adenauer* im Jahr 1926)[27] – derartige Charakteristiken, denen sich zahllose weitere zur Seite stellen ließen, verdeutlichen das Gemeinte.

»Das vereinte Deutschland war«, so resümiert Timothy *Garton Ash* die neue Gegebenheit des 3. Oktober 1990, »ob es das wollte oder nicht, wieder einmal eine führende Macht in der Mitte eines unvereinten Europas«.[28] Daß es die Probleme der Mittellage diesmal in geläutertem Geist bewältigen möchte, ist evident. »So ist dieses Land immer wieder Neuland geworden, in Aktion und Reaktion neu geprägtes, neu in Form gebrachtes Land. So hat es immer wieder Neues auszustrahlen vermocht, das ihm selber zugewachsen war ...«, hat Carlo *Schmid* 1966, also inmitten einer Teilungsphase der deutschen Geschichte, optimistisch formuliert.[29] Diese Grundeinstellung hält weiterhin an.

---

26 Protokoll des Deutschland-Seminars von Chequers, 24.3.1992, in: *Wengst*, a.a.O. (Anm. 16), S. 122.

27 Vgl. Paul *Weymar*, Konrad Adenauer. Die autorisierte Biographie, München 1955, S. 132 f. sowie *Schwarz*, Adenauer. Der Aufstieg, 1876-1952, Stuttgart 1986, S. 306.

28 *Garton Ash*, a.a.O. (Anm. 2), S. 521.

29 Carlo *Schmid*, a.a.O. (Anm. 11), S. 299 f.

Doch das deutsche Dilemma bleibt gleichfalls und wird wohl auch künftig, Maastricht hin oder her, »dem Land allzeit etwas Schillerndes« geben.[30] *Napoleons* Diktum, Deutschlands Naturzustand sei das Werden, nicht das Sein[31], weist ebenso auf das deutsche Dilemma wie Friedrich *Nietzsches* häufig zitierte Feststellung, die Deutschen »sind von vorgestern und übermorgen, sie haben noch kein Heute«[32] oder sein Hinweis, der typisch deutsche Begriff »Entwicklung« arbeite daran, »ganz Europa zu verdeutschen«.[33] Wenn heute gerne an Thomas *Manns* schöne Formulierung aus dem Jahr 1953 erinnert wird, die deutsche Jugend solle ein »europäisches Deutschland« anstreben, nicht ein »deutsches Europa«[34] kann man diese skeptischere Feststellung *Nietzsches* doch nicht ganz vergessen.

Am gutem Willen einer großen Mehrheit der Deutschen, das unentrinnbare Dilemma ihrer Lage in Europa endgültig zu lösen, ist heute kein Zweifel möglich. Aber ein echtes Dilemma bleibt letzten Endes unlösbar und bewirkt immer wieder einmal Existenzgefährdung.

Das deutsche Dilemma stellt sich zwar gegenwärtig weniger brisant dar als je in der Geschichte des Deutschen Reiches. Wenn aber Richard *von Weizsäcker* mit Blick auf die Verträge von Maastricht in der Sprache Kanaans bemerkt hat, sie eröffneten Deutschland »die Möglichkeit, aus der Mittellage erlöst zu werden«[35] so ist daran zu erinnern, daß Erlösung der gefallenen Welt eine chiliastische Erwartung ist. Daß das 21. Jahrhundert die Chance bieten möge, ein »europäisches Jahrhundert« zu werden, ist zu hoffen. Doch bleibt zu befürchten, daß es für das deutsche Dilemma keine Endlösung gibt.

---

30 *Ebd.*, S. 300.
31 Zit. nach *Garton Ash*, a.a.O. (Anm. 2), S. 558.
32 Friedrich *Nietzsche*, Jenseits von Gut und Böse, Nr. 240, Werke in drei Bänden, Bd. 2, München 1966, S. 706.
33 Ebd., S. 710.
34 Am 8.6.1953 vor Hamburger Studenten. Thomas *Mann*, Politische Schriften. Werke, Bd. III, Frankfurt 1960, S. 360.
35 Richard *von Weizsäcker*, Meilenstein Maastricht, in: *Bulletin* (Presse- und Informationsamt der Bundesregierung), Nr. 42, 15.4.1992, S. 385 f.

WERTGRUNDLAGEN DER DEUTSCHEN AUSSENPOLITIK

Ludger Kühnhardt

BEGRIFFSBESTIMMUNG

Das Institut für Demoskopie Allensbach hat die Deutschen nach ihrer Selbsteinschätzung befragt. Fleißig, ordentlich, sauber, pünktlich, ehrgeizig, alles sehr genau nehmend, erfinderisch, zuverlässig, sparsam, ausdauernd – erst dann folgen Intelligenz (37 Prozent der Westdeutschen, 47 Prozent der Ostdeutschen) und Liebe zum eigenen Land (35 Prozent der Westdeutschen, 45 Prozent der Ostdeutschen).[1] Von übertriebenem Nationalismus als Grundeigenschaft kann auf der Grundlage dieser Befunde kaum gesprochen werden. Das Institut für Demoskopie fragte die Deutschen auch, was sie meinen besser zu können als andere Völker; Mehrfachnennungen waren möglich. Autos bauen, Musik komponieren, wissenschaftlich forschen, sichere Reaktoren bauen, neue Sachen erfinden, Bücher schreiben, Schiffe bauen – hier sehen sich Deutsche vor Franzosen, Amerikanern und Engländern. Politik, gar Außenpolitik zu gestalten – vielleicht war dies keine mögliche Antwort – taucht in der Ergebnistabelle zum Selbstverständnis der Deutschen nicht auf.[2]

Und doch sind die fast 80 Millionen Deutschen gefordert, die Ordnung ihres Zusammenlebens zu gestalten und die Rolle ihres Landes in der Welt zu bestimmen. Sind ihre selbstbenannten Charakterzüge die Grundlage ihrer politischen Tugenden? Wertgrundlagen in der Politik entstehen gewiß auch aus den ins Kollektive gewendeten Verhaltensweisen eines Volkes. Sie werden aber nicht weniger definiert von den politisch-programmatischen Absichtserklärungen jener, die in den Institutionen und Strukturen der Politik aktiv auf diese Einfluß nehmen. Bürgerschaft und politische Elite sind gleichermaßen abhängig von den Erfahrungsbeständen des kollektiven Gedächtnisses sowie von den spezifischen Umständen einer politischen Entscheidungssituation oder eines politischen Prozesses, um die Wertgrundlagen ihres politischen Verhaltens bzw. ihrer politischen Absichten zu bezeichnen. Wertfestlegungen erwachsen aus Entscheidungssituationen. Sie werden mithin ebenso von außen an die Akteure der Politik – oder die Wählerschaft insgesamt – herangetragen wie sie in gestalterischer und rahmengebender Absicht, zum Zwecke der eigenen Selbstvergewisserung und der handlungsleitenden und zielbestimmenden Stütze formuliert werden. Wertgrundlagen sind folglich kontextspezifisch, schwer meßbar und einem eigentümlichen Verhältnis von Verstetigung und Wandel unterworfen. Sie können als Theorie oder Vision das Handeln beeinflussen, sie können aus den realen Zuständen entstehen, um diese

---

1 Vgl. Elisabeth *Noelle-Neumann*/Renate *Köcher* (Hrsg.), Allensbacher Jahrbuch der Demoskopie 1984-1992, München 1993, S. 503.
2 Vgl. ebd., S. 507.

normativ zu legitimieren oder zu verändern. Von Wertgrundlagen in der Politik ist bekannt, daß es sie gibt und ebenso, daß es schwierig ist, sie zu messen, in ihrer Reichweite und Wirkungskraft präzise zu erfassen.[3]

»Weltverständnis und Ideologie als Faktoren auswärtiger Politik«, so Gottfried-Karl *Kindermann*, erwachsen aus anthropologischen Bedingungen der »Wahrnehmung von Daseinslagen«.[4] Sie sind historisch deutend und prognostisch weiterentwickelnd. Da die Umstände sich wandeln, ändern sich auch die Vorstellungen über die Umstände. Wertgrundlagen in der Politik sind, so muß zunächst festgehalten werden, dynamisch. Sie können dem Wandel unterliegen oder ihn beeinflussen. Sie sind eine feste Größe der Politik, zugleich aber in ihrer Reichweite oftmals vage.

Präzisiert und eingegrenzt wird der Begriff »Wertgrundlagen«, wenn man ihn in zwei Bestandteile auflöst: Ideale und Interessen. Damit ist der normative und der realpolitische Horizont umschrieben, in dem jede Politik steht. Ideale und Interessen bedingen einander und wirken auf die Optionen ein, die der Politik gegeben sind. Sie stehen allerdings nicht im luftleeren Raum, sondern in einem wechselseitigen Bedingungsverhältnis mit den politischen Rahmenbedingungen, den politischen Mitteln und den Handlungsspielräumen, die jeder Politikgestaltung durch andere Akteure gesetzt sind. Vor diesem Hintergrund ist nach den Wertgrundlagen der deutschen Außenpolitik zu fragen.

Die Annäherung an das Thema kann nur historisch und strukturell gelingen. Vor dem Hintergrund der großen weltpolitischen Entwicklungslinien des 20. Jahrhunderts muß die Frage in das Licht der außenpolitischen Rahmenbedingungen gestellt werden. Nach dem Dreißigjährigen Weltkrieg zwischen 1914 und 1945[5] hatte sich ein grundlegender Einschnitt in der Weltpolitik vollzogen. Für die Deutschen war er verbunden mit der Erfahrung, in zwei scharf voneinander getrennten Ländern zu leben. Für die Welt markierte der Ost-West-Konflikt die zentrale Grundtatsache der internationalen Politik. Bezeichnenderweise vollzogen sich 1990 die Überwindung des Ost-West-Konflikts und die Überwindung der Teilung Deutschlands zeitgleich.

Die Epoche von 1945, dem Ende des großen Orlogs, bis 1990, dem Ende von binärem Weltkonflikt und geteiltem deutschen Volk, markiert einen Zeitabschnitt, in dem die außenpolitischen Interessen und Ideale der Deutschen in fundamentaler Weise getrennt voneinander, wenn nicht gegenläufig zueinander waren. Die Wertgrundlagen der Außenpolitik der beiden deutschen Staaten waren zutiefst gegenläufig, aber noch darin aufeinander bezogen. Sie nährten sich aus dem Gegensatz zueinander und der schicksalhaften Verbundenheit miteinander. Insofern hat ein Rückblick auf die

---

3 Dies ist trotz der weit vorangetriebenen behavioristischen Wissenschaftsschulen nicht prinzipiell leichter geworden. In bezug auf Werte und öffentliches Verhalten in Deutschland reicht dieser Forschungsstrang vor allem zurück auf Gabriel *Almond*/Sidney *Verba*, The Civic Culture and Democracy in Five Nations, 4. Auflage, Princeton 1972.

4 Gottfried-Karl *Kindermann*, Weltverständnis und Ideologie als Faktoren Auswärtiger Politik, in: *ders.* (Hrsg.), Grundelemente der Weltpolitik. Eine Einführung, 3. Auflage, München 1986, S. 145-164; hier S. 145.

5 Vgl. Georg *Franz-Willing*, Der Zweite Weltkrieg. Ursachen und Anlaß, Leonie 1979, S. 10.

historischen Rahmenbedingungen der Wertgrundlagen der deutschen Außenpolitik die doppelte deutsche Erfahrung, die zweigeteilte Interessen- und Ideenorientierung der einstigen beiden deutschen Staaten, zu berücksichtigen. Diese nationale Doppelperspektive verschränkt sich mit den welt- und bündnispolitischen Konstellationen, die für beide deutsche Staaten diametral entgegengesetzt waren, aber asynchronen Wandlungen und Verwerfungen unterlagen.

Vor dem Hintergrund dieser historischen Rückerinnerung gilt es, die Ausgangsbedingungen der Wertgrundlagen der deutschen Außenpolitik nach der nationalen Wiedervereinigung und der Veränderung der weltpolitischen Gesamtarchitektur zu befragen. Mithin geht es darum, ob und in welcher Weise die Bestimmungsbedingungen der außenpolitischen Wertgrundlagen der Deutschen sich gewandelt haben und welche Folgerungen sich aus der »Welt nach 1989« ergeben. Der Zugriff zu diesem Themenkomplex geschieht durch den Blick auf drei Ebenen: die staats- und völkerrechtliche, die Verbindlichkeit beansprucht, die politisch-programmatische, die Positionen festzulegen sucht und ihrerseits der Interpretation unterliegt, und schließlich die demoskopisch-meinungsbezogene, die die Stimmungen und Strömungen, aber auch die Fixpunkte und Forderungen der Bevölkerung reflektiert.

HISTORISCHE RAHMENBEDINGUNGEN: DIE DOPPELTE DEUTSCHE ERFAHRUNG

»Deutschland« war nach 1945 die zentrale außenpolitische Kategorie der Deutschen. Die aus Kriegsniederlage und Besetzung hervorgegangene Teilung des Landes »in der Mitte Europas« wurde zum vorrangigen Referenzpunkt der außenpolitischen Orientierungen der Deutschen. Zunächst sahen sie sich und sah die Welt sie als Objekt des Entscheidungswillens anderer. Die Deutschen selbst suchten sich schrittweise zumindest zu einem Rädchen im Räderwerk der weltpolitischen Weichenstellungen zu entwickeln, um so die zukünftigen Spielräume ihrer eigenen Existenz auszudehnen und mitzubeeinflussen.[6]

Zwischen 1945 und 1949 fielen die Weichenstellungen für die nächsten vier Jahrzehnte. Hitlers Krieg und Stalins Sieg fanden unter den Deutschen fundamental gegensätzliche Schlußfolgerungen. Einig waren sich all jene, die den Nationalsozialismus überwinden wollten oder auch nur aus dem Schatten seiner Konsequenzen zu treten suchten, einzig in einer Hinsicht. Sie wollten Frieden und eine neue, würdige Lebensperspektive für sich selbst und für den Kontinent. Unklar war schon, auf welchem Wege dies geschehen solle: in Form freiheitlich-rechtsstaatlich verfaßter demokratischer Ordnung oder unter der Perspektive der Errichtung einer sozialistischen Gesellschafts- und Staatsordnung. Noch umstrittener aber war, in

---

6 Vgl. Hans-Peter *Schwarz*, Vom Reich zur Bundesrepublik. Deutschland im Widerstreit der außenpolitischen Konzeptionen in den Jahren der Besatzungsherrschaft 1945-1949, 2. Auflage, Stuttgart 1980; Christoph *Kleßmann*, Die doppelte Staatsgründung. Deutsche Geschichte 1945-1955, Göttingen 1984 und Institut für Internationale Beziehungen Potsdam-Babelsberg (Hrsg.), Geschichte der Außenpolitik der DDR. Ein Abriß, Berlin 1984.

welcher Weise Deutschland, von dessen diktatorischer Führung der schreckliche Krieg ausgegangen und dessen Volk sein letztes Opfer geworden war, in Zukunft gesehen werden sollte: geteilt oder einig, neutral oder zugunsten des Ostens oder des Westens optierend. Moralische und politisch-normative Überlegungen standen neben solchen Vorstellungen, die das Land in der Mitte Europas strategisch dachten. Deutschland selbst aber hatte zunächst keine Wahl und mußte sich den Entscheidungskräften beugen, deren Kraftzentren außerhalb Deutschlands lagen.

In die Teilungsentscheidungen flossen historische, strategische und wertbezogene Überlegungen mit ein, nicht weniger aber auch ökonomische. Die schicksalsträchtigen Akteure saßen außerhalb des Landes. Der Bruch unter den vier Kriegsalliierten war vorprogrammiert. Die USA, Großbritannien und Frankreich auf der einen Seite, die Sowjetunion auf der anderen Seite sahen das allseits besetzte Deutschland aus verschiedenen und immer deutlicher auseinanderklaffenden Perspektiven.

Deutschland sollte als militärische Macht keine Rolle mehr spielen. Insoweit waren die Mächte sich noch einig. Die drei Westalliierten hatten übereinstimmend die Absicht, den von ihnen verwalteten Teil Deutschlands zu einer demokratischen, rechtsstaatlichen Verfassung zu führen. Umstritten waren unter ihnen die Akzente: Die USA favorisierten ein föderales Deutschland, Großbritannien sah zeitweilig eine sozialistische Wirtschaftsverfassung als Ergänzung demokratischer politischer Bedingungen am ehesten als sinnvoll an, Frankreich setzte zunächst auf ein demokratisches, aber mehrgeteiltes Deutschland, um die Rückkehr strategischer Macht auszuschließen. Leichter hatte es die Sowjetunion. Ihr universalistisch-ideologisches Programm der sozialistischen Totalumwandlung ihrer Besatzungszone konnte »nur« bei den innerdeutschen Gegnern des Kommunismus Widerspruch hervorrufen. Außenpolitisch mußte sie zunächst keine Abstimmungen vornehmen.

So entstanden die zwei deutschen Staaten, die Folge der deutschen Geschichte im 20. Jahrhundert.

Die Gründungsdokumente der beiden deutschen Staaten legten Kurs und Ziele fest. Die Präambel des am 22. Mai 1949 in Kraft getretenen Grundgesetzes für die Bundesrepublik Deutschland formulierte im Bewußtsein der »Verantwortung vor Gott und den Menschen« den Willen des deutschen Volkes, »seine nationale und staatliche Einheit zu wahren und als gleichberechtigtes Glied in einem vereinten Europa dem Frieden der Welt zu dienen«.[7] Die rechtsstaatlich verfaßte innere Ordnung verstand sich als treuhänderischer Vollzug des Willens jener Deutschen, »denen mitzuwirken versagt war«.[8] Postulat und Wertbindung für die kommende Zeit blieb der Appell, daß das gesamte deutsche Volk aufgefordert sei, »in freier Selbstbestimmung die Einheit und Freiheit Deutschlands zu vollenden.«[9] Die Verfassung der DDR vom 7. Oktober 1949 war, nicht weniger definitiv, »von dem Willen erfüllt, die Freiheit und die Rechte des Menschen zu verbürgen, das Gemeinschafts- und Wirtschaftsleben

---

7 Ingo *von Münch* (Hrsg.), Dokumente des geteilten Deutschland, Bd. I, 2. Auflage, Stuttgart 1976, S. 91.
8 Ebd.
9 Ebd.

in sozialer Gerechtigkeit zu gestalten, dem gesellschaftlichen Fortschritt zu dienen, die Freundschaft mit allen Völkern zu fördern und den Frieden zu sichern«.[10] Deutschland wurde als »unteilbare demokratische Republik« definiert, mit einer einzigen Staatsbürgerschaft. Zur Pflicht der Staatsgewalt wurde es gerechnet, »zu allen Völkern« freundschaftliche Beziehungen zu unterhalten: »Kein Bürger darf an kriegerischen Handlungen teilnehmen, die der Unterdrückung eines Volkes dienen«.[11] Beiden deutschen Staaten ging es um Frieden. Beide strebten nach Souveränität und erhoben den Anspruch, den Willen der Deutschen zu einer selbstbestimmten Ordnung zu repräsentieren. Beide standen vor dem Ziel, die negative Kontrolle, der sie unterlagen, zu überwinden. Beide schlugen aber diametral entgegengesetzte Wege ein.

Diese wurden durch die Wertentscheidungen bestimmt – teilweise aber zugleich auch wieder gehemmt –, die in den pathetischen Verfassungstexten zum Ausdruck gebracht worden waren. Die Bundesrepublik Deutschland suchte die Anerkennung ihrer Souveränität über einen innenpolitischen Weg der Stärkung der rechtsstaatlich-demokratischen Strukturen und über einen außenpolitischen Weg der Vertrauensbildung, verbunden mit dem Anspruch, das Selbstbestimmungsrecht aller Deutschen einzufordern. Die Deutsche Demokratische Republik suchte die Anerkennung als Verkörperung der sozialistischen Antithese zur deutschen Geschichte, was sich in den ersten Jahren nicht so problemlos in Übereinstimmung zwischen Innen- und Außenpolitik bringen ließ. Im Inneren hatte man, teils gefördert durch die machtbewußten deutschen Kommunisten, die aus dem Moskauer Exil zurückgekehrt waren, teils gedrängt von der sowjetischen Besatzungsmacht, eine klare kommunistische Weichenstellung begonnen: Einführung einer Einparteienherrschaft mit Wahrheitsmonopol, Umwandlung der Wirtschaftsordnung auf staatlich gelenkte Zentralverwaltungsstrukturen, Treueschwur gegenüber dem weltrevolutionären Pathos der Sowjetunion. Bei all diesen Bemühungen setzte die DDR-Führung in den ersten Jahren des Neustaats auf ein sozialistisch-revolutionäres Ideenprogramm, ohne sicher sein zu können, von der Vormacht des sozialistischen Lagers tatsächlich gewünscht zu sein. Die Sowjetunion hatte durchaus ihre eigenen Vorstellungen in bezug auf Deutschland. Der ideologische Anspruch auf Sozialismus-Expansion überlappte sich mit der faktischen militärischen Präsenz der Sowjetunion im Herzen Europas. Die militär-strategischen Überlegungen ließen es aus sowjetischer Sicht aber auch möglich erscheinen, die Option eines neutralisierten ungeteilten Deutschland zu erwägen. Die DDR konnte in den formativen Jahren ihrer inneren Stabilisierung nicht wissen, ob sie nicht doch zur außenpolitischen Verfügungsmasse des großen Bruders werden würde.[12]

Die Wertgrundlagen der DDR standen in eigentümlichem Spannungsverhältnis zu den Interessen der Staatsführung. Erst mit der Verschärfung der weltpolitischen

---

10 Ebd., S. 301.
11 Ebd., S. 302.
12 Vgl. Alexander *Fischer*, Außenpolitische Aktivität bei ungewisser sowjetischer Deutschland-Politik (bis 1955), in: Hans-Adolf *Jacobsen* et al. (Hrsg.), Drei Jahrzehnte Außenpolitik der DDR. Bestimmungsfaktoren, Instrumente, Aktionsfelder, München 1979, S. 51-84; hier S. 51 ff.

Verhärtung nach *Stalins* Tod 1953 begann sich eine Entlastung für die DDR abzuzeichnen: Ihr Eintreten für den Sozialismus nach innen wie nach außen und die verläßliche Garantie der Sowjetunion, auf diesem Weg Richtung und Sicherheit zu geben, begannen übereinzustimmen. Am 25. März 1954 gewährte die Sowjetunion der DDR Souveränität, am 14. Mai 1955 wurde der »Vertrag über Freundschaft, Zusammenarbeit und gegenseitigen Beistand« (Warschauer Vertrag) geschlossen, am 28. Januar 1956 wurden die Streitkräfte der DDR in die Vereinten Streitkräfte des Warschauer Paktes eingegliedert.

Oberstes außenpolitisches Interesse wurde es nun, außerhalb des eigenen Bündnissystems Anerkennung zu gewinnen.

Damit war die DDR-Führung in ihren außenpolitischen Interessen wieder auf die Bundesrepublik Deutschland zurückverwiesen. Die beiden geteilten und in ihren weltanschaulichen Grundlagen diametral entgegengesetzten Staaten der einen Nation blieben aneinandergekettet. Ihre Ideale und Interessen in gestalterische Politik übersetzen zu wollen, hieß stets, mit dem anderen deutschen Staat rechnen zu müssen.

Dies galt unter umgekehrten Vorzeichen auch für die Bundesrepublik Deutschland. Ihre Anerkennung durch die drei Westmächte, die die Besatzung des westlichen Deutschland wahrnahmen, wurde insofern zu einer rascheren und vertrauensschöpfenden Gewißheit, als normative und strategische Interessen der Westmächte in bezug auf die Bundesrepublik Deutschland übereinstimmten. Man wollte ein denazifiziertes, demilitarisiertes und demokratisiertes Deutschland. So lange wie die Sowjetunion ihren strategisch-ideologischen Radius bis auf die DDR ausdehnen wollte und auszudehnen wußte, wurde die Bundesrepublik nicht nur ein Objekt der weltanschaulichen Transformationsabsichten der Westmächte, sondern zugleich ihr Bollwerk gegenüber der Welt des Kommunismus. Sollte die Sowjetunion sich zurückziehen wollen, so konnte nur eine Wiedervereinigung Deutschlands nach westlichen Maßgaben in Frage kommen. Insoweit trat eine Deckungsgleichheit zwischen den Wertgrundlagen der westdeutschen Außenpolitik und den normativen wie strategischen Absichten der Westmächte ein.

Am 26. Mai 1952 wurde im Generalvertrag (Artikel 7) zwischen der Bundesrepublik Deutschland, den USA, Großbritannien und Frankreich die gemeinsame Absicht erklärt, »daß ein wesentliches Ziel ihrer gemeinsamen Politik eine zwischen Deutschland und seinen ehemaligen Gegnern frei vereinbarte friedensvertragliche Regelung für ganz Deutschland« sei.[13] In den Pariser Verträgen wurde am 23. Oktober 1954 das Besatzungsregime beendet und die Aufnahme der Bundesrepublik Deutschland in den Nordatlantikpakt (NATO) vereinbart. Am 5. Mai 1955 (dem Tag des informellen Inkrafttretens der Pariser Verträge) wurde der westdeutsche Kernstaat souverän mit allerdings fortwirkenden alliierten Vorbehaltsrechten in bezug auf Berlin und Deutschland als Ganzes.

Die Bundesrepublik Deutschland vollzog in der Folgezeit den Weg von der negativen zur positiven Kontrolle. Ihre aktive, ja treibende Mitwirkung in den neu

---

13 *Von Münch*, a.a.O. (Anm. 7), S. 232.

entstehenden Bemühungen um die westeuropäische Integration und ihre loyale, aus Sicherheitsbedürfnis und wachsender innerer Überzeugung genährte transatlantische Orientierung ließen die Bonner Republik Schritt um Schritt zu einem verläßlichen, ja geachteten Partner der westlichen Staatenwelt werden. Das Ziel der nationalen Wiedervereinigung ließ sich indessen nicht verwirklichen. Sowohl die zeitweilig versuchte Blockade der DDR bei ihrem Weg zu einer internationalen Anerkennung (Hallstein-Doktrin), als auch alle Versuche, auf der breiten Klaviatur positiver Anreize zu fundamentalen Veränderungen des Status quo zu gelangen, liefen ins Leere. Die ungelöste deutsche Frage bestimmte die außenpolitischen Orientierungen der westdeutschen Republik. Sie beförderte ihre Aufnahme in die westlichen Schutz- und Integrationsbündnisse in gleichem Maße wie sie ihre eigene Bewegungsfreiheit beeinträchtigte. »Deutschland« blieb in der »Deutschland-Politik« ein Doppelanliegen von Innen- und Außenpolitik, von innenpolitischen Hoffnungen bzw. Befürchtungen und von außenpolitischen Sicherheitsbedürfnissen bzw. Veränderungserwartungen.

Die Situation in der DDR verhielt sich spiegelbildlich. Sie suchte nach Anerkennung und Erweiterung ihrer Handlungsmöglichkeiten, indem die Führung des Staates sich im Inneren an einen gezielten, vor Brutalität nicht zurückschreckenden Umgestaltungsprozeß Ostdeutschlands mit der Absicht machte, entgegen der zunächst verbal bekundeten Wiedervereinigungsabsichten den Tatbestand der Einheit der Nation Schritt um Schritt zu eliminieren.

Während die eine Seite die Zukunft eines rechtsstaatlich geeinten Deutschland als Antwort auf die innen- wie außenpolitischen Katastrophen in der ersten Hälfte des 20. Jahrhunderts sah, verstand die andere Seite sich als sozialistische Antithese zur deutschen Geschichte, die mit allen bisherigen sozialen Ungleichheiten aufgehoben, überwunden werden sollte. Je mehr beide Seiten sich trotz Wiedervereinigungspathos und Selbstbestimmungsanspruch auf Grund außenpolitischer Souveränitätsabsicht und ideologisch gegenläufiger innerer Entwicklung voneinander entfernten, umso deutlicher mußte werden, daß die deutsche Frage »unlöslicher denn je mit dem Ost-West-Konflikt verknüpft« war.[14]

Die Mauer teilte und sie zeigte darin noch symbolhaft, was naturgemäß zusammengehörte. Wertgrundlagen und Interessen beider deutschen Staaten blieben auf Mauer und Brandenburger Tor fixiert. Die Bundesrepublik akklamierte den Selbstbestimmungsanspruch und das Alleinvertretungsrecht aller Deutschen. Die deutsche Frage, so Bundespräsident Richard *von Weizsäcker* Mitte der achtziger Jahre, bleibe so lange offen wie das Brandenburger Tor geschlossen sei.[15] Die DDR suchte diesen Legitimitätsstachel im Fleisch ihrer Existenz innen- wie außenpolitisch zu überwinden: einerseits durch konsequente Umverwandlungsversuche Ostdeutschlands von einem

---

14 Karl Dietrich *Bracher*, Europa in der Krise. Innengeschichte und Weltpolitik seit 1917, Frankfurt 1979, S. 311.
15 Vgl. Richard *von Weizsäcker*, Die deutsche Geschichte geht weiter, Berlin 1983.

Teilstück der deutschen Nation zu einer eigentümlichen sozialistischen Nation, andererseits durch eine außenpolitische Absicherung und Handlungserweiterung aufgrund internationaler Anerkennung.[16]

Vertragspolitik und Spannungsbeherrschung mündeten im Verhältnis zueinander in eine Umgangsform des kooperativen Waffenstillstands. Es konnte dadurch nicht verhindert werden, daß immer wieder neue Konflikte und Konfrontationen auftraten: Schießbefehl und Zwangsumtausch einerseits, die Erfassungsstelle für DDR-Straftaten in Salzgitter und das trotz innenpolitischer Anfechtung durch Teile der SPD und der Publizistik ungebrochene Festhalten der Bundesrepublik an einer einheitlichen deutschen Staatsbürgerschaft andererseits blieben Gründe des Streites.

Die Bundesrepublik pendelte, allzumal im Kontext des seit 1975 verstetigten Helsinki-Prozesses der »Konferenz über Sicherheit und Zusammenarbeit in Europa« (KSZE), ihren deutschlandpolitischen Konsens in dem Ziel ein, menschliche Erleichterungen zu erreichen und die Grenzen durchlässiger werden zu lassen. Der durchaus erfolgreiche deutschlandpolitische Pragmatismus überwand nicht die Prinzipien und Rechtspositionen, wenngleich diese zuweilen und je länger je mehr rhetorisch erscheinen mußten.

»Deutschland-Politik«, das Taktieren und pragmatische Finassieren nicht weniger wie alle Fundamentaldebatten, standen stets im Kontext der Gesamtorientierung der westdeutschen Außenpolitik. Konrad *Adenauers* klarer Kurs einer Westbindung erwies sich als Segen, insofern er Rahmen und Richtung Deutschlands in doppelter Hinsicht festlegte: einerseits gegenüber dem Westen, um von einem besetzten Land zu einem anerkannten Partner in den Integrationsgemeinschaften der rechtsstaatlich-demokratisch verfaßten Völker Europas – in den Europäischen Gemeinschaften (EG) – und der transatlantischen Zivilisation – in der NATO – zu werden, andererseits als Anker eines jeden ostpolitischen Ausgleichs- und Kooperationsversuchs. Die Ostpolitik der sozialliberalen Koalition wurde zum leidenschaftlichen Gegenstand der öffentlichen Kontroverse in der Bundesrepublik. In bezug auf die Wertgrundlagen der westdeutschen Außenpolitik ging es letzten Endes nicht um die Frage »Ostpolitik ja oder nein«, sondern darum, ob und inwieweit sie von der Wertgrundlage einer unzweifelhaften Westbindung entkoppelt werden und zu einer eigengewichtigen westdeutschen Option werden sollte. Das entscheidende Datum der »Wende«, des Regierungswechsels von 1982, war daher auch nicht die Fortsetzung des pragmatischen ost- und deutschlandpolitischen Kurses, sondern die Neustärkung der Westbindungen, vor allem gegenüber den USA, als Kernelement der westdeutschen »raison d'être«. Der Streit um die NATO-Nachrüstung Anfang der achtziger Jahre wurde geradezu zum zweiten Neugründungsakt der Bundesrepublik. Das Bewußtsein ihrer Wertgrundlagen und außenpolitischen Interessen wurde wie kaum zuvor geschärft

---

16 Vgl. aus DDR-Sicht: Institut für Internationale Beziehungen Potsdam-Babelsberg (Hrsg.), Außenpolitik der DDR. Drei Jahrzehnte sozialistische deutsche Friedenspolitik, Berlin 1979. Aus westdeutscher Sicht: *Fischer*, a.a.O. (Anm. 12). Wilhelm *Bruns*, Die Außenpolitik der DDR, Berlin 1985. Marcel *Bulla*, Zur Außenpolitik der DDR. Bestimmungsfaktoren – Schlüsselbegriffe – Institutionen und Entwicklungstendenzen, Melle 1988.

und auf eine neue feste Basis gestellt. Die außenpolitischen Handlungsspielräume der Bundesrepublik erweiterten sich durch die neue Klarheit ihrer Westorientierung. Dies war vielleicht der größte Erfolg der Regierung *Kohl* und ihrer Führungskraft – und machte den Weg zur späteren Wiedervereinigung in Westbindung erst frei.

In dem unübersehbar angewachsenen Schrifttum zur deutschen Frage sind alle Paradoxien der westdeutschen Handlungsansätze erörtert worden.[17] Für die politische Gestaltung blieb es eine Grundtatsache, daß mit dem Eintreten für das Selbstbestimmungsrecht aller Deutschen eine klare Einschränkung der eigenen Handlungsoptionen einherging. Europäische Einigungspolitik und Amerika-orientierte Westbindung wurden zum zweiten Grundgesetz der Bundesrepublik. Aus Bindungsbedürfnissen erwachsen, führten diese, in gemeinsamen »westlichen« Wertüberzeugungen angelegten Grundentscheidungen dennoch zu Erweiterungen des Handlungsspielraums: neue politische Partnerschaften wurden geschlossen, der außenwirtschaftliche Entfaltungsrahmen wuchs erheblich, für die ostpolitischen Bemühungen gewann der Weststaat eine Rahmenverankerung, wenngleich Mißverständnisse und Friktionen nicht ausbleiben konnten. Die Bundesrepublik Deutschland wurde wegen und trotz ihrer außenpolitischen Wertentscheidungen zum selbstgefesselten Gulliver, zum Wirtschaftsriesen ohne politische Gestaltungskraft.[18]

Stabilitätsbedürfnis und die Kompensation der ungelösten und offenbar aus westlicher Warte unlösbaren deutschen Frage beförderten jene »ratlose Normalität«,[19] die viele Beobachter von innen und außen verwirren konnte. Die Stimmen der Politik waren oftmals schriller und die publizistischen Begleittöne irritierender als der nüchterne Sinn der großen Mehrheit der Westdeutschen. Befragt nach grundlegenden Idealen und Interessen gaben sie den demoskopischen Befragern stets eher klare und klärende Antworten. Ohne Zweifel akzeptierte »die große Mehrheit der Bürger – die politisch aktiven ebenso wie die unpolitische »schweigende Mehrheit« – die Demokratie des Grundgesetzes«.[20]

Die zuweilen gehegte Sorge, es erneuere sich in der Bundesrepublik Deutschland ein antiwestlicher Nationalismus, wurde durch die demoskopischen Befunde widerlegt: 1951 äußerten sich 55 Prozent der Westdeutschen für den Vorrang der Vereinigung Deutschlands gegenüber 27 Prozent, die für den Vorrang der europäischen Vereinigung votierten. 1983 hatten sich die Einstellungen mehr als umgekehrt: 36 Prozent waren für eine vorrangige Vereinigung Ost- und Westdeutschlands, 60 Prozent für eine vorrangige Vereinigung Europas.[21] In ihrer Antwort auf die Frage nach

---

17 Vgl. u.a. Karl-Ernst *Jeismann* (Hrsg.), Einheit – Freiheit – Selbstbestimmung. Die Deutsche Frage im historisch-politischen Bewußtsein, Frankfurt 1987. Dieter *Haack* et al. (Hrsg.), Das Wiedervereinigungsgebot des Grundgesetzes, Köln 1989; Timothy *Garton Ash*, Im Namen Europas. Deutschland und der geteilte Kontinent, München 1993.

18 Vgl. Christian *Hacke*, Weltmacht wider Willen. Die Außenpolitik der Bundesrepublik Deutschland, 2. Auflage, Stuttgart 1993.

19 Werner *Weidenfeld*, Ratlose Normalität. Die Deutschen auf der Suche nach sich selbst, Zürich 1984.

20 Hans-Peter *Schwarz*, Die Westdeutschen, die westliche Demokratie und die Westbindung, in: James A. *Cooney* et al. (Hrsg.), Die Bundesrepublik Deutschland und die Vereinigten Staaten von Amerika, Stuttgart 1985, S. 85-145; hier S. 97.

21 Ebd., S. 109 auf der Basis von EMNID-Berichten.

dem Wiedervereinigungsziel verbanden die Westdeutschen Wertideale mit Realismus: Konstant wünschte die Mehrheit die Wiedervereinigung – 1981 beispielsweise, nach einer Untersuchung des Instituts für Demoskopie Allensbach, 62 Prozent –, während der »Glaube«, daß sich Ost- und Westdeutschland noch einmal wiedervereinigen würden, sehr gering schien: 1966 antworten 28 Prozent mit »ja«, 1976 nur 13 Prozent, 1984 waren es 22 Prozent.[22]

Auch in bezug auf die außenpolitische Orientierung ließen sich die Westdeutschen von klar erkennbaren Wertüberzeugungen leiten. Auf die Frage, mit welchem Land die Bundesrepublik möglichst eng zusammenarbeiten solle, wurden konstant die USA an erster Stelle genannt: von 83 Prozent 1953, von 90 Prozent 1963, von 78 Prozent 1972, von 79 Prozent 1983.[23] Bei der Alternativfrage, ob ein gutes Verhältnis zu den USA oder zur Sowjetunion präferiert werden solle, fiel die Antwort noch klarer aus: 62 Prozent favorisierten die USA 1954 gegenüber 10 Prozent Sowjetunion-Befürwortern, 53 Prozent gegenüber 12 Prozent waren es 1979, 56 Prozent gegenüber 6 Prozent bei indessen 38 Prozent Unentschiedenen 1983.[24]

Die Wertgrundlagen der deutschen Außenpolitik blieben in der politischen Umsetzung zuweilen farblos oder gar widersprüchlich. In der westdeutschen Bevölkerung aber waren die Grundorientierungen, die den außenpolitischen Kurs des Landes prägten, mehrheitsfest verankert:
– die klare Westbindung als Anker für alle Außenpolitik;
– das fortwirkende Beharren auf der Einlösung des Selbstbestimmungsrechts aller Deutschen;
– die maßvolle Öffnung gegenüber dem Osten.

Grundwidersprüche versuchte man hinter Akzentsetzungen zu verbergen. Auflösbar waren sie im Kern nicht. Der Wille, den Status quo zu ändern, brach sich mit den unvermeidlichen Notwendigkeiten, ihn nicht zu gefährden. Die Bundesrepublik Deutschland wurde zu einem innenpolitischen Land: Wohlstandsmehrungs- und Wohlfahrtssicherungsüberlegungen überlagerten das außenpolitische Denken. Indem man sich in der Behaglichkeit der neuen Stabilität und der offenbaren Unveränderbarkeit des außenpolitischen Gefüges einrichtete, erschienen Kategorien des politischen Denkens als überflüssig, die anderen Nationen durchaus zu eigen sind. Der Zusammenhang zwischen Wohlfahrtsbedürfnissen und Sicherheitsinteressen geriet ins Hintertreffen. Sicherheitsfragen wurden in gewissem Sinne abdelegiert, indem sie aus dem alleinigen Handlungsradius der Deutschen in die Integrationsgemeinschaften des Westens überführt worden waren. Zugespitzt schien es zuweilen, als sähen die Deutschen die Welt als ihren Handelsplatz – mit dem Massenwohlstand vermehrt auch als Urlaubsort –, Europa als ihr Ersatzvaterland, ohne daß die Möglichkeiten und Grenzen der EG-Integration ihnen Existenzentscheidungen aufgenötigt hätten,

---

22 Vgl. Gebhard *Schweigler*, Grundlagen der außenpolitischen Orientierung der Bundesrepublik Deutschland. Rahmenbedingungen, Motive, Einstellungen, Baden-Baden 1985, S. 119 f.
23 Vgl. *Schwarz*, a.a.O. (Anm. 20), S. 101.
24 Ebd., S. 103.

und die Amerikaner sowohl als Protektor ihrer Sicherheit und als Zeuge ihrer demokratischen Reife.

»Sicherheitspartnerschaft« erhoffte mancher nach Osten hin, aber blieb bei Annäherungen an die DDR doch an den Grenzen des westdeutschen Handlungsrahmens hängen. Mit der Westbindung blieb Ostpartnerschaft im Widerspruch, jedenfalls standen beide Konzepte von Anbeginn an in einem Spannungsverhältnis. Die westdeutsche Bevölkerung favorisierte in ihrer Mehrheit stets eine klare Prioritätensetzung, die der Westbindung Vorrang vor jedweder Art von Ostpartnerschaft zuwies. Diese Prioritätenordnung zu bestätigen wurde zum eigentlichen Kern der NATO-Nachrüstungsdebatte Anfang der achtziger Jahre. Ihren Ausgang mag man als größten, geradezu kulturgeschichtlichen Erfolg von Bundeskanzler Helmut *Kohl* bezeichnen, ohne den die spätere Wiedervereinigung nicht möglich geworden wäre. Aber bei aller Westverpflichtung blieb doch auch der Begriff der »partnership in leadership« im Verhältnis zu den USA ambivalent. Solange er als konsequenzlose Schmeichelei des westdeutschen Selbstbewußtseins gelten konnte, war er willkommen. Als die Amerikaner mögliche konkrete Folgerungen aus der neuen Rollenzuweisung an die deutschen Partner einzufordern begannen, wurde das Wort von der Führungspartnerschaft in Bonn plötzlich weniger gerne gehört. Die deutsche Lage war nicht normal und stabil und insofern konnte die politische Psychologie es auch nicht immer sein.

Das galt nicht weniger für die Deutsche Demokratische Republik. Noch in der Ablehnung der Wertorientierungen des westlichen Deutschlands wurde die Bindung aneinander und die Bezogenheit aufeinander sichtbar. Die Selbstbehauptung wurde durch Geschichtsverneinung und die von der Sowjetunion vorgegebene revolutionäre Richtung gesucht. In der Verfassung vom 9. April 1968 wurde die DDR noch als »sozialistischer Staat deutscher Nation« definiert.[25] In der Neufassung vom 7. Oktober 1974 war nurmehr vom »sozialistischen Staat der Arbeiter und Bauern« die Rede.[26] Die DDR sah sich jetzt als Vollzugsinstanz »der revolutionären Traditionen der deutschen Arbeiterklasse und gestützt auf die Befreiung vom Faschismus ... in Übereinstimmung mit den Prozessen der geschichtlichen Entwicklung«.[27] Unter Führung der marxistisch-leninistischen Partei wollte die DDR die »politische Organisation der Werktätigen in Stadt und Land« sein.[28] Die außenpolitischen Wertgrundlagen faßte das 1976 vom IX. Parteitag der Sozialistischen Einheitspartei Deutschlands (SED) verabschiedete Programm autoritativ zusammen: »In ihrer gesamten außenpolitischen Tätigkeit läßt sich die Sozialistische Einheitspartei Deutschlands von der historischen Wahrheit leiten, daß die Lebensinteressen der Deutschen Demokratischen Republik als sozialistischer Staat der Arbeiter und Bauern mit den Interessen der Sowjetunion und der sozialistischen Staatengemeinschaft übereinstimmen. Sie geht davon aus, daß die Deutsche Demokratische Republik ihre historischen Aufgaben nur im

---

25 *Von Münch*, a.a.O. (Anm. 7), S. 525.
26 Ingo *von Münch* (Hrsg.), Dokumente des geteilten Deutschland, Bd. II, Stuttgart 1974, S. 463 f.
27 Ebd., S. 463.
28 Ebd., S. 463 f.

Zusammenwirken mit der Sowjetunion und den sozialistischen Bruderländern lösen kann«.[29]

Die innere Legitimation der DDR wurde an eine außenpolitische Bindung gekoppelt. Nachdem die Selbstbehauptung, auch gegenüber Moskauer Unwägbarkeiten, gelungen schien, geriet die von der DDR zum Kern ihres Selbstverständnisses erhobene Existenzbegründung von der anderen Seite unter Druck. Zunächst fehlte es ihr an Eigenwert und Eigenrecht, alsbald geriet der Emanzipationsprozeß der Ostberliner Führung zu weit, um den Staat existentiell gesichert zu halten. Mit der internationalen Festigung der Existenz der DDR erweiterten sich die Handlungsspielräume gegenüber dem Moskauer »großen Bruder«. In der Paradoxie, einerseits sowjetischer sein zu wollen als die Sowjetunion, andererseits nach Handlungsspielräumen in der eigenen West- und vor allem Deutschlandpolitik zu suchen, geriet die DDR in eine prekäre Drucklage. Je mehr sie sich außenpolitisch von Moskauer Vorgaben zu lösen vermochte, desto offener wurden für sie die Türen zum Westen, zumal auch zur Bundesrepublik. Die Rückkoppelung an die inneren Veränderungsprozesse in der Sowjetunion wurde dadurch aber geschwächt. Hatte man infolge der KSZE-Prozesse und einer pragmatischen Deutschlandpolitik der Bundesrepublik seine außenpolitischen Optionen erweitern können, so wurden die innenpolitischen Verwandlungen der Sowjetunion im Zeichen von »Glasnost« und »Perestroika« der DDR zum Verhängnis.[30]

Die DDR blieb ein außenpolitischer Staat. Ihre Existenz war und blieb an die Sowjetunion gebunden. In der gemeinsamen kommunistisch-revolutionären Grundorientierung lag die Gemeinsamkeit und zugleich die Grenze aller Eigenwege. Weder konnte die DDR die ideologischen Maßstäbe des sowjetischen Einflußbereichs negieren, noch konnte sie von Veränderungen im Zentrum unberührt bleiben. Die DDR war, wie die Sowjetunion, die staatspolitische Versinnbildlichung einer Ideologie. Insofern konnte sie kein »normaler« Staat sein, wenn diese »raison d'état« wegfiel. Als Moskau den Kommunismus zu modifizieren begann, folgte Ostberlin nicht. Die Treue zu den eigenen revolutionären Grundsätzen wirkte für die Führung und ihren Ideenstaat tödlich. Insofern wurde nicht nur vom Leben bestraft, wer zu spät kam, sondern das Ende der DDR konnte nur die Vorankündigung des Endes der Sowjetunion sein. Ohne kommunistische Staatsideologie war beiden Staaten die Existenzgrundlage entzogen. Die »Wertbindung« der »raison d'état« wurde zu ihrem Verhängnis.

Die wachsenden außenpolitischen Bewegungsspielräume der DDR manifestierten sich in den achtziger Jahren in den Nuancen ihrer »Friedensqualität« und den Verhaltensweisen ihrer Deutschlandpolitik. Der Schlüssel zur eigenen Existenzsicherung aber blieb in Moskau, wo auch die Tür geschmiedet und eingehängt worden war, zu

---

29 Institut für Internationale Beziehungen Potsdam-Babelsberg (Hrsg.), a.a.O. (Anm. 16), S. 15.
30 Vgl. Bernard *von Plate*, Spielraum und Interessen in der DDR-Außenpolitik, in: *Außenpolitik*, II. Quartal, 1986, S. 149-161. Vgl. Jens *Kaiser*, Zwischen angestrebter Eigenständigkeit und traditioneller Unterordnung. Zur Ambivalenz des Verhältnisses von sowjetischer und DDR-Außenpolitik in den achtziger Jahren, in: *Deutschland-Archiv*, Bd. I, Juni 1991, S. 478-495.

der der Schlüssel paßte. Moskau hatte die DDR ins Leben gesetzt, in Moskau sollte das Lebenslicht der DDR ausgehaucht werden – auch wenn im Juli 1990 die entscheidenden Gespräche von Staatspräsident Michail *Gorbatschow* mit Bundeskanzler Helmut *Kohl* im Kaukasus stattfanden. Die DDR blieb ein Bauer im Schachspiel des Ost-West-Konflikts und sie war legitimatorisch an die Aufrechterhaltung einer sozialistischen Staatsordnung gebunden. Als beide Rahmenbedingungen nicht mehr galten, stand die DDR vor dem Ende. Sie war zu einer Idee ohne Existenzkraft geworden. Sie scheiterte an ihren eigenen Wertgrundlagen, die außenpolitisch ins Leere liefen und innenpolitisch nur unter den Bedingungen des diktatorischen Drucks aufrecht erhaltbar gewesen waren.

Eine qualifizierte und qualifizierbare Demoskopie hatte es in der DDR nicht gegeben. Aber die Kerzenrevolution vom Herbst 1989 und die Wahlentscheidungen des Jahres 1990 dokumentierten den politischen Orientierungswillen der übergroßen Mehrheit der ostdeutschen Bevölkerung. »Freiheit in Einheit« wurde zur spiegelbildlichen Antwort auf das in Westdeutschland oft gehörte Postulat »Einheit in Freiheit«. In der staatsrechtlichen Wiedervereinigung vom 3. Oktober 1990 hoben sich die beiden Gedanken auf. Einheit wurde durch Freiheit realisiert, die deutsche Nation gewann Einheit und Freiheit unter dem Dach des Grundgesetzes der Bundesrepublik und mit Zustimmung der ehemaligen vier Siegermächte des Zweiten Weltkriegs. Die einstmals außenpolitisch gespaltene und zugleich außenpolitisch definierte Nation war auf ihre innenpolitischen Integrationsaufgaben verwiesen, aber ebenso darin gefordert, die Stellung und Rolle des Landes in der Welt neu zu bestimmen. Für beides waren Wertgrundlagen geboten.

NEUE RAHMENBEDINGUNGEN?

Konnten die alten Rahmenbedingungen noch gelten? Waren die Deutschen die gleichen geblieben, nur zahlenmäßig gewachsen, »die gezähmten Deutschen« oder »die rätselhaften Deutschen«, je nach innerem oder äußerem Standpunkt?[31] Können »Wendezeiten der Geschichte«[32] wohl tiefgreifender sein als jene, die durch das Jahr 1989 markiert wurden? Was waren die »Folgen einer unerhörten Begebenheit«[33] für die Festlegung der Wertgrundlagen der künftigen deutschen Außenpolitik? Die äußeren Daten schienen eine ungebrochene Kontinuität der westdeutschen außenpolitischen Orientierung zu sichern. Deutschland blieb Teil der westlichen Integrationsstrukturen und dies zudem mit Zustimmung aller Nachbarn, zumal aber der

---

31 Hans-Peter *Schwarz*, Die gezähmten Deutschen. Von der Machtbesessenheit zur Machtvergessenheit, Stuttgart 1985. Brigitte *Sauzay*, Die rätselhaften Deutschen. Die Bundesrepublik Deutschland von außen gesehen, Stuttgart 1985 und Anne-Marie *le Gloannec*, Die deutsch-deutsche Nation. Anmerkungen zu einer revolutionären Entwicklung, München 1991.

32 Karl Dietrich *Bracher*, Wendezeiten der Geschichte. Historisch-politische Essays 1987-1992, Stuttgart 1992.

33 Wolf *Lepenies*, Folgen einer unerhörten Begebenheit. Die Deutschen nach der Vereinigung, Berlin 1992.

vier Siegermächte des Zweiten Weltkriegs. Ein historischer Glücksfall: die bewährten Ideale der Westdeutschen und die Interessen der nun Gesamtdeutschen und aller ihrer Nachbarn waren zur Deckungseinheit gebracht worden. Aber was besagten die äußeren Daten tatsächlich – so sehr sie eine deutliche Wertorientierung hinsichtlich der seit Jahrhunderten angefochtenen kulturgeschichtlichen Westbindung der Deutschen und eine vor dem Hintergrund der europäischen Geschichte einzigartig geglückte »Einbindung« Deutschlands bezeugen? In den Wertbindungen mochte ein großer Durchbruch gelungen sein, doch bei ihrer Umwandlung in politische Normen, die handlungsleitende Kraft aufzubringen vermögen, hielten Disputationen und Selbstbefragungen an.

Die Teilung der Deutschen und die Ost-West-Konfliktlinien waren unnatürlich gewesen, da sie ideologisch bedingt waren. So war es nicht überraschend, daß nach der Vereinigung, die Deutschland die volle Souveränität gegeben hatte, wie es immer wieder hieß, viel von einer neuen Normalität die Rede war, mehr noch als von einer neuen festen Wertbindung. Zuweilen hatte es den Anschein, daß nicht genau zu definieren war, was mit dieser neuen Normalität wohl gemeint sei. Schärfer formuliert: Das Reden von der neuen deutschen Normalität begann etwas Abnormales anzunehmen, so als liege das Exzeptionelle des wiedervereinigten Deutschland gerade in dieser Normalität. In einer Rede erklärte Altbundeskanzler Helmut *Schmidt*, das vereinigte Deutschland sei kein anderer Partner als bisher.[34] In einem von Helmut *Schmidt* mitherausgegebenen Manifest »Weil das Land sich ändern muß« hieß es, Deutschland müsse »nichts Besonderes, aber etwas Bestimmtes« sein.[35] Und etwas weiter: »Nichts ist uns Deutschen nach der Vereinigung vom 3. Oktober 1990 notwendiger als Stetigkeit in der Verfolgung unserer bisherigen außenpolitischen Grundlinien«.[36] Daß alle Deutschen darin einig sein könnten, nicht wieder Weltmacht im Sinne der nationalsozialistischen Vorstellungen zu werden, darin mochten »wir« übereinstimmen. Aber wer und was war sonst gemeint mit »uns« und »unseren bisherigen außenpolitischen Grundlinien«? Mit »uns« und »wir« schienen im wesentlichen die Westdeutschen und die alte, westdeutsche Bundesrepublik gemeint. Die Wiedervereinigung vollzog sich in der Tat im Sinne eines Beitritts der neugeschaffenen ostdeutschen Bundesländer zum Geltungsbereich des Grundgesetzes. War aber damit schon aus »uns« und »ihnen« ein »wir« geworden, aus Erfahrungen »hüben« und Prägungen »drüben« »unsere Außenpolitik«?

Ausländische Beobachter hielten sich mit derartigen Identitätsproblemen nicht allzu lange auf. Polens Botschafter in der Bundesrepublik formulierte geradezu bekenntnishaft eine Grunderwartung des neuen, demokratischen Polen: »Deutschlands Einbindung in die Integrationsstrukturen ist zwar noch keine Garantie für die europäische Einigung, aber ohne das ins europäische Gefüge eingebundene Deutschland

---

34 Vgl. Helmut *Schmidt*, Das vereinigte Deutschland – kein anderer Partner als bisher. Karl-Heinz-Beckurts-Gedächtnisrede der Atlantik-Brücke e.V. in Hannover am 12.4.1991, Bonn 1991.
35 Marion *Dönhoff* et al. (Hrsg.), Weil das Land sich ändern muß. Ein Manifest, Reinbek 1992, S. 67.
36 Ebd., S. 87.

ist die Integration Europas undenkbar«.[37] Frankreichs Botschafter sekundierte: »Die europäische Gemeinschaft ist für alle Mitgliedstaaten die Schule der Stabilität«.[38]

Deutschland in Europa – dieser geschichtliche Grundbegriff war urplötzlich nicht mehr nur in Form eines historischen Rückblicks zu begreifen,[39] sondern mußte zu neuem Überdenken der politischen Ausgangspositionen, Herausforderungen und Optionen Anlaß geben. Dies betraf vorrangig eine Festlegung der Wertgrundlagen der deutschen Außenpolitik. Deutschland war souverän geworden, vom Objekt zum Subjekt bei der Gestaltung seiner neuen Rolle. Aber doch konnte das Land auch nach der Wiedervereinigung zu keinem Zeitpunkt autonomer und isolierter Referenzpunkt seiner selbst werden. Die über vierzigjährige Teilung hatte das außenpolitische Denken und Räsonieren der Deutschen nachhaltig geprägt. Zwischen großen weltanschaulichen Positionen und äußerst begrenzten eigenen Handlungsspielräumen war eine neue Generation herangewachsen, für die die Bewältigung der Kriegsfolgen – und das hieß für viele von ihnen »Deutschland« – zum Kern des Nachdenkens über sich selbst und den Ort des Landes in der Welt geworden war. Stabilitätsbedürfnisse hatten die Unruhe und die eruptiven Ausbrüche der Gewaltpolitik, wie sie in der ersten Hälfte des 20. Jahrhunderts konstitutiv gewesen waren, abgelöst. Noch im Zerfall der DDR wirkte die Sorge mit, die Stabilität der inneren oder äußeren Verhältnisse könne gefährdet werden. Und doch vollzog sich mit der Auflösung der DDR-Diktatur im Inneren wie nach außen eine fundamentale Veränderung des Status quo.

Deutschland war mit dem 3. Oktober 1990 anders geworden, es mußte sich nur zeigen, inwieweit und mit welchen Konsequenzen im Inneren wie nach außen. Beide Teilstaaten waren Produkt der internationalen Beziehungen gewesen. Im Schatten der Großmächte hatten sie Gelegenheit gehabt, ja weithin wohl auch keine Alternative dazu besessen, sich im wesentlichen mit sich selbst zu befassen und die Welt in ihrem funktionalen Zusammenhang mit der »deutschen Frage« zu sehen. Die Sicherheit für sich selbst und vor sich selbst war beiden deutschen Staaten abgenommen worden, so konnten sich die einen auf die Befriedigung von Wohlfahrtsbedürfnissen, die anderen auf Planziele der Partei der Arbeiterklasse konzentrieren. Außen- und innenpolitisches Denken schienen voneinander abgekoppelt worden zu sein – und zugleich im großen Friedenspathos zuweilen überhöht zu werden. Wohlstandsmehrung und Wohlfahrtssicherung im Innern, zudem die Garantie der europäischen Stabilität – darauf schien jedenfalls der Freiheitsbegriff vieler Westdeutscher mehr und mehr geschrumpft, als »1989« neuerlich außenpolitische Dimensionen der eigenen Existenz offensichtlich werden ließ.

---

37 Janusz *Reiter*, in: Ludger *Kühnhardt*/Hans-Peter *Schwarz* (Hrsg.), Zwölf Nachbarn – ein Europa. Deutschland und die europäische Zukunft aus der Sicht der Diplomaten umliegender Länder, Bonn/Berlin 1991, S. 68.

38 Serge *Boidevaix*, in: ebd., S. 79.

39 Vgl. Bernd *Martin* (Hrsg.), Deutschland in Europa. Ein historischer Rückblick, München 1992 und Wolf D. *Grüner*, Deutschland mitten in Europa. Aspekte und Perspektiven der deutschen Frage in Geschichte und Gegenwart, Hamburg 1992.

Nach der Wiedervereinigung begann das Bemühen, die Ostdeutschen in den westdeutsch-bewährten Behaglichkeitskonsens einzubeziehen. Ob davon gesprochen wurde, die Teilung durch Teilen zu überwinden, ob von der Angleichung der Lebensverhältnisse oder vom Solidarpakt die Rede war – die Gestaltung der deutschen Einheit schien auf eine sozio-ökonomische Aufgabe reduziert zu sein. Nationalgefühl wurde insoweit thematisiert, als es sich in der Solidarität zwischen Ost- und Westdeutschen auszudrücken vermochte. An der Saturiertheit vieler Westdeutschen und an der Welt, die in ihrem Lauf nicht darauf wartete, wie die Deutschen sich gerne eingerichtet hätten, fand die Wohlfahrtsdemokratie eine Grenze.

Der Wunsch nach Befriedigung der Wohlfahrtsinteressen aller Deutschen löste nicht nur innenpolitische Konfliktlagen aus. Das Klima im Lande wurde rauher, zugespitzt in den Streiks des öffentlichen Dienstes Westdeutschlands 1992 und der Metallarbeiter Ostdeutschlands 1993. Im Blick auf die Außenwelt und mithin die Außenpolitik aber mußten alle Deutschen erfahren, daß die Konzentration auf die inneren Wohlfahrtsbedürfnisse außenpolitische Sicherheitsüberlegungen nicht auszuschalten vermochte. Nur insofern war Deutschland vollumfänglich souverän geworden, daß es wieder lernen mußte, eine Außenpolitik zu betreiben, die nicht auf die »deutsche Frage«, das heißt auf das Streben nach Verwirklichung des eigenen Selbstbestimmungsrechts und/oder die Gestaltung der inneren Ordnung des Landes ausgerichtet war. Das souveräne Deutschland mußte sich der Welt stellen, wie sie nun einmal war und nicht wie sie den Deutschen zuliebe sein konnte.

Erste Stimmen in Politik und Publizistik suchten neue Orientierung zu geben, Akzente zu setzen und für diese oder jene Option zu werben.[40] Bundesaußenminister Klaus *Kinkel*, seit 1992 im Amt, äußerte sich grundsätzlich zu »Verantwortung, Realismus, Zukunftssicherung«.[41] Doch das koalitionsinterne und innenpolitische Ringen schwankte zwischen pathetischen Worten über die neue deutsche Verantwortungsnormalität und die mutigsten Visionen über eine Welt unter UN-Gewaltmonopol einerseits und den Selbstblockaden der Politik, zumal in bezug auf die Neudefinition des künftigen Einsatzauftrags der Bundeswehr andererseits.[42] Kritische Stimmen sprachen sogleich überzogen und verfälschend von einer neuen »Militarisierung der deutschen Außenpolitik« und für viele im In- und Ausland wurde 1993 »die innenpolitische Unübersichtlichkeit« in ihren Auswirkungen auf die Festlegung der Grundlagen der deutschen Außenpolitik auf die Spitze getrieben.[43]

Zuvor war es bereits zu lebhaftesten Diskussionen um die Perspektiven der deutschen Europa-Politik gekommen. Die öffentliche Debatte um das Maastrichter

---

40 Vgl. zum Beispiel Reinhard *Stuth*, Deutschlands Rolle im sich wandelnden Europa, in: *Außenpolitik*, I. Quartal, 1992, S. 22-32.

41 Klaus *Kinkel*, Verantwortung, Realismus, Zukunftssicherung. Deutsche Außenpolitik in einer sich neu ordnenden Welt, in: *FAZ*, 19.3.1993.

42 Vgl. die Debatte des Deutschen Bundestages am 21.4.1993 über deutsche Mithilfe bei Friedensbemühungen der Vereinten Nationen, in: *Das Parlament*, Nr. 18, 30.4.1993, S. 18 ff.

43 Vgl. Werner A. *Perger*, Der tapfere Schwabe zeigt Schwächen, in: *Die Zeit*, Nr. 18, 30.4.1993, S. 3; *Kühnhardt*, Ideals And Interests in Recent German Foreign Policy, (Occasional Paper, Deutsches Historisches Institut) Washington D.C. 1994.

Abkommen über die Europäische Union (EU) vom 7. Februar 1992 ließ zumindest vorübergehend ein verhaltenes Aufweichen des gewohnten innenpolitischen Konsenses über den normativen und strategischen Wert der europäischen Integration – und vor allem über dessen Reichweite – erkennen.[44] Hatte Deutschland nach der Einlösung seiner Ideale seine Interessen erschöpft oder verloren? Wurde das Land labil, weil es sich in eine saturierungsanfällige Nabelschau zurückzog? Betäubte es sich dekadent mit der Wohlstandssicherung und vermied dadurch, sich dem Lauf der Welt auszusetzen, in der nicht alles so glänzt wie die Werbung der Konsumkultur zu meinen scheint und an deren Realitäten deutscher Moralismus immer neu wird scheitern müssen?

Zwischen den politischen Parteien wurde mühsam um einen neuen Konsens gerungen, aber die davor gelagerte Diskussion nach den Wertgrundlagen, den Interessen und Zielen der deutschen Außenpolitik blieb auf eigentümliche Weise konturenlos. Eruptiv schien sie nur auf, wenn in der aus vier Jahrzehnten gewohnten und bekannten Art versucht wurde, unter Rekurs auf »das dunkle Erbe der deutschen Geschichte« für oder gegen ein stärkeres außen- und vor allem sicherheitspolitisches Profil der Bundesrepublik Deutschland zu argumentieren: Sprach die Erfahrung des von den Nazis entfesselten Weltkriegs für oder gegen eine humanitär gebotene militärische Intervention in die Konflikte auf dem Balkan oder am Horn von Afrika? Die innenpolitische Nation konnte sich mit reaktiven und historisierenden Fragen dieser Art nicht länger der Aufdringlichkeit der weltpolitischen Entwicklungen entziehen. Die außenpolitische Debatte aber schwankte in den frühen neunziger Jahren zwischen Verantwortungsabstinenz und Gesinnungsrigorismus. Die von außen an Deutschland gerichteten Erwartungen kamen schneller und präziser als Deutschland lieb zu sein schien. Der Hinweis auf die Überforderung wegen der innerdeutschen Integrationsaufgaben ließ sich weder nach Osten noch nach Westen als Dauerargument wiederholen, mochte er auch noch so plausibel sein.[45]

Der neue außenpolitische Spielraum des Landes wurde von außen als Verpflichtung zu profilierterem weltpolitischen Handeln begriffen, während innerhalb Deutschlands eher Unsicherheit, wenn nicht Angst vor den eigenen Optionen und Verpflichtungsmöglichkeiten erkennbar wurden. Verhaltensunsicherheiten aber reflektieren Interessenunsicherheiten. Das klassische außenpolitische Dilemma zwischen außenpolitischer Kompatibilität und innenpolitischem Konsens, zwischen der Einfügung in außenpolitische Anforderungen und der innenpolitischen Durchsetzung der gebotenen Mittel und Wege brach auf. Die komplizierten Wechselwirkungen zwischen Innen- und Außenpolitik wurden noch durch die Beziehungskonstellationen zwischen staatlicher Politik und gesellschaftlicher Vorstellungsvielfalt erschwert. Eine Systematisierung der Herausforderungen, in deren Licht Wertgrundlagen der

---

44 Vgl. *Kühnhardt*, Europäische Union und föderale Idee. Europapolitik in der Umbruchzeit, München 1993.
45 Vgl. Christopher *Daase*/Michael *Jochum*, »Partner in einer Führungsrolle?« Das einige Deutschland aus der Sicht der USA, in: *Außenpolitik*, III. Quartal, 1992, S. 237-245.

deutschen Außenpolitik eine Rolle spielen können oder müssen, muß gewiß drei
Grundfragen thematisieren, die Christian *Hacke* aufgerufen hat:
- Was ist außenpolitisch möglich?
- Welche Ziele und Interessen finden innenpolitischen Zuspruch?
- Was ist koalitionspolitisch durchsetzbar?[46]
Für das wiedervereinigte Deutschland drängte sich alsbald eine vierte Grundfrage
auf:
- Was ist außenpolitisch nötig bzw. richtig oder unvermeidlich?
Letztere Fragestellung war dem außenpolitischen Nachdenken beider deutscher
Staaten weithin abhanden gekommen. In besonderer Weise bedarf gerade diese Fra-
gestellung aber einer vorherigen Klärung der Wertgrundlagen der deutschen Außen-
politik. Diese werden in der Politik unter den Bedingungen der rechtsstaatlichen
Parlamentsdemokratie verbindlich festgelegt und zur Durchführung gebracht – wo
immer tatsächlich möglich und von den politischen Akteuren tatsächlich gewollt. Sie
erwachsen aber nicht weniger aus den Grundhaltungen der Gesamtbevölkerung wie
aus strategisch angelegten Überlegungen innerhalb der »classe politique«. Dies macht
Konsensfindung und Implementierung nicht einfacher, aber ist eine feste Konstante
demokratisierter Außenpolitik geworden, man mag es beklagen oder begrüßen.
    Zu den 1992/93 heftig diskutierten Themen der deutschen Innenpolitik gehörten
eine Teilnahme deutscher Soldaten bei der Überwachung des von den Vereinten
Nationen verhängten Flugverbots über dem bürgerkriegszerrütteten Bosnien und
eine Mitwirkung deutscher Soldaten bei der Befriedung und Wiederaufbauhilfe im
durch Bürgerkrieg zerstörten Somalia. In beiden Fällen ging es nicht allein um eine
Ausweitung der Projektion deutscher Macht. Noch weniger konnte seriöserweise
die Rede davon sein, die Bundesregierung plane eine deutsche Kriegsbeteiligung.
Humanitäre Hilfserwägungen im Angesicht kriegerischer Grausamkeiten anderenorts
und die Einforderung von internationalen Verpflichtungen, die die Bundesrepublik
Deutschland durch ihre konditionslose Mitgliedschaft in internationalen Einrich-
tungen wie den Vereinten Nationen oder der NATO anerkannt hat, standen im
Vordergrund. Insofern waren Wertfragen als Grundlage der deutschen Außenpolitik
elementar berührt: der weltweite Einsatz für den Menschenrechtsschutz und die weltweite Anerkennung und Sicherung des Selbstbestimmungsrechts durch ein Land, das
soeben selbst erst mit internationaler Zustimmung seinen Selbstbestimmungsanspruch
eingelöst hatte und über Jahrzehnte in seinem westlichen Teil in der Entfaltung und
Sicherung der dortigen Menschenrechte durch das sicherheitspolitische Engagement
anderer Nationen geschützt worden war.[47]
    Wertüberzeugungen in der Außenpolitik kollidieren leicht mit realpolitischem
Interessenkalkül. Sie hängen ab von den Mitteln, die man zu ihrer Durchsetzung

---

46 Vgl. *Hacke*, a.a.O. (Anm. 18).
47 Vgl. Ole *Diehl*, UN-Einsätze der Bundeswehr. Außenpolitische Handlungszwänge und innenpolitischer
   Konsensbedarf, in: *EA*, 8/1993, S. 219-227.

aufbringen kann, will oder darf; sie bleiben aufgabenbezogen, gebunden an internationale Rahmenbedingungen, zum Beispiel eingegangene Verpflichtungen oder anerkannte Zuständigkeiten. Die Politik ist nicht davon befreit, Verbindlichkeiten herzustellen, die mit den Wertüberzeugungen der Bevölkerungsmehrheit, gewiß aber mit denen der Bevölkerungsminderheit kollidieren können. Außenpolitik vollzieht sich in der Interaktion mit anderen. Zum Wesen ihrer Vielschichtigkeit aber gehören die Auswirkungen des demokratischen Systems. Dadurch sind Einstellungen und Verhaltensvorstellungen der Bevölkerung zu einer Kategorie der außenpolitischen Positionsbildung und der Ermöglichung außenpolitischer Handlungsfähigkeit geworden.

Das »Institut für Demoskopie« hat mit seinen Langzeitquerschnitts-Studien wichtige Erkenntnisse über die Grundüberzeugungen der deutschen – inzwischen der ost- und westdeutschen – Bevölkerung geliefert. Einige der zentralen demoskopischen Befunde zu den außenpolitischen Wertüberzeugungen und Interessenbestimmungen der wiedervereinigten Deutschen sollen hier erwähnt werden.

Die mögliche Projektion deutscher Macht in der internationalen Politik bleibt offenbar unweigerlich mit den historischen Hypotheken aus der Zeit der nationalsozialistischen Diktatur verknüpft. Im Kontext des Golf-Krieges vom Jahresbeginn 1991 wurde nach der besonderen moralischen Verpflichtung der Deutschen dafür, »daß der Angreifer Saddam Hussein gestürzt wird«, gefragt. Hinzugefügt wurde, »wenn damals die Welt nicht geschlossen gegen Hitler gekämpft hätte, wäre Deutschland nicht befreit worden.« 47 Prozent der Bevölkerung Westdeutschlands und 32 Prozent der Bevölkerung Ostdeutschlands antworteten im Februar 1991, daß daraus eine »besondere moralische Pflicht« erwachse, »die Amerikaner zu unterstützen«. 34 Prozent in Westdeutschland und 43 Prozent in Ostdeutschland sahen dies nicht so, 19 bzw. 25 Prozent waren unentschieden.[48]

Die anhaltenden Konflikte in der Welt haben seit der Wiedervereinigung zu intensiven Diskussionen in Deutschland um die Frage nach dem eigenen Verhalten in der Weltpolitik geführt. Natürlich waren die anstehenden Probleme nicht nur und zumeist nicht in erster Linie militärisch zugespitzt oder lösbar. Die Ultima ratio des klassischen Souveränitätsverständnisses aber berührt die Frage nach der Kriegsführungsfähigkeit und -willigkeit. Auch wenn alle wohl hoffen, daß dies nicht geschieht, »wenn es dazu käme, wären Sie dann bereit, für ihr Land zu kämpfen?« Im April 1990 antworteten 32 Prozent der befragten Westdeutschen »ja«, 43 Prozent »nein«, 25 Prozent waren unentschieden. Im Juni 1991 stellte Allensbach die Frage in Ostdeutschland. 40 Prozent der Ostdeutschen beantworteten sie mit der Bereitschaft zu kämpfen, 34 Prozent wären dazu nicht bereit, 26 Prozent waren unentschieden.[49]

Nachdem in einer ersten gesamtdeutschen Erhebung vom Juni 1990 52 Prozent der Westdeutschen und 31 Prozent der Ostdeutschen die Meinung vertreten hatten, Deutschland müsse im NATO-Bündnis bleiben (32 bzw. 51 Prozent votierten für die

---

48 *Noelle-Neumann/Köcher*, a.a.O. (Anm. 1), S. 1088.
49 Vgl. ebd., S. 1047 f.

Neutralisierung Deutschlands, 16 bzw. 18 Prozent waren unentschieden),[50] wurde die Frage im September 1991 in neuer Wendung gestellt. Nun ging es darum zu sehen, ob nach dem Ende des Kommunismus von der Sowjetunion noch Gefahren ausgehen könnten. Daß dies nicht so sei und daher die NATO nicht mehr wichtig sei, meinten 23 Prozent der Westdeutschen und 42 Prozent der Ostdeutschen. 62 Prozent der Westdeutschen und 39 Prozent der Ostdeutschen meinten indessen, die NATO müßte auch weiterhin ein starkes Bündnis bleiben, um für den Ernstfall gewappnet zu sein: Man könne ja nie wissen, wie es mit der Sowjetunion weitergehe; 15 bzw. 19 Prozent waren unentschieden. Im November 1991 erklärten auf die dezidierte Frage, ob die NATO-Mitgliedschaft Deutschlands noch wichtig sei, 63 Prozent der Westdeutschen und 42 Prozent der Ostdeutschen »ja«; 19 bzw. 32 Prozent meinten, dies sei »heute nicht mehr wichtig«; 4 bzw. 6 Prozent, dies sei »noch nie wichtig« gewesen; 15 bzw. 20 Prozent wußten die Frage nicht zu beurteilen.[51]

Internationale Sicherheitsfragen begannen nach der Wiedervereinigung erst langsam wieder in das politische Bewußtsein der Deutschen zu rücken. Die in Teilung und Vereinigung außenpolitisch geprägte und zugleich außenpolitisch entwöhnte Nation blieb bei der Beurteilung ihrer eigenen Wertgrundlagen auf sicherem Boden, wenn die bewährten wirtschaftlichen Erwägungen aufgerufen wurden. Interessen- und Wertdefinitionen auf diesem Feld fielen leichter. Dies galt anhaltend auch für die Einschätzung des Stellenwerts der Europäischen Gemeinschaften. Im November 1990 antworteten auf die Frage nach den deutschen Vorteilen aus der EG-Mitgliedschaft 30 Prozent der Westdeutschen und 37 Prozent der Ostdeutschen: »wirtschaftliche Vorteile«. Nur 15 bzw. 10 Prozent nannten »politische Vorteile«, darunter 3 bzw. 2 Prozent »mehr Einfluß auf die politische Lage in Europa« und 4 bzw. 2 Prozent »Friedenssicherung«.[52]

Die Frage nach einer möglichen künftigen Führungsrolle Deutschlands in Europa zeigte erneut die enge Verbindung des außenpolitischen Denkens in Deutschland mit wirtschaftlichen Zusammenhängen und mithin der Bedeutung der Außenpolitik für die Sicherung von Wohlfahrtsbedürfnissen. Im Oktober 1990 vertraten 30 Prozent der Westdeutschen und 28 Prozent der Ostdeutschen die Ansicht, Deutschland solle als wirtschaftlich stärkstes Land »auch eine Führungsrolle in Europa übernehmen, sonst werden unsere Interessen im Vereinigten Europa zu wenig berücksichtigt«; im September 1992 waren die Zustimmungswerte auf 44 Prozent in Westdeutschland und 29 Prozent in Ostdeutschland gestiegen. Die Einschätzung, daß es Deutschland doch ausreiche, wirtschaftlich stark zu sein und aus Rücksicht auf die Nachbarn »nicht noch eine politische Führungsrolle ... spielen« müsse, teilten im Oktober 1990 57 Prozent der Westdeutschen und 62 Prozent der Ostdeutschen. Im September 1992 waren es noch 34 Prozent der Westdeutschen und 51 Prozent der Ostdeutschen gewesen. Der Anteil der Unentschiedenen stieg von Oktober 1990 bis September

---

50 Ebd., S. 1073.
51 Ebd., S. 1074.
52 Ebd., S. 1020.

1992 in Westdeutschland von 13 auf 22 Prozent, in Ostdeutschland von 10 auf 20 Prozent.[53]

Die Wertorientierungen in der deutschen Außenpolitik hängen gewiß von den Problemen ab, denen sich das Land – und in einer immer interdependenteren Welt mithin die Menschheit – gegenübersieht. Insofern ist es bemerkenswert, daß im April 1991 auf die Frage, vor welchen Entwicklungen wir im nächsten Jahrhundert stehen werden, der höchste Prognosekonsens bei der Vorstellung auftrat, daß »immer größere Massen von Einwanderern aus den Hungerzonen der Welt in die Industrieländer (drängen)«: 78 Prozent der Westdeutschen und 70 Prozent der Ostdeutschen kreuzten diese Möglichkeit an. Die Möglichkeit, daß die Mitgliedstaaten in der EG so zusammengeschlossen seien wie die USA, »ohne Grenzkontrollen und mit einer Währung«, prognostizierten 64 Prozent der West- wie der Ostdeutschen.[54]

WERTGRUNDLAGEN IM SPANNUNGSFELD KONKRETER HANDLUNGSNORMEN

Die »befragte Nation« ersetzt politische Strategien und Entscheidungen nicht. Die demoskopischen Befunde geben Meinungsstimmungen und Wertpräferenzen wieder. Außenpolitische Dispositionen oder gar Entscheidungen werden der Politik dadurch nicht abgenommen. Sie allein stellt Verbindlichkeit her und unterliegt darin dem in der Demokratie unvermeidbaren, ja existentiell wesenseigenen Wettbewerb der Interessen und Ziele. Die Gestaltung der Außenpolitik ist dabei von den Interessen und Zielen, welche im innenpolitischen Konkurrenzverhältnis auftreten, nicht weniger abhängig wie von der Reichweite der zur Verfügung stehenden Mittel und von den Bedingungen, die sich aus internationalen Verpflichtungen, aber auch aus der Relativität aller Machtmittel ergeben. Sie weist graduelle Möglichkeiten auf und sie kann zu Entscheidungen der Umstände halber gezwungen werden. Vor allem hat sie es nach allen Erfahrungen häufig mit Zielkonflikten zu tun. Hier geraten die Wertgrundlagen nicht selten unter Druck, erweisen sich als Hindernis, als zu hohe absolute Meßlatte oder gar im Widerspruch zueinander. Die Verwandlung außenpolitischer Wertüberzeugungen in konkrete Handlungsnormen bleibt dem demokratischen Wettbewerb vorbehalten und ist damit tendenziell konfliktiv.

Hat Deutschland nach der Erfüllung des großen Zieles der nationalen Vereinigung noch außenpolitische Interessen? Jedenfalls lassen sich diese nicht mehr primär aus der Besonderheit der früheren Teilungslage und aufgrund der Bürde des geschichtlichen Erbes definieren. Mehr als alle geänderten internationalen Rahmenbedingungen wirkt sich dieser Sachverhalt auf die Bestimmung der Wertgrundlagen und Handlungsnormen der deutschen Außenpolitik aus. Deutschland ist zugleich mehr und zugleich weniger exponiert und Deutschland hat sich zugleich mehr und zugleich weniger in bezug auf seine außenpolitischen Ziele und Interessen international zu erklären.

---

53 Ebd., S. 1042.
54 Ebd., S. 1107.

Das Land in der Mitte Europas ist nicht länger »front line state« an der Grenzlinie eines Weltkonflikts. Damit ist die unmittelbare Bedrohung und physische Verwundbarkeit seiner Bürger gewichen. Die Tötungsintensität bestimmter in Zentraleuropa stationierter Waffensysteme ist keine unmittelbare Kategorie der Existenzsorgen Deutschlands mehr. Sicherheitsstrategien orientieren sich nicht länger an der Schlagkraft der eigenen oder der gegnerischen Armee, von der zu vermuten stand, daß sie innerhalb kürzester Fristen das eigene Territorium überrollen könnte. Die erfolgreiche Integration von Bundeswehr und Nationaler Volksarmee der ehemaligen DDR ist innen- wie außenpolitisch eine der größten Erfolgsgeschichten des Wiedervereinigungsprozesses. Sie ist das sichtbarste Symbol der Überwindung des Ost-West-Konflikts auf deutschem Boden.

In eigentümlicher Dialektik ist Deutschland aber gerade aufgrund des Endes von Teilung und Ost-West-Konfrontation stärker exponiert und in seinem außenpolitischen Handeln erklärungsbedürftig geworden. Deutschland wird von außen nicht länger als strategischer Sonderfall betrachtet, sondern als privilegierte Wohlstandsnation. Von Deutschland wird die Übernahme größerer internationaler Verantwortung erwartet und damit werden zugleich seine außenpolitischen Prioritäten festgelegt. Diese ergeben sich indessen nicht mehr aus den vorgegebenen Parametern einer blockgeprägten Konfrontationsordnung. Sie sind unter den Bedingungen neuer Konfliktdiffusionen und Kontextvielfältigkeiten neu zu bestimmen und festzulegen. Deutschland muß sich der Welt stellen und diese über seinen Standpunkt in Klarheit versetzen. Da die Themen der Weltpolitik in der postkommunistischen Ära vielschichtiger und potentielle Strategieansätze variabler geworden sind, wird dem außenpolitisch und globalstrategisch eher unerfahrenen Land ein Reifungsprozeß im Sinne eines »learning by doing« abverlangt. Mitleid ist dafür in der Welt nicht zu erwarten. Für die Klärung ihres Willens und die Klarheit ihres Handelns nach außen sind die Deutschen selbst verantwortlich geworden. Diese Seite der »neugewonnenen vollen Souveränität« macht manchem Schwierigkeiten.

Insofern demokratische Politik ein Ringen um Vertrauen und damit um den Erwerb der Mehrheit ist, wird die in demoskopischen Befunden artikulierte Bevölkerungsmeinung zu einem Fixpunkt in der Erarbeitung und Gestaltung außenpolitischer Grundentscheidungen. Man kann sie nicht übergehen. Eine insoweit demokratisierte Außenpolitik erschwert zuweilen die effiziente Herstellung internationaler Handlungsfähigkeit. Die Welt will nicht wissen, was die einzelnen Deutschen denken, sondern wie sie gemeinsam handeln. Denken kann sich in Vielfalt und Dissens vollziehen. Handeln erfordert Homogenität des Auftretens. Daraus ergeben sich Spannungen, zumal hinsichtlich des Einbezugs von Wertgrundlagen in die Gestaltung der Außenpolitik.

Wertüberzeugungen werden immer wieder in Konflikt zu anderen Grundkategorien des außenpolitischen Handelns geraten, zuweilen auch im Widerspruch zueinander stehen. Dies ergibt sich aus der Natur der Sache, die besagt, daß die deutsche Außenpolitik mit Zielkonflikten konfrontiert bleiben wird. Defizitär ist nach dem Ende der Fixierung auf die deutsche Frage die Verbreitung außenpolitischer Kompetenz. Es gab stets mehr Deutschland-Politiker als Außenpolitiker – in beiden deutschen Staaten. In der Zeit eines Perspektivenwechsels für Deutschland erweist sich dieser Sachverhalt, der im Gegensatz zu anderen Staaten einhergeht mit einer unzulänglich ausgebildeten außenpolitischen Beratungsstruktur, als elementare Beeinträchtigung der außenpolitischen Kompetenzkraft Deutschlands. Zum neuen außenpolitischen Profil Deutschlands muß an erster Stelle eine qualitative und quantitative Vermehrung außenpolitischen Denkens gehören. Die Fachkompetenzen des Auswärtigen Amtes allein fangen die Subtilitäten des Beziehungsgefüges von Staat und Gesellschaft, von Handlungseinheit und demokratisierter Meinungsvielfalt nicht auf. Mehr Außenpolitiker und vermehrte außenpolitische Politikberatung zu gewinnen, erfordert indessen Zeit und verlangt strategische Entscheidungen im Bildungs- und politischen Beratungswesen.

DEUTSCHE AUSSENPOLITIK ALS TEIL DER NEUEN WELTORDNUNG

Zielkonflikte und Entscheidungssituationen für eine wertausgerichtete deutsche Außenpolitik sind in einer ganzen Reihe von Themenfeldern denkbar. Es übersteigt den analytischen Anspruch dieser Skizze und den zur Verfügung stehenden Raum, den Versuch einer umfassenden Szenariendarstellung geben zu wollen. So kann nur eine subjektive Auswahl in Stichworten erfolgen, die sich an dem zentralen Perspektivwechsel »von der deutschen Frage zur Frage an die Deutschen« ergibt: von der Fixierung der deutschen Außen- und Innenpolitik auf den Hitlerschen Geschichtsbruch und die systemisch-normative Teilungserfahrung hin zur Einreihung in die Weltordnung mit ihren außerdeutschen Unordnungen und den Wahrnehmungen der künftigen Rolle Deutschlands durch andere Staaten und Völker.

1. Die Bundesrepublik Deutschland muß den Zusammenhang von Wohlfahrtsbedürfnissen und Sicherheitsbedingungen überprüfen. Es reicht nicht aus, den Sicherheitsbegriff auf einen »sanften« Begriff zu reduzieren, der nurmehr Ressourcenzugang und Marktstabilität, Umweltschutz und Kulturdialog umfaßt. Innenpolitische Konsens- und Harmonievorstellungen müssen in ihrer Abhängigkeit von äußeren Umständen in der ganzen Breite denkbarer Dimensionen her begriffen werden. Bisher war die Wirtschaftsnation Deutschland geneigt, die Außenwelt vor allem unter der Perspektive von sicheren Absatzmärkten zu sehen. Rohstoffsicherungen, aber auch stabilitätswirksame Regionalkonflikte und strategische Konsequenzen innerer und äußerer Gewaltanwendung in außerdeutschen Regionen müssen in ihrer Rückwirkung auf deutsche Sicherheitsinteressen und Wohlfahrtsbedürfnisse begriffen werden. Die Arbeitsteilung unter den verbündeten Partnern kann nicht in der Weise geschehen, daß Deutschland für die Herstellung von Industrieprodukten und für das Geldverdienen zuständig ist und andere für strategisches Denken und Handeln, notfalls mit Waffengewalt. Die Scheidung von »NATO-area« und »out of area« ist unter diesen Gesichtspunkten weithin obsolet geworden. Sicherheit und Außenpolitik

sind per definitionem universelle, unteilbare Kategorien. Sie bedürfen der Setzung von Prioritäten, nicht der geographischen Selbstlimitierung.

2. Die Bundesrepublik Deutschland muß den hierarchischen Zusammenhang von Menschenrechten und Rechtsstaatlichkeit, nationalen und kulturellen Minderheitenrechten, Autonomieansprüchen und Selbstbestimmungsforderungen neu überdenken. Daß Deutschland seine Einheit in Freiheit erlangt hat, bedeutet für die Beurteilung neonationaler oder ethnisch motivierter Konflikte weder eine Verpflichtung noch eine Entlastung. Das Recht auf Anerkennung kann in Konflikt mit dem Existenzrecht anderer geraten wie der Bürgerkrieg in Bosnien-Herzegowina hinlänglich gezeigt haben sollte. Gegen ein allerorts drohendes übermäßiges Territorialdenken, mit dem eine Rückkehr von Ethnopolitik einhergeht, muß das Bemühen um Rechtsstaatlichkeit, Menschenrechtsschutz und Minderheitenanerkennung in den heute bestehenden Grenzen der Staatenwelt als friedliche Konfliktlösungsstrategie gestellt werden. Jedenfalls kann das Verlangen nach äußerer Selbstbestimmung nur dann und nur dort gut geheißen werden, wenn und wo es ohne äußere Konflikte und in voller innerer Selbstbestimmung im Sinne des Rechtsschutzes für alle beteiligten und betroffenen Bürger eingelöst wird.

3. Die Bundesrepublik Deutschland muß ein klareres Bild vom materiellen Charakter der eigenen Souveränität erhalten. Völkerrechtliche Souveränität läßt sich nicht allein als inhaltsleere Rechtsformel begreifen. Sie kann kein Freibrief für innenpolitische Atrophie und saturierte Selbstversenkung in die eigene Wohlstandskultur sein. Sie wird nur lebendig in Anerkennung aller international eingegangenen Verpflichtungen und in der Erkenntnis, daß dies Entscheidungen zwischen einer größer gewordenen Zahl von Optionen unumgänglich macht. Dies verlangt Wertfestlegungen und Prioritätensetzungen in immer neuem Kontext. Eine pathetische Wiederholung einmal gefundener Wertpostulate und Handlungskompromisse wird nicht mehr ausreichen.

4. Die Bundesrepublik Deutschland muß den Eigenwert der bewährten westlichen Integrationsgemeinschaften unzweifelhaft anerkennen. Die seit der Wiedervereinigung aufgetretenen Diskussionen erfüllen nur dann einen guten Zweck, wenn sie die grundsätzliche Existenznotwendigkeit von NATO und Europäischer Union für jedes außen- und innenpolitische Agieren der Bundesrepublik Deutschland neu begründen und vertiefen. Dies ist in erster Linie eine Führungsaufgabe, die sich der politischen Klasse stellt. Die Bundesrepublik Deutschland muß die Fortsetzung der partnerschaftlichen Beziehungen innerhalb der Europäischen Union und im Rahmen des transatlantischen Bündnisses als »raison d'état« sicherstellen. Die außenpolitische Abstützung der im Inneren praktizierten rechtsstaatlichen Demokratie kann nur gelingen, wenn dies das zweite Grundgesetz der Bundesrepublik Deutschland bleibt. Eigene Ziele und Interessen sind umso deutlicher zu definieren, je mehr sie sich nicht in natürlicher Übereinstimmung mit denen der Partner und Verbündeten befinden. Allein dadurch wird für Partner und Verbündete die Verläßlichkeit Deutschlands erlebbar. Die integrative Außenpolitik entspricht den normativen Grundgemeinsamkeiten zwischen den demokratischen Rechtsstaaten. Nicht ethnopolitische Einzelwege, sondern demokratische und integriert angelegte Gemeinschaftsaktionen werden

Deutschlands Idealen und Deutschlands Interessen gerecht. Der vertiefte Ausbau der Europäischen Union zu einer föderal ausgerichteten Rechtsgemeinschaft und feste, enge Beziehungen zu den Demokratien Nordamerikas in der strategischen NATO-Gemeinschaft bleiben außenpolitische Kernbedingungen für eine wertorientierte deutsche Außenpolitik.

5. Die Bundesrepublik Deutschland muß sich den Konflikten zwischen Weltoffenheit und kultureller bzw. sozialer Verschiedenheit in der Welt klarer stellen. Die Asyldiskussion ist insofern extrem oberflächlich geblieben, als sie die Frage nach Identität und Multikulturalität nur auf die inneren Verhältnisse in Deutschland bezogen hat. Die Bundesrepublik Deutschland wird ihr Wertverständnis von ethnischer Toleranz, sozialer Gerechtigkeit und kulturellem Respekt im Lichte der künftigen Nord-Süd-Beziehungen in breiterer und fundierterer Weise neu reflektieren müssen. Die Bundesrepublik wird Leiderfahrungen und Unrechtstatbestände als tragische, aber niemals vollständig zu überwindende Realitäten akzeptieren lernen müssen. Der Wunsch zu helfen, übersteigt die Kapazitäten der Bundesrepublik beim allerbesten altruistischen Willen die traurigen, menschenunwürdigen Lebensverhältnisse in weiten Teilen der Erde zu verändern. Die Hilfswilligkeit muß durch Realitätssinn verstetigt und darf nicht durch moralistisches Ersatzhandlungsbedürfnis überdehnt werden. Der Fortschritt der Menschheit wird kein Lehrmeister aus Deutschland sein können.

6. Die Bundesrepublik Deutschland muß verinnerlichen, daß »Normalität« nicht »Statik« bedeutet. Internationale Politik ist ihrem Wesen nach dynamisch, zum Teil unkalkulierbar. Eigene Ideale und Interessen werden immer wieder vor neue Entscheidungssituationen gestellt. Zugespitzt: Das Normale ist die Anormalität. Die Bundesrepublik Deutschland muß daher umso mehr ein festes Fundament ihrer innen- wie außenpolitischen Wertgrundlagen mit einem offenen Dach ihrer Handlungsoptionen bei steter Beachtung des Verläßlichkeitsgrundsatzes verbinden. Sie wird immer wieder mit den Grenzen ihrer Absichtsdurchsetzung leben müssen und sich dennoch darin annehmen.

7. Die Bundesrepublik Deutschland muß eine Balance zwischen Moral- und Realpolitik finden. Dazu bedarf es eines größeren Verständnisses der institutionellen Bedingungen der internationalen Politik, der Erkenntnis der Grenzen eigener guter Absichten und der Zwangsumstände aufgrund des Agierens Dritter, um nur einige Beispiele zu nennen. Historisierende Selbststilisierungen («... gerade wir als Deutsche ...«), eine Verkennung oder Fehlwahrnehmung des Realcharakters der Weltlage (z.B. der anhaltenden Tatsachen von Krieg und Gewaltpolitik, von sozialem Elend und Ungerechtigkeit) und eine Entkoppelung normativer Ziele von ihren Verwirklichungsbedingungen (z.B. »die UNO muß ein Gewaltmonopol besitzen«), führen zu Selbsthemmungen deutschen außenpolitischen Denkens und Handelns. Sie entpräzisieren Handlungsoptionen, weil sie Ausgangslage und Umstandsbestimmungen verzerren oder überfrachten.

8. Die Bundesrepublik Deutschland muß ihre Rolle in Europa genau erfassen und vermitteln. Sie kann und muß die gesamteuropäischen Strukturen orchestrieren. Sie darf sie nicht dominieren wollen. In bezug auf Mittel- und Osteuropa bzw. Rußland

ist eine präzisere Festlegung deutscher Interessen einerseits und der Interessen- bzw. Möglichkeitsgrenzen andererseits notwendig. Hilfspolitik ersetzt keine Europa-Politik. Die Bundesrepublik Deutschland muß die europäischen Koordinaten in ihrer Neubestimmung begreifen. »Osteuropa«: Das ist das eigentümliche Rußland, mit dem der Westen gute und partnerschaftliche Beziehungen unterhalten will. »Mitteleuropa« und »Mittelosteuropa«: Das ist geographisch und strategisch, aber wohl auch kulturell die Zone von Weißrußland, der Ukraine, Moldawien, Rumänien und Bulgarien und der serbischen Einflußgebiete sowie Albaniens. Polen, Tschechische Republik, Slowakische Republik, Ungarn, Lettland, Estland, Litauen, Slowenien und Kroatien gehören im tieferen Sinne – wieder – zu »Westeuropa«. Die Bundesrepublik muß Magnet dieser »westlichen Länder des Ostens«, sofern sie es wollen, auf dem Weg zur Vollintegration in die EU und in die NATO bleiben. Deutschland selbst wird stärker in den westlichen Integrationsstrukturen verankert sein, wenn an seiner Ostgrenze nur mehr »westliche« Staaten liegen. Der Schlüsseltest für das Gelingen dieses Wechselspiels von pull- und push-Faktoren ist die Einleitung der Vollmitgliedschaft der benannten Staaten – an erster Stelle der Višegrád-Staaten – in der Europäischen Union mit Hilfe eines klaren Zeitrahmens für Beitrittsverhandlungen und in der NATO durch die konsequente Anwendung und maximale Ausweitung des »partnership for peace«-Konzepts zu ihren Gunsten.

9. Die Bundesrepublik Deutschland bleibt ein »außenpolitischer Staat«, auch wenn die Rahmenbedingungen sich verändert haben. Sie ist existentiell von äußeren Faktoren und Beziehungen abhängig; eine innenpolitische, wohlfahrtsstaatliche Mentalität reicht nicht, um die daraus erwachsenden Folgen zu bewältigen. Außenpolitische Dispositionen waren Schlüsselfragen für die beiden deutschen Staaten der Teilungszeit und sind es im Zeichen des vereinigten Deutschland geblieben. Die Wertgrundlagen für das jeweils gebotene außenpolitische Handeln erwachsen indessen aus dem Inneren des Gemeinwesens. In diesem Schnittfeld einen Weg der Verläßlichkeit, Perspektive und Handlungskraft zu finden, stellt die außenpolitisch aktive oder auch nur interessierte Bevölkerung – und vor allem die politische Elite Deutschlands – vor eine entscheidende Bewährungsprobe. Wie sie gelingt, daran entscheidet sich die Lebenskraft der Wertgrundlagen deutscher Außen-, aber nicht weniger deutscher Innenpolitik im 21. Jahrhundert.

Dabei reicht eine Fixierung auf große Worte und Ideale alleine nicht aus. Schlüsselbegriffe der internationalen Politik lösen geradezu intuitive Identifikationsempfindungen aus oder führen zu gleichermaßen schroffen Ablehnungsgefühlen. Wer wäre nicht für Frieden oder für Menschenrechte? Wer wollte nicht gegen Rassismus oder Ungerechtigkeit in den internationalen Wirtschaftsbeziehungen sein? Wer wüßte nicht, daß Entwicklung ein positiver Begriff, Intervention ein negativer ist? Grauzonenbegriffe indessen irritieren die kognitiv eingefahrenen Denkschemata. Dies gilt seit Beginn der neunziger Jahre gewiß am nachdrücklichsten für den Begriff der »humanitären Intervention«.[55] Was gestern noch als contradictio in adiecto galt,

---

55 Vgl. Pierre *Hassner*, Im Zweifel für die Intervention. Ein Plädoyer, in: *EA*, 6/1993, S. 151-158.

wird plötzlich zusammengedacht. Der deutsche Blauhelmsoldat in Somalia, der armen Kindern hilft, wurde zum Symbol eines neuen globalpolitischen Phänomens. Wieweit aber trägt es?

Nach allen Kategorien der internationalen Menschenrechtsentwicklung ist das aktive, wenn nötig militärisch gesicherte Eingreifen zum Wohle hilfsbedürftiger Menschengruppen zu einer neuen Norm geworden, die um internationalen Zuspruch wirbt. Im konsequenten Menschenrechtseinsatz steckt in der Tat eine interventionistische Dimension; wer sie ausklammert, relativiert das eigene Menschenrechtscredo. Damit ist aber noch nicht alles gesagt.

Denn moralische Absichten allein und die Hoffnung, bei geeignetem Mitteleinsatz zu ihrer Verwirklichung zu gelangen, finden noch keine naturgegebene Entsprechung in den Realitäten dieser Welt. Zu den neuen Lernaufgaben Deutschlands gehört es, die Frage nach dem Kontext zu stellen, in dem gute Gesinnung und politisch-moralische Zielsetzung stehen. »Selbstbestimmung« ist eine positive Kategorie des politischen Denkens, aber offenbar ist sie nicht widerspruchsfrei einzulösen. Der Prozeß der deutschen Wiedervereinigung kann jedenfalls nicht Maßstab der internationalen Geltungskraft dieser Idee sein. An anderen Orten ist offensichtlich mit Zielkonflikten zu rechnen, wenn von Selbstbestimmung die Rede ist, so beispielsweise zwischen konfligierenden nationalen und/oder ethnischen Ambitionen. Die Formel von der »guten Selbstbestimmung« trägt nurmehr begrenzt. Vollends zweifelhaft ist geworden, ob es ein grenzenloses Sezessions- und Unabhängigkeitsrecht für jede denkbare Population geben kann, wenn regionaler und internationaler Frieden gewahrt bleiben sollen. Wenn allerdings Grenzen dieses Rechts angenommen werden, muß sich die Frage aufdrängen, ob und in welcher Weise ethnische oder andere Loyalitäten unterhalb bzw. außerhalb des Rahmens der heute etablierten Nationalstaaten zurückgewiesen werden dürfen oder gar müssen. Die Forderung nach Souveränität und Selbstbestimmung ist für sich genommen jedenfalls unergiebig geworden, zumal im kulturell und historisch-politisch komplexen Zusammenhang der südlichen Hemisphäre.[56]

Selbstbestimmung ist ein Relational- und Kontextbegriff. Selbstbestimmung muß inhaltlich präzisiert werden. Die Idee muß auf ihre Begründungsbedingungen und auf die Konsequenzen ihrer Verwirklichung befragt werden. Diese Relativierung entspricht den realen Zusammenhängen auf der Welt. Wer »Selbstbestimmung« absolut setzt, muß begründen, wie er unvermeidliche Zielkonflikte zwischen konkurrierenden Selbstbestimmungsansprüchen aufzulösen gedenkt. Der Verweis auf formale Völkerrechtsnormen reicht in der Welt politischer Machtkategorien nicht aus.

Plausibler erscheint es, die Idee der Menschenrechte vor die Selbstbestimmungsidee zu setzen, wenn es um die Aufstellung eines Prioritätenkatalogs außenpolitischer Wertüberzeugungen geht. Der Gedanke universeller Menschenrechte besitzt in der

---

56 Vgl. *Kühnhardt*, Stufen der Souveränität. Staatsverständnis und Selbstbestimmung in der »Dritten Welt«, Bonn/Berlin 1992.

Tat hervorragende Bedeutung für die Rechtfertigung und Begründung des zeitgenössischen politischen Handelns.[57] Aber auch die Menschenrechtsidee ist nicht widerspruchsfrei. Kulturell divergierende Auffassungen und politisch motivierte Differenzen stehen ihrer weltweiten Verwirklichung nachhaltig im Wege. Für eine perspektivische Außenpolitik bedeutet dies, die Frage nach den Verwirklichungsbedingungen wichtiger zu nehmen als postulatorische Absichtserklärungen. Damit aber werden neue Zielkonflikte und Widersprüche unvermeidlich, von denen der gängige Vorwurf, in Fällen eklatanter Menschenrechtsverletzungen mit zweierlei Maß zu messen, noch der vordergründigste ist.

Wertgrundlagen in der Außenpolitik lassen sich nicht widerspruchsfrei oder konfliktfrei verwirklichen. Wenn der Einsatz für sie dennoch begründet werden soll, muß er nicht allein aus sich selbst als gut erkennbar sein. Dies allein durchhalten zu wollen, wäre naiv und auf Dauer kaum praktikabel. Der Einsatz für eine wertorientierte Außenpolitik muß daher mit der eigenen Interessenlage in Einklang stehen. Nur so wird auf Dauer innenpolitische Legitimität für außenpolitisches Handeln gewonnen werden können. Dies bedeutet nicht, blanker Realpolitik und eigenem Machtkalkül das Wort zu reden. Im Gegenteil: Gerade wenn Wertorientierungen dauerhaft in der außenpolitischen Profilierung eines Landes ihren deutlich erkennbaren Platz einnehmen sollen, müssen sie auf ihre Rationalität hin überprüfbar sein. In dieser Einsicht liegt beispielsweise auch die Grenze des Konzepts humanitärer Interventionen; nicht jeder gute Wille allein kann tatsächlich alle Krisenzonen der Welt befrieden.

Wertorientierungen als Maxime außenpolitischen Handelns müssen aus jeder einzelnen Situation, das heißt kontextspezifisch, begründbar und erfolgversprechend sein. Humanitäre Interventionsmaßnahmen von außen können wertvolle Hilfe bringen und Menschen schützen. Sie können aber auch in den aus sich selbst heraus zutiefst unbefriedeten Verhältnissen eines Landes zerrieben werden. Humanitäre Interventionen werden daher keinen ewigen und weltweiten Frieden bewirken können, wenn sich die inneren Verhältnisse eines bestimmten Landes nicht aus sich selbst heraus zum Frieden hinbewegen.

Um es zu generalisieren: Ziele und Mittel, Wertvorstellungen und Realitäten, Zielkonflikte und Handlungsgrenzen, internationale Pflichten und nationale Interessen können nicht isoliert voneinander betrachtet werden. Politische Klugheit erfordert, sie zusammenzudenken, wo immer deutsche Außenpolitik künftig vor Wertentscheidungen und Handlungspflichten steht. Nur wo dieser Aufgabe entsprochen wird, wird man davon sprechen können, daß ein souveränes Land aus sich selbst heraus handelt; nicht von Ereignissen und Krisen getrieben, nicht zerrissen zwischen Ängstlichkeit und Besserwisserei, nicht von labilen, flüchtigen Stimmungen davongetragen. Möglichkeiten und Grenzen einer aus sich selbst heraus entwickelten Außenpolitik, die eigene Interessen den Partnern verständlich macht und mit deren Interessen in

---

57 Vgl. *Kühnhardt*, Die Universalität der Menschenrechte. Studie zur ideengeschichtlichen Bestimmung eines politischen Schlüsselbegriffs, München 1987.

Übereinstimmung – wo nötig durch Kompromiß und Ausgleich – gebracht werden kann, die in Übereinstimmung mit den international eingegangenen Verpflichtungen steht und die angemessene Mittel einzusetzen weiß, um sie beständig und verläßlich zu verwirklichen – eine solche Außenpolitik zu entwickeln, wird am Ausgang des 20. Jahrhunderts von Deutschland verlangt. Sich in dieser Aufgabe zu bewähren, heißt erst, die eigene Souveränität nicht nur zu postulieren, sondern tatsächlich zu praktizieren. Noch befindet sich die Bundesrepublik Deutschland am Anfang dieses Weges. Ihr Wertüberzeugungen zugrundezulegen, ist vor allem eine Selbstverpflichtung. Daraus konsensfähige Handlungsnormen abzuleiten und zu praktizieren unterliegt den Bedingungen des demokratischen Prozesses im Innern des Landes. In der Welt außerhalb Deutschlands wird vor allem erwartet, daß Profil und Klarheit unserer Außenpolitik nicht Schaden nehmen, wenn versucht wird, Werte und Handlungen im innenpolitischen Ringen um Zielvorstellungen und Konsensbedarf festzulegen.

GULLIVER IN DER MITTE EUROPAS.
INTERNATIONALE VERFLECHTUNG UND NATIONALE HANDLUNGSMÖGLICHKEITEN

Helga Haftendorn

Als am 3. Oktober 1990 der Jubel über die Vereinigung verklungen war, fragten sich viele Deutsche, welche Auswirkungen die Überwindung der Teilung Deutschlands (und Europas) auf seine Stellung in der Welt haben würde. Mit den alliierten Vorbehaltsrechten waren die letzten völkerrechtlichen Kriegsfolgen gelöscht bzw. mit der abschließenden Regelung in bezug auf Deutschland[1] in freiwillige Verpflichtungen transformiert worden. Die militärische Bedrohung durch die Sowjetunion und den Warschauer Pakt war abgeflaut, der Nordatlantikpakt (NATO) hatte auf die neue Sicherheitslage mit dem Angebot zur Transformation und Kooperation reagiert.[2] In Westeuropa hatte die europäische Integration neue Impulse erhalten und die Weiterentwicklung der Europäischen Gemeinschaften (EG) zu einer Europäischen Politischen Union (EPU) wurde zu einem konkreten politischen Ziel. Zugleich schien sich im Rahmen der Konferenz über Sicherheit und Zusammenarbeit in Europa (KSZE) die Möglichkeit zu eröffnen, in Europa ein System kollektiver Sicherheit zu errichten.[3]

DER WANDEL DER STRUKTURELLEN RAHMENBEDINGUNGEN

Es dürfte kein Zweifel daran bestehen, daß die Ablösung der europäischen Nachkriegsstrukturen die Bedingungen deutscher Außenpolitik grundlegend verändern wird. In der Vergangenheit war die Bundesrepublik als Folge der Ost-West-Konfrontation im Atlantischen Bündnis ebenso wie die DDR im Warschauer Pakt verankert; zugleich wurden die USA ebenso wie die Sowjetunion zu europäischen Ordnungsmächten und damit zu Garanten der Stabilität dieser Strukturen, die auf der Teilung Europas und Deutschlands beruhten. Daneben gab es eine etwas diffusere ökonomische Struktur, in deren Rahmen die Wirtschaft der Bundesrepublik mit dem westeuropäischen und mit dem Weltmarkt verflochten war und die Bundesrepublik an deren regionalen und globalen Institutionen mitwirkte. Verschiedene Sonderregeln

---

1 Vgl. Vertrag über die abschließende Regelung in bezug auf Deutschland vom 12. September 1990, in: *Bulletin* (Presse- und Informationsamt der Bundesregierung), Nr. 109, 14.9.1990, S. 1153-1156.

2 Vgl. Die Nordatlantische Allianz im Wandel. Londoner Erklärung der Staats- und Regierungschefs des Nordatlantikpakts vom 6. Juli 1990, in: *Bulletin* (Presse- und Informationsamt der Bundesregierung), Nr. 90, 10.7.1990, S. 777-779.

3 Vgl. Charta von Paris für ein neues Europa. Erklärung des Pariser KSZE-Treffens der Staats- und Regierungschefs vom 19. November 1990, in: *Bulletin* (Presse- und Informationsamt der Bundesregierung), Nr. 137, 24.11.1990, S. 1409-1423.

unterstrichen jedoch auch auf diesem Feld die Dominanz der Ost-West-Sicherheits-struktur. Hilfsprogramme wie der Marshall-Plan, Sondervereinbarungen wie die diversen Devisenausgleichsabkommen oder Embargomaßnahmen und CoCom-Regeln wären ohne die Wirkungen des Kalten Krieges nicht denkbar gewesen.

Die Frage stellt sich nun, welche Strukturen in Zukunft an die Stelle des bisher dominanten Ost-West-Konflikts treten werden. Würden nunmehr die teils (west-) europäisch zentrierten, teils global orientierten wirtschaftlichen Strukturen dominieren? Dies könnte eine logische Folge der von verschiedenen Autoren vorausgesagten Ökonomisierung der Politik sein.[4] Würde sein wirtschaftliches Potential Deutschland eine Vormachtstellung verleihen?[5] Welche Auswirkungen würde der Abbau der militärischen Konfrontation auf das Atlantische Bündnis haben, das Alfred *Grosser* einmal als Kind des Kalten Krieges[6] bezeichnet hat? Würde die NATO ihre bisherige Aufgabe und die Präsenz der USA ihre Grundlage verlieren, wenn es nicht mehr darum ging, »to keep the Russians out, the Americans in, and the Germans down?« Welcher Stellenwert würde künftig der mittel- und osteuropäischen Region sowie Rußland in der deutschen Außenpolitik zukommen, da mit dem Ende des Ost-West-Konflikts die Sowjetunion ihre Funktion als »Gegenmacht« ebenso wie als Hüter der deutschen Teilung verloren hat? Würden die Auflösungserscheinungen in Osteuropa zu einer neuen Destabilisierung des Kontinents führen, möglicherweise sogar zu einer neuen Sicherheitsgefährdung Deutschlands, die es mit dem Wegfall der sowjetischen Bedrohung für überwunden geglaubt hatte?

Aufgrund seiner Größe, seines wirtschaftlichen Potentials und seiner geographischen Lage ist Deutschland strukturabhängig ebenso wie es selbst strukturbildend wirkt.[7] Bei den eben skizzierten Entwicklungen kommt Deutschland daher eine Schlüsselrolle als Anlaß, Auslöser oder Akteur zu. Wird es damit zu einer europäischen Vormacht, die weitgehend frei von den Rücksichtnahmen der Nachkriegs-epoche ihre gewachsene Macht zur Schaffung einer neuen europäischen Friedens-struktur einsetzen kann? Ihr nationales Interesse an Schutz vor äußerer Bedrohung und an innenpolitischer Stabilität, die auf wirtschaftlichem Wohlstand und sozialem Ausgleich beruhen, wird Deutschland am besten in einem Europa verwirklichen können, dessen Strukturen gekennzeichnet sind durch Kooperation, Demokratie und Marktwirtschaft. Eröffnen sich Deutschland damit neue internationale Handlungsmöglichkeiten, die sich absetzen von denen der Nachkriegsepoche, in der die Bundesrepublik ihre außenpolitischen Prioritäten primär durch Selbstbeschränkung, geschickte Anpassung an die internationalen Rahmenbedingungen und Ausnutzung

---

4 Vgl. z.B. Richard *Rosecrance*, The Rise of the Trading State. Commerce and Conquest in the Modern World, New York 1986.

5 Vgl. Andrei S. *Markovits* und Simon *Reich*, Deutschlands neues Gesicht: Über deutsche Hegemonie in Europa, in: *Leviathan*, Heft 1, 1992, S. 15-63.

6 Vgl. Alfred *Grosser*, Die Bundesrepublik Deutschland – Bilanz einer Entwicklung, Tübingen 1967, S. 12.

7 Vgl. dazu Werner *Link*, Perspektiven der europäischen Integration, in: Karl *Kaiser* und Hanns W. *Maull* (Hrsg.), Die Zukunft der europäischen Integration: Folgerungen für die deutsche Politik, (Arbeitspapiere zur Internationalen Politik, Nr. 78), Bonn 1993, S. 7-26.

ihres wirtschaftlichen Potentials realisieren konnte?[8] Wird die Bundesregierung in Zukunft in der Lage sein, außen- wie innenpolitische Anforderungen miteinander in Übereinstimmung zu bringen, anstatt wie bisher nach mühseligen und häufig kostspieligen innenpolitischen Kompromissen für außenpolitische Zwänge suchen zu müssen? Kann sie davon ausgehen, daß durch 40 Jahre Wohlverhalten die historischen Belastungen verjährt und die sich aus Teilung und Sicherheitsdefizit ergebenden Rücksichtnahmen obsolet geworden sind und sich auf diese Weise ihr außenpolitischer Handlungsspielraum wesentlich erweitert hat? Welche neuen Anforderungen stellt die zunehmende internationale Verflechtung an das vereinte Deutschland, seine politischen Institutionen und seine Bevölkerung?

DER WANDEL DES INSTITUTIONELLEN UMFELDES

Mögen auch aus der Nachkriegsepoche herrührende Beschränkungen abgebaut worden sein, so hat sich jedoch weder die wirtschaftliche Verflechtung Deutschlands noch ihre Integration in internationale Organisationen geändert. Auf die Einbindung ihrer Volkswirtschaft in den europäischen und in den Weltmarkt soll hier zwar nicht eingegangen werden,[9] als Motiv für die deutsche Mitgliedschaft in der OECD und im GATT, in der Gruppe der sieben größten Industrienationen (G-7) sowie in der Weltbank und im Internationalen Währungsfonds (IWF) muß sie jedoch im Gedächtnis behalten werden.

Die Europäische Union als dominante europäische Institution

Die Europäischen Gemeinschaften verdanken ihre Entstehung nicht nur wirtschaftlichen Motiven. Die Gründung der Europäischen Gemeinschaft für Kohle und Stahl (EGKS), der Europäischen Wirtschaftsgemeinschaft (EWG), der Europäischen Atomgemeinschaft (EURATOM) und des Europäischen Währungssystems (EWS) waren eminent politische Unterfangen, galt es doch, Deutschland in die Gemeinschaft der westlichen Demokratien einzubeziehen und damit den deutsch-französischen Gegensatz zu überwinden. Gleichzeitig sollte aber auch eine auf sein Wirtschafts- und Bevölkerungspotential gestützte Vorherrschaft Deutschlands in Europa verhindert werden.

Der Bindungsperspektive der EG entsprach die Aufgabe von Souveränitätsrechten seitens ihrer Mitglieder, welche die Bundesrepublik der Gemeinschaft bereitwillig übertrug, da diese ihr neue Handlungsmöglichkeiten eröffnete; andere Partner wie Frankreich akzeptierten sie als Gebot der Staatsräson oder gestanden sie dieser wie Großbritannien mit Vorbehalt zu.

---

8 Vgl. *Haftendorn*, Außenpolitische Prioritäten und Handlungsspielraum. Ein Paradigma zur Analyse der Außenpolitik der Bundesrepublik Deutschland, in: *Politische Vierteljahresschrift*, Heft 1, 1989, S. 31-49.
9 Vgl. dazu den Beitrag von Norbert *Kloten* in diesem Band.

Die britischen Beschränkungen betrafen zunächst nur die Außenhandelspolitik, bezogen sich mit der Vertiefung der europäischen Integration aber zunehmend auf weitere Bereiche der Wirtschafts-, Währungs- und Sozialpolitik. Heute hat die Gemeinschaft eine Regelungskompetenz für ein breites Spektrum ökonomischer, monetärer und sozialer Belange.

Die Außenvertretung der Gemeinschaft beschränkte sich zunächst auf die gemeinsame Handelspolitik. In den siebziger Jahren versuchte sie dann, über das Instrument der Europäischen Politischen Zusammenarbeit (EPZ) eine größere Abstimmung in der Außenpolitik zu erreichen, die jedoch nicht über die Koordinierung der Politik der Mitgliedstaaten auf einigen ausgewählten Sektoren hinausging. Erst die Verabschiedung der Einheitlichen Europäischen Akte (EEA) brachte die Wende, indem nunmehr die Zusammenarbeit explizit auf Bereiche der Außen- und Sicherheitspolitik ausgedehnt wurde. Den vorläufig letzten Schritt ging die Gemeinschaft mit dem Vertrag von Maastricht, dessen Ziel die Schaffung einer »immer engeren Union der Völker Europas« ist, die auf drei Pfeilern ruhen soll: der Wirtschafts- und Währungsunion (WWU), der gemeinsamen Außen- und Sicherheitspolitik (GASP) und der gemeinsamen Rechts- und Innenpolitik (GRIP).[10] Nach dem Willen der Vertragspartner soll diese Union bis zum Ende des Jahrtausends verwirklicht werden, wobei die Vorgaben für die Wirtschafts- und Währungsunion am präzisesten sind, der Übergang in die nächste Phase jedoch noch eines Beschlusses des Europäischen Rates (ER) bedarf. Die anderen Bereiche bleiben auch in Zukunft weitgehend der freiwilligen Kooperation zwischen den Regierungen anheim gestellt. Die direkte Abgabe nationaler Souveränität bleibt damit begrenzt. Das Vertragswerk von Maastricht hat daher einen Zwitter geschaffen, in dem supranationale neben intergouvernementalen Organisationsformen stehen.

Die weitere Entwicklung der Europäischen Union läßt sich zum gegenwärtigen Zeitpunkt noch nicht absehen. Wenn die WWU erfolgreich ist und sich daraus eine entsprechende Gemeinschaftsdynamik entwickelt, wird sich der Zwang zur Koordinierung auf den Gebieten der Außen- und Sicherheitspolitik sowie der Rechts- und Innenpolitik verstärken. Falls sich die Europäische Union zu einem europäischen Bundesstaat fortentwickelt, so könnte dieser ein wichtiger Stabilitätspfeiler in Europa sein. Angesichts der Größe dieser Aufgabe und der Beharrungstendenzen in vielen Ländern ist aber auch nicht auszuschließen, daß der Kraftakt von Maastricht an Schwung verliert und sich die Entwicklung umkehrt zu einer Betonung nationaler Sonderwege.

Es darf nicht übersehen werden, daß das heutige »Janusgesicht« der Union den Interessen des französischen und auch des britischen Partners entgegenkommt. Es bindet die wichtigste Machtressource Deutschlands, seine Wirtschaftskraft, ebenso wie es die Möglichkeit bietet, die »Herrschaft der D-Mark« zu brechen. Zugleich behalten Frankreich ebenso wie Großbritannien ihre politische und sicherheitspolitische Handlungsfähigkeit. Weder ihr Status als Nuklearmächte noch als Ständige Mitglieder

---

10 Vgl. Vertrag über die Europäische Union, Art. A u. B, in: *EA*, 6/1992, S. D 177-254; hier S. D 178-179.

des Sicherheitsrats wird angetastet. Es ist also nicht sicher, ob sich das ambitiöse Ziel einer Europäischen Politischen Union in einem überschaubaren Zeitraum realisieren lassen wird. Die Vorbehalte und Widerstände dagegen stellen daher ein beträchtliches Unsicherheitsmoment in der europäischen Entwicklung dar.

Auch gibt es noch keine politischen und institutionellen Lösungen für die Aufgabe, zugleich mit der Vertiefung der Union ihre Erweiterung – zunächst um die EFTA-Staaten, dann jedoch auch um die wirtschaftlich fortgeschrittensten mittel- und osteuropäischen Staaten – zu bewerkstelligen. Voraussetzung dafür ist, daß in diesen Ländern die Wirtschaftsreform erfolgreich ist und sich ihr ökonomischer Entwicklungsstand an denjenigen der alten Mitglieder der Europäischen Union (EU) angleicht – dies läßt sich aber nur mit massiver westlicher Hilfe verwirklichen. Die Europa-Abkommen mit den Reformstaaten weisen in die richtige Richtung, gehen aber noch nicht weit genug. Versagt sich die EU dieser Aufgabe und schottet sich nach außen ab, wird sie kein Stabilitätsfaktor sein, sondern destabilisierend wirken.

In Deutschland hat eine Kombination von nationalem Beharrungsstreben, wirtschaftlicher Malaise und Kritik am Demokratiedefizit der Europäischen Union die Besorgnis geweckt, ob der durch den Vertrag von Maastricht vorgezeichnete Weg wirklich im deutschen Interesse liegt. Symptomatisch dafür sind die Anrufung des Bundesverfassungsgerichts sowie der Beschluß des Bundestags, sich eine erneute Entscheidung vor der Verwirklichung der Währungsunion vorzubehalten. In ihrem Urteil vom 12. Oktober 1993 sind die Karlsruher Richter teilweise auf diese Befürchtungen eingegangen. Sie haben in ihrem Spruch hervorgehoben, das Ziel des Vertrags von Maastricht sei ein Staatenverbund zur Herstellung einer immer engeren Union, aber nicht die Gründung der »Vereinigten Staaten von Europa«. Die nationale Identität der Mitgliedstaaten bleibe unangetastet, vielmehr gehe es um eine – unter Umständen widerrufbare – intergouvernementale Zusammenarbeit zwischen Staaten, die ihrerseits von den demokratisch gewählten nationalen Parlamenten kontrolliert werde.[11] Das bedeutet, daß es keine Automatik auf dem Weg zur Politischen Union gibt, ihre Verwirklichung vielmehr vom politischen Willen ihrer Mitglieder abhängig bleibt.

Die Zukunft des Atlantischen Bündnisses

Ähnlich wie die Europäischen Gemeinschaften verankerte das Atlantische Bündnis die Bundesrepublik sicher im Westen; die über dieses ebenso wie über die Westeuropäische Union (WEU) realisierten Beschränkungen ermöglichten erst den deutschen Verteidigungsbeitrag. Die NATO ist neben der EU die wichtigste internationale Institution, der die Bundesrepublik angehört. Während der Zeit des Kalten Krieges gewährleistete sie nicht nur ihre äußere Sicherheit, sondern schuf auch eine enge Verbindung zu den Vereinigten Staaten und bot einen gemeinsamen Handlungsrahmen für die westliche Politik. In ihr mischen sich zwischenstaatliche mit

---

11 Vgl. Der Vertrag von Maastricht ist keine Preisgabe des Staates Bundesrepublik, in: *FAZ*, 13.10.1993.

überstaatlichen Elementen. Während die politische Organisation der Allianz auf der Zusammenarbeit zwischen souveränen Staaten beruht, trägt der militärische Apparat supranationale Züge. In besonderem Maße galt dies für die Bundesrepublik, die in der Sicherheitspolitik auf wichtige nationale Entscheidungsbefugnisse verzichtet hatte. Sie hatte alle ihre Streitkräfte – von der Territorialverteidigung abgesehen – dem militärischen Befehl der Allianz unterstellt, und auf ihrem Territorium waren beträchtliche Truppenkontingente anderer NATO-Staaten stationiert. Durch den Verzicht auf Kernwaffen war sie von dem Schutz durch die von den USA gewährleistete nukleare Abschreckung abhängig, wobei sie aber nur eine beschränkte Mitplanungsmöglichkeit, aber kein Mitentscheidungsrecht über den Einsatz von Kernwaffen hatte.

Im Zusammenhang mit dem Vereinigungsprozeß übernahm Deutschland anstelle der ursprünglichen Höchstgrenze von 500 000 Mann als neue Verpflichtung die Beschränkung der Bundeswehr auf 370 000 Mann, deren NATO-Assignierung jedoch offen gelassen wurde.[12] Zugleich konnte es den Abzug der sowjetischen/russischen Truppen aus der ehemaligen DDR erreichen, wobei für dieses Gebiet ein besonderer sicherheitspolitischer Status vereinbart wurde. Der Aufenthaltsvertrag von 1954, in dem die Stationierung ausländischer Truppen auf dem Gebiet der Bundesrepublik geregelt worden war, erhielt nun eine Revisionsklausel; über seine Modifizierung wird verhandelt. Auf deutschem Territorium bleiben jedoch beträchtliche ausländische Streitkräfte stationiert. Große Teile der Bundeswehr sind in multinationale Korps integriert und damit nationaler Verfügungsgewalt weitgehend entzogen. Da mit dem Zerfall des Warschauer Paktes die Notwendigkeit zur Aufrechterhaltung starker präsenter Streitkräfte in Europa ebenso wie zur nuklearen Abschreckung geringer geworden ist, haben die verbliebenen militärischen Beschränkungen für Deutschland aber weitgehend an Bedeutung verloren.

Mit dem Ende des Ost-West-Konflikts ist jedoch einer der Pfeiler weggebrochen, an denen das »Atlantische Sicherheitsnetz« bisher aufgehängt war. Dieses hat in der Phase des Kalten Krieges den Handlungsspielraum aller Partner, vor allem aber denjenigen der Bundesrepublik, eingeschränkt und zugleich abgesichert. Ein »renversement des alliances« war für keinen möglich; jeder mußte vielmehr das in seinen Kräften Stehende tun, um das Nachkriegssystem in seiner bestehenden Konfiguration zu erhalten, es sei denn, die Bedingungen änderten sich, auf denen es beruhte. Als mit dem Kollaps des östlichen Paktsystems ebenso wie der Sowjetunion eben dies geschah, mußte auch das Atlantische Bündnis seinen Charakter ändern. Durch die Reduzierung der militärischen Bedrohung durch den Warschauer Pakt auf eine »Restbedrohung« verlor seine Funktion als Rahmen für die kollektive Verteidigung des Westens an Bedeutung,[13] auch wenn die Unsicherheiten über den künftigen sicherheitspolitischen Kurs Rußlands bestehen blieben. Über eine Reform

---

12 In den Wiener Verhandlungen über konventionelle Streitkräfte in Europa wurde für die Landstreitkräfte eine Obergrenze von 345 000 Mann festgesetzt. Vgl. Abschließende Akte der Verhandlungen über Personalstärken der Konventionellen Streitkräfte in Europa, in: *Bulletin* (Presse- und Informationsamt der Bundesregierung), Nr. 79, 17.7.1992, S. 753-758.

13 Vgl. dazu Uwe *Nerlich*, Neue Sicherheitsfunktionen der NATO, in: *EA*, 23/1993, S. 663-672.

ihrer Strategie und Struktur versucht die NATO, sich der gewandelten internationalen Sicherheitslage anzupassen.[14] An die Stelle der Ausrichtung auf eine dominante Bedrohung orientiert sich das Bündnis nunmehr an sehr heterogenen Risiken. Da künftig militärische Konflikte im NATO-Vertragsgebiet – abgesehen von der NATO-Südflanke – eher unwahrscheinlich sind, muß die NATO ihre militärischen Aufgaben neu überdenken. Eine Überlegung geht dahin, daß sie künftig ihre Dienste als »militärische Serviceorganisation« der KSZE oder den Vereinten Nationen anbietet. Bereits heute stellt die NATO Streitkräfte zur See- und Luftüberwachung im Bosnien-Konflikt zur Verfügung. Damit gewinnen jedoch einzelstaatliche Interessen innerhalb des Bündnisses an Bedeutung. Die sich daraus ergebenden Gefahren für die Kohärenz und Glaubwürdigkeit der Allianz werden durch die Schwierigkeiten beleuchtet, sich auf eine militärische Aktion in Bosnien zu einigen.

Aber auch der politische Charakter des Bündnisses ändert sich. Vor allem wächst die bisher durch den Ost-West-Konflikt eingeschränkte Möglichkeit neuer politischer Konstellationen. Dies gilt vor allem für die USA, während Deutschland aus wohlverstandenen Gründen, die vor allem in seiner jüngsten Geschichte liegen, die in der Nachkriegsepoche eingegangenen Bindungen zu bewahren suchen wird. Aus seiner Sicht ist es wichtig, daß Amerika politisch und militärisch an Europa gebunden bleibt. Für die USA fungierte Westeuropa während der Dauer des Ost-West-Konflikts als militärischer Vorposten zur Eindämmung des sowjetischen Machtpotentials. Nach dem Wegfall dieser Funktion tritt aus Washingtoner Sicht die Aufgabe eines vorgeschobenen Depots und eines Verschiebebahnhofs seiner in Europa stationierten Streitkräfte bei globalen Interventionen. Hinzu kommen Überlegungen, das Bündnis künftig im Rahmen einer »coalition strategy« zu nutzen und ein höheres Maß an Lastenteilung mit den Partnern zu erreichen.[15] Eine derartige Entwicklung verändert jedoch erheblich den Charakter der Allianz als ein System kollektiver Verteidigung.

Die NATO läuft daher Gefahr, daß ihre Funktionsfähigkeit durch die wachsende Bedeutung nationaler Sonderinteressen ausgehöhlt wird. Auch der von Frankreich betriebene Versuch, die WEU nicht nur zum Verteidigungsarm der EU zu machen, sondern sie zu einer Europäischen Verteidigungsgemeinschaft fortzuentwickeln, würde den Zusammenhalt des Bündnisses lockern. Deutschland kann jedoch kein Interesse daran haben, die Bindungen zu den USA und deren Rolle im Bündnis zu schwächen. Es ist daher mit dem Dilemma konfrontiert, daß es einerseits die NATO als atlantische Sicherheitsgemeinschaft – d.h. auch als eine gemeinsame Werte- und Interessengemeinschaft – erhalten will, andererseits aber bestrebt ist, die Europäische Politische Union außen- und sicherheitspolitisch handlungsfähig zu machen.

---

14 Vgl. Erklärung der Gipfelkonferenz der Staats- und Regierungschefs der NATO-Mitgliedstaaten vom 7. November 1991 (mit dem neuen strategischen Konzept und anderen Erklärungen), in: *EA*, 2/1992, S. D 52-72.

15 Vgl. Les *Aspin*, Forces and Alliances for a New Era. Rede des amerikanischen Verteidigungsministers am 12. September 1993 auf der IISS-Konferenz in Brüssel, Manuskript sowie *ders.*, A Bottom-Up Review: Forces for a New Era, Department of Defense, 1.9.1993.

Mit der demokratischen Umgestaltung Mittel- und Osteuropas stellt sich die Frage nach der Öffnung der Europäischen Gemeinschaften ebenso wie des Atlantischen Bündnisses für die Staaten dieses Raumes. Die Višegrád-Staaten Polen, Tschechische und Slowakische Republik, Ungarn sowie die baltischen Republiken haben bisher am deutlichsten ihren Anspruch auf Einbeziehung in EU und NATO formuliert. Angesichts der Unverbindlichkeit seiner Beratungen ist der NATO-Kooperationsrat (NAKR) nicht in der Lage, diesen Staaten die Garantien zu geben, die diese für ihre eigene Sicherheit und ungestörte innere Entwicklung benötigen. Der deutsche Verteidigungsminister, Volker *Rühe*, unterstützt daher nachhaltig den Wunsch der mittel- und osteuropäischen Staaten nach Aufnahme in die NATO. Dahinter steht die Überlegung, daß durch die Einbeziehung dieser Staaten in das Atlantische Bündnis deren innere und äußere Stabilität erhöht werden könnte. Dagegen hat sich jedoch der russische Präsident Boris *Jelzin* unter Hinweis auf die von den Teilnehmern in den Zwei-plus-Vier-Verhandlungen eingegangenen Verpflichtungen gewandt. In der Tat könnte Rußland durch den NATO-Beitritt seiner ehemaligen Verbündeten, vor allem aber, wenn die Ukraine und Weißrußland diesem Schritt folgen, aus den dann entstehenden gesamteuropäischen Sicherheitsstrukturen ausgegrenzt werden. Jede dauerhafte europäische Lösung muß daher sowohl Sicherheit vor Rußland als auch Sicherheit für Rußland anbieten.

Mit Rücksicht auf Moskau, das für Washington weiterhin der wichtigste Ansprechpartner in Osteuropa ist, aber auch aus der Sorge vor einer Schwächung des Zusammenhalts der Allianz, sehen die USA in der Osterweiterung der NATO höchstens eine langfristige Perspektive, aber keine kurzfristige Möglichkeit. Als Zwischenlösung haben sie den mittel- und osteuropäischen Staaten unter dem Namen »Partnerschaft für den Frieden« bilaterale Kooperationsverträge vorgeschlagen. Diesen Vorschlag haben die Bündnispartner auf ihrem Gipfeltreffen Anfang 1994 aufgegriffen und den mittel- und osteuropäischen Staaten offiziell den Vorschlag unterbreitet, vertragliche Beziehungen mit der Allianz herzustellen. Diese sind zwar unterhalb der Schwelle der Mitgliedschaft angesiedelt, sollen aber als Vorstufe zu einer solchen betrachtet werden können.[16]

Es ist jedoch abzusehen, daß die »Partnerschaft für den Frieden« die Sicherheitsbedürfnisse der mittel- und osteuropäischen Staaten nicht befriedigen wird. Andererseits stellt sich die Frage, ob eine Ausdehnung des Bündnisgebietes diesen Ländern wirklich einen glaubwürdigen Schutz bieten kann, nachdem die NATO-Mitglieder bisher nicht zu Beistandszusagen über das bisherige Bündnisgebiet hinaus bereit waren. Uwe *Nerlich* hat darauf aufmerksam gemacht, daß eine Erweiterung des Bündnisses oder seiner Beistandspflicht ebenso wie auch eine Ablehnung derselben zu einer Abschwächung der kollektiven Verteidigungsfähigkeit der Allianz führen könnte. In dem einen Fall würde sich die innere Kohäsion des Bündnisses durch die

---

16 Vgl. Beschlüsse der Tagung der Staats- und Regierungschefs der NATO am 10. und 11. Januar 1994 in Brüssel sowie Einladung und Rahmendokument zur »Partnerschaft für den Frieden«, in: *Bulletin* (Presse- und Informationsamt der Bundesregierung), Nr. 3, 17.1.1994, S. 20-24.

größere Heterogenität der Interessen seiner Mitglieder lockern, im anderen könnte die Notwendigkeit zur Aufrechterhaltung einer angemessenen Verteidigungsbereitschaft angesichts des Fehlens einer äußeren Bedrohung künftig überflüssig erscheinen.[17]

In mittelfristiger Perspektive könnte jedoch die WEU den institutionellen Rahmen für die Sicherheitsbedürfnisse der mittel- und osteuropäischen Staaten bieten. Eine WEU-Mitgliedschaft ergibt sich als logische Konsequenz aus deren Beitritt zur Europäischen Union, wenn auch möglicherweise erst im nächsten Jahrhundert. Mit ihren jüngsten Beschlüssen haben EU und NATO die Absicht bekundet, die WEU zum sicherheitspolitischen Scharnier zwischen beiden Institutionen fortzuentwickeln. Die WEU verfügt zwar bisher über keine eigene Militärorganisation, wird aber in den nächsten Jahren die Verbindungen zur NATO weiter ausbauen. Damit könnte das Sicherheitsdefizit der mittel- und osteuropäischen Staaten zumindest teilweise behoben werden. Für Washington hat die WEU-Mitgliedschaft den großen Vorteil, daß die USA keine neuen direkten Beistandsverpflichtungen eingehen müssen und daß das Atlantische Bündnis in seiner bisherigen Konfiguration erhalten bleibt.[18]

Auch Deutschland könnte einen Vorteil darin sehen, daß das NATO-Bündnis angesichts der bisher völlig ungeklärten Situation in Rußland und weiten Teilen Ost- und Südosteuropas nicht angetastet wird. Es ist sowohl vorstellbar, daß sich Rußland zu einer europäisch-asiatischen Ordnungsmacht entwickelt, die in der Lage ist, ihr regionales Umfeld nichtautoritär zu stabilisieren und partnerschaftlich mit Westeuropa zu kooperieren. Es könnte aber auch die Situation eintreten, in der ein erneut die europäische Sicherheit bedrohendes Rußland nur durch ein starkes militärisches Bündnis erfolgreich in Schach gehalten bzw. ausbalanciert werden kann. Es wäre daher voreilig, mit der NATO eine Institution aufs Spiel zu setzen, die in den vergangenen 45 Jahren Sicherheit und Stabilität in Europa garantiert hat.

Das Versagen der KSZE als gesamteuropäisches Sicherheitssystem

Die Bundesrepublik hat den KSZE-Prozeß in der Vergangenheit sehr wesentlich gefördert. Unter den Bedingungen des Ost-West-Konflikts hat dieser einen wesentlichen Beitrag zu dessen Überwindung geleistet, indem er einerseits den Status quo in Europa stabilisierte und zum anderen flexible Formeln lieferte, mit denen er allmählich überwunden werden konnte. Nach seiner Beendigung hat Deutschland große Hoffnungen darauf gesetzt, daß an die Stelle des alten Konfrontationssystems eine neue, kooperative Friedensstruktur treten würde. Der KSZE fehlen derzeit jedoch die Voraussetzungen dafür, um als System kollektiver Sicherheit erfolgreich wirken zu können.

Mit der »Charta von Paris« hat die KSZE zwar den Weg dazu beschritten und sich ein institutionelles Instrumentarium zur Streitschlichtung und zum Krisenmanagement zugelegt, ihr Versagen im Bosnien-Konflikt zeigt jedoch, daß auf absehbare Zeit

---

17 Vgl. *Nerlich*, a.a.O. (Anm. 13).
18 Vgl. Claus *Gennrich*, Ein langer Sorgenkatalog bei Pasta und Calamares, in: *FAZ*, 2.2.1994.

nicht damit zu rechnen ist, daß sie Stabilität und Sicherheit in Europa garantieren kann. Dies ist umso mehr zu bedauern, als die KSZE die einzige Institution in Europa ist, der alle europäischen Staaten, aber auch die USA, Kanada und Rußland angehören. Bisher gibt es unter ihren Mitgliedern keinen Konsens darüber, daß die Verletzung des Gewaltverbots durch einen Staat die übrigen Staaten zu gemeinsamen Aktionen gegenüber dem Regelverletzer verpflichtet. Selbst wenn es diese Überein-stimmung in einem spezifischen Fall geben sollte, fehlt die Bereitschaft, notfalls auch militärische Mittel einzusetzen, um den Regelverletzer zu bestrafen. Noch dominieren nationalstaatliche Interessen. Das Bewußtsein, daß Konflikte in Europa Wirkungen auf alle Staaten der Region haben und daher alle angehen, ist bisher nur unzulänglich ausgebildet. Aufgrund seiner geographischen Lage ist Deutschland – neben Griechenland und der Türkei – am stärksten von Konflikten in Osteuropa betroffen, ohne daß es für sich allein über die Mittel für ein diplomatisches oder militärisches Eingreifen verfügt.

Mehrfach ist auf den Beitrag der KSZE zur Durchsetzung der Menschenrechte in ganz Europa hingewiesen worden. Könnte diese Aufgabe nicht auch der Europarat übernehmen, der auf diesem Gebiet Vorzügliches geleistet hat und dem derzeit nur diejenigen Staaten angehören, die eine gemeinsame kulturelle Tradition verbindet? Es wäre sinnvoller, wenn zu diesem Zweck seine Organe – Beratende Versammlung, Rat, Menschenrechtskommission und Gerichtshof – gestärkt und mit neuen Kompetenzen versehen würden, als wenn weiterhin unerfüllbare Erwartungen an die KSZE gerichtet werden, die diese aufgrund ihrer Größe und der politischen Heterogenität ihrer Mitglieder nicht erfüllen kann.

Möglichkeiten zur Friedenssicherung im Rahmen der Vereinten Nationen

Obwohl ihre Aktivitäten bisher weit hinter dem ambitiösen Programm der »Agen-da für den Frieden«[19] zurückgeblieben sind, sind die Vereinten Nationen gegenwärtig die einzige Organisation, unter deren Dach wirksame Aktionen zur Konfliktentschär-fung und -beendigung möglich sind. Im Gegensatz zur Praxis in der Zeit des Kalten Krieges war der Sicherheitsrat mit den Stimmen der drei Westmächte und Rußlands im zweiten Golf-Krieg und in bezug auf Somalia zu gemeinsamen Beschlüssen über friedenssichernde Aktionen in der Lage. Allerdings ist es bisher nicht zur Aufstellung von gemeinsamen Streitkräften unter UN-Oberbefehl oder zur Bildung des in der Charta vorgesehenen Generalstabsausschusses gekommen. Auch ist es den Vereinten Nationen angesichts der widerstreitenden Interessen der Konfliktpartner wie der Mitglieder des Sicherheitsrats im Bosnien-Konflikt bisher nicht gelungen, einen überzeugenden Beitrag zur Beendigung dieses Krieges zu leisten.

---

19 Vgl. Agenda für den Frieden. Vorbeugende Diplomatie, Friedensschaffung und Friedenssicherung. Bericht des UN-Generalsekretärs Boutros *Boutros-Ghali* vom 17. Juni 1992 gemäß der am 31. Januar 1992 vom Gipfeltreffen des Sicherheitsrats verabschiedeten Erklärung, in: *Blätter für deutsche und internationale Politik*, Nr. 9, 1992, S. 1130-1150.

Die Möglichkeiten Deutschlands zur Mitwirkung an friedenssichernden oder friedensschaffenden Missionen der Vereinten Nationen werden weiterhin durch die enge Interpretation des Grundgesetzes und den innenpolitischen Streit über eine Grundgesetzänderung oder -interpretation eingeschränkt. Diese Selbstbeschränkung widerspricht dem deutschen Interesse an weltweiten stabilen Transformationsprozessen und ist nicht mit dem Anspruch auf einen ständigen Sitz im UN-Sicherheitsrat in Einklang zu bringen.

Die Tätigkeit der Vereinten Nationen erschöpft sich jedoch nicht in der Friedenssicherung. Ebenso unterentwickelt wie die UN-Politik ist auch die deutsche Entwicklungspolitik. Da sich der Anspruch Deutschlands auf einen Sitz im UN-Sicherheitsrat bisher weder auf besondere Hilfeleistungen zugunsten der Länder der Dritten Welt – die deutsche Entwicklungshilfe liegt derzeit mit einem Anteil von 0,2 von Hundert am Bruttosozialprodukt (BSP) im unteren Drittel der OECD-Staaten – noch auf einen herausragenden Beitrag zu den UN-Friedensmissionen stützen kann, ist er weitgehend deklaratorisch. Der logische Schritt, ein gemeinsamer ständiger Sitz für die Europäische Union, läßt sich angesichts der Vorbehalte Frankreichs und Großbritanniens nicht realisieren, die sich ihre herausgehobene Stellung im System der Vereinten Nationen zu erhalten suchen.

In der Vergangenheit bedeutete die Mitgliedschaft in der Weltorganisation für die Bundesrepublik keine große Bürde. Bonn zahlte seinen Beitrag, hielt sich aber bei kritischen politischen Entscheidungen bedeckt und übte Zurückhaltung bei militärischen Aktionen. Die sogenannten »Feindstaatenklauseln«, Art. 53 und 107 der UN-Charta entfalteten keine restriktive Wirkung, da sie durch die Blockstrukturen der Nachkriegsepoche neutralisiert wurden. Sollte es in fernerer Zukunft zu einer Revision der UN-Charta kommen, so muß Deutschland jedoch damit rechnen, daß es nicht nur stärker zur Kasse gebeten wird, sondern auch, daß von ihm größere Leistungen zur internationalen Friedenssicherung erwartet werden.

MULTILATERALISMUS ALS HANDLUNGSMAXIME DER AUSSENPOLITIK

Ein Charakteristikum der deutschen Außenpolitik in der Nachkriegsepoche war ihr ausgeprägter Multilateralismus. Zunächst bot der Bundesrepublik die Mitgliedschaft in internationalen Organisationen eine Möglichkeit, von außen auferlegte Beschränkungen ihrer Souveränität in freiwillig übernommene Verzichte zu verwandeln. Zunehmend konnte Bonn über seine Mitgliedschaft auch deren Politik mitgestalten. Die Geschichte der Vierer-Gruppe zeigt darüber hinaus, daß die Bundesrepublik unter den Bedingungen des Kalten Krieges und angesichts des Ausfalls der Sowjetunion als Kooperationspartner sogar eine Institution, die zur Vormundschaft Deutschlands gedacht war, nutzen konnte, um als »4. Alliierter« politischen Einfluß geltend zu machen.[20] Es wäre daher falsch, in diesem Zusammenhang von »Machtvergessenheit«

---

20 Vgl. dazu *Haftendorn*, Am Anfang waren die Alliierten. Die alliierten Vorbehaltsrechte als Rahmenbedin-

zu sprechen.[21] Die verschiedenen Bundesregierungen haben vielmehr unter den Bedingungen der Nachkriegsepoche in einer Koalitionsstrategie eine kostengünstigere Variante einer nationalen Interessenpolitik gesehen und diese entsprechend genutzt. So verdanken Europäische Union und KSZE, aber auch das Atlantische Bündnis, ihre heutige Form und Funktion sehr wesentlich dem Beitrag der Bundesrepublik. Um die deutsche Vereinigung international durchzusetzen und abzusichern, strebte die Bundesrepublik nicht nur danach, ganz Deutschland zum Mitglied eines ungeschmälerten Atlantischen Bündnisses zu machen, sondern sie verfolgte auch das Ziel, die EG-Integration zu vertiefen. Sie wollte sich, mit den Worten von Peter *Schmidt*, »stärker als bisher an Westeuropa ... binden, um ein kohärentes und stabiles Umfeld für das vereinte Deutschland zu erhalten.«[22]

Institutionen bieten der deutschen Politik eingespielte Verfahrensweisen, die für Erwartungssicherheit und Berechenbarkeit staatlichen Verhaltens sorgen. Zugleich schaffen sie Zeitdruck und fördern damit Entscheidungen. In der Vergangenheit kam hinzu – und das war für die Bundesrepublik angesichts ihrer eigenen Schwäche besonders wichtig –, daß Institutionen einzelstaatliche militärische, politische und wirtschaftliche Macht mediatisierten. In der NATO wurde die Vormachtrolle der USA relativiert und in der EG der Druck Frankreichs abgeschwächt. Allerdings konnte auch die Bundesrepublik ihr wirtschaftliches Gewicht im Gemeinschaftskontext nur mittelbar ausspielen und mußte ihrerseits Kompromisse eingehen, wenn es die europäische Integration nicht gefährden wollte. Institutionen treten jedoch selten selbst als politische Akteure auf, sie bieten nur einen – oder mehrere – Rahmen für nationale Politik. Wie in der Vergangenheit braucht Deutschland auch in der Zukunft Kooperationspartner, mit denen es zusammen seine politischen Vorstellungen durchsetzen kann. Dies erfordert die Bereitschaft zur Anpassung an deren Interessen und die Fähigkeit zum Kompromiß.

Deutschland und Frankreich als europäische Führungsmächte

Einer der engsten Partner Deutschlands in Europa ist Frankreich; die vertrauensvolle Zusammenarbeit zwischen Bonn und Paris ist zu einem Strukturmerkmal der europäischen Politik geworden und wird es auch in Zukunft bleiben.[23] Für Frankreich war

---

gung des außenpolitischen Handelns der Bundesrepublik Deutschland, in: Hans-Hermann *Hartwich* und Göttrik *Wewer* (Hrsg.), Regieren in der Bundesrepublik V: Souveränität, Integration, Interdependenz – Staatliches Handeln in der Außen- und Europapolitik, Opladen 1993, S. 41-92; hier S. 68.

21 Der Begriff stammt von Hans-Peter *Schwarz*, Die gezähmten Deutschen. Von der Machtbesessenheit zur Machtvergessenheit, Stuttgart 1985.

22 Peter *Schmidt*, Der politische Umbruch in Mittel- und Osteuropa – Folgen für die Sicherheitspolitik in Westeuropa, in: *Strategisch-Sicherheitspolitische Studien* (Forschungsberichte des Ludwig Boltzmann-Institutes für Internationale Kultur- und Wirtschaftsbeziehungen), Nr. 2, 1993, S. 16-23.

23 Hier befinde ich mich im Widerspruch zu der Aussage von Renata *Fritsch-Bournazel*, daß sich der Charakter der deutsch-französischen Beziehungen nach der Überwindung der Teilung fundamental geändert habe. Vgl. Renata *Fritsch-Bournazel*, Europe and German Unification, New York/Oxford 1992, S. 171.

die Bundesrepublik aus historischen, bevölkerungspolitischen und geographischen Gründen stets ein Faktor der Unsicherheit ebenso wie ein Konkurrent, den es an sich zu binden und einer europäischen Bestimmung unterzuordnen galt. Die französische Politik war daher stets bestrebt, eine deutsche Dominanz zu verhindern, und sei es über den Verzicht auf eigene Vorherrschaft und das Angebot zur Mitführung. Dies war das entscheidende Motiv Charles *de Gaulles* für den deutsch-französischen Vertrag von 1963 ebenso wie für die Initiative von Staatspräsident François *Mitterrand* und Bundeskanzler Helmut *Kohl* vom Dezember 1990, gemeinsam die Europäische Union zu gestalten. An der Bindungspolitik Frankreichs hat sich auch nach der deutschen Vereinigung nichts geändert, eher hat diese für Paris nach dem Wegfall der Teilung, die als System von »checks and balances« wirkte, noch an Dringlichkeit gewonnen.

Deutschland und Frankreich werden künftig nicht nur die (kontinental-)europäischen Kernmächte sein, sondern auch gemeinsam als Führungsmächte auf dem Weg zu einem engeren Zusammenschluß in Europa wirken, jedenfalls so lange, wie die deutsche Seite die französischen Besorgnisse ernst nimmt und Frankreich dem deutschen Interesse am Erhalt der atlantischen Bindung Rechnung trägt. Noch hat Großbritannien seine geographische Insellage politisch nicht überwunden, um eine Alternative zu dem deutsch-französischen Tandem zu bieten oder um aus diesem ein europäisches Triumvirat entstehen zu lassen. Insofern sind die Weichen der europäischen Integration auch weiter in Richtung auf Vertiefung gestellt. Nur die Politische Union bietet aus französischer Sicht langfristig die Gewähr dafür, daß eine deutsche Hegemonie in Europa – ein »deutsches Europa« – verhindert wird. Für Deutschland erfüllt sich mit der Verwirklichung der Politischen Union das Bestreben, ihr Schicksal dauerhaft mit demjenigen der westlichen Demokratien zu verbinden und dadurch Sicherheit nach außen und Stabilität nach innen zu gewinnen.

Gute Nachbarschaft mit Polen und der Tschechischen Republik

Mit der Vereinigung hat Deutschland neue Nachbarn erhalten und ein erhöhtes Maß an Verantwortung für die Gestaltung der Beziehungen zu den mittel- und osteuropäischen Staaten übernommen. Während es Aufgabe der Entspannungspolitik der siebziger und achtziger Jahre war, Mißtrauen abzubauen und Garantien für die Achtung des Status quo zu geben, geht es nunmehr darum, mit diesen Staaten enge Kooperationsbeziehungen zu entwickeln, die diesen Fortschritte auf dem von ihnen eingeschlagenen Weg der Demokratisierung und der marktwirtschaftlichen Entwicklung erlauben. Deutschland hat ein überragendes Interesse daran, sein östliches Vorfeld zu stabilisieren und damit Erschütterungen des eigenen politischen und gesellschaftlichen Systems zu vermeiden, wie sie von neuen Flüchtlingsströmen oder dem weiteren Eindringen organisierter Kriminalität ausgehen würden.

Vertrauensvolle Beziehungen gilt es vor allem mit Polen und der Tschechischen Republik zu entwickeln. In dem Europa der Gegenwart haben Grenzen ihren trennenden Charakter verloren. Dieses trifft besonders für diejenige an Oder und Neiße zu. Von einem politischen Zankapfel ist diese zum Ausgangspunkt grenzüberschreitender Kooperation geworden. Als Beispiele dafür mögen die gemeinsamen Entwicklungsprojekte zwischen dem Land Brandenburg und der Wojewodschaft Zielona Góra, der Naturpark Unteres Odertal oder die Europa-Universität Viadrina in Frankfurt an der Oder stehen. Dies reicht aber nicht aus. Die Regierung in Warschau – und, mit Einschränkung, auch diejenige in Prag – erwarten, daß sich Deutschland zum Sprecher ihrer Interessen bei seinen westlichen Partnern macht.

Dabei steht der Wunsch der mittel-und osteuropäischen Staaten im Vordergrund, möglichst bald in die Europäische Union aufgenommen zu werden. Sie erwarten davon eine Einebnung der »Wohlstandsmauer« an Oder, Neiße und Böhmerwald, ebenso wie sie darin einen Beitrag zu ihrer eigenen inneren und äußeren Stabilisierung sehen. Doch soll diese Mauer nunmehr an Bug und Karpaten errichtet werden? Was geschieht mit den Staaten des Baltikums oder des Balkans, mit der Ukraine und Weißrußland, von Rußland und den anderen ehemaligen Mitgliedern des Rates für Gegenseitige Wirtschaftshilfe (RGW) ganz zu schweigen? Aus der Sicht der Europäischen Union muß der Wunsch nach einer Osterweiterung sorgfältig gegen die Ziele der Vertiefung und der Fortentwicklung der EU zu einer Politischen Union abgewogen werden. In Brüssel hat sich vor allem London zum Fürsprecher einer Erweiterung gemacht – nicht zuletzt deshalb, um die mit der Vertiefung einhergehenden Souveränitätseinbußen für Großbritannien zu verhindern. Es ist wahrscheinlich, daß sich bei einer Erweiterung die Tendenz zur Entwicklung eines Europas unterschiedlicher Geschwindigkeiten und Statusqualitäten verstärkt.[24] Das Ergebnis könnte die Herausbildung eines sich politisch enger zusammenschließenden Kerneuropa sowie eines sich um diesen Kristallisationskern locker organisierenden Staatengürtels sein.

Das Interesse Deutschlands in bezug auf die Staaten Mittel- und Osteuropas ist politischer, sicherheitspolitischer und wirtschaftlicher Natur. Es möchte zum einen, daß der Prozeß der Demokratisierung und Liberalisierung fortgeführt wird und daß in diesen Ländern stabile politische Strukturen entstehen. Sicherheitspolitisch hat die weitere Verringerung der in der Region noch vorhandenen konventionellen und nuklearen Potentiale ebenso Priorität wie die Verhütung von destabilisierenden zwischen- und innerstaatlichen Konflikten. Aus ökonomischer Sicht könnte ein marktwirtschaftlich orientiertes Mittel- und Osteuropa künftig Absatzmärkte für deutsche Produkte, Anlagemöglichkeiten für deutsches Kapital und Bezugsquellen für benötigte Rohstoffe bieten. Die Unterstützung der demokratischen Reformen ist daher im engsten deutschen (und europäischen) Interesse. Die deutsche Politik kann ihn vermutlich am stärksten dadurch fördern, daß sie den Reformstaaten wirtschaftliche und technische Hilfe sowie das notwendige Management-Know-how anbietet und daß sie für eine Öffnung der westlichen Märkte für die Produkte dieser

---

24 Vgl. dazu auch Reimut *Jochimsen*, Die Europäische Wirtschafts- und Währungsunion. Chancen und Risiken, in: *EA*, 13-14/1993, S. 377-388.

Länder eintritt. Ihre bisherigen finanziellen Leistungen sind beachtlich, doch reichen sie nicht aus. Nur gemeinsam kann der Westen – d.h. vor allem die G-7-Staaten – die Leistungen erbringen, die den mittel- und osteuropäischen Ländern den Anschluß an deren industrielle Entwicklung erlauben würde.

Zum anderen wird von Deutschland erwartet, daß es zusammen mit seinen westlichen Partnern diesen Ländern militärische Garantien gibt, durch die ihnen die Furcht vor einem militärischen Angriff seitens eines Nachbarstaats, nach Möglichkeit auch vor einem inneren Umsturz, genommen wird. Durch die Einbeziehung der mittel- und osteuropäischen Reformstaaten in die EU und die NATO könnte wahrscheinlich langfristig am besten deren politische Stabilisierung erreicht werden. Angesichts der Gefahr, daß dies zu einer Umkehr des Unionsbildungsprozesses in Westeuropa ebenso wie zu einer Schwächung der Kohärenz des Atlantischen Bündnisses führen könnte, sieht sich Deutschland vor eine schwierige außenpolitische Interessenabwägung gestellt, für die es keine einfachen Lösungen gibt.

Enge Kooperation mit den Vereinigten Staaten

Ein Grundaxiom deutscher Politik ist die enge Kooperation mit den Vereinigten Staaten. In der Nachkriegsepoche haben die USA durch ihre Präsenz in Europa nicht nur die Sicherheit der Bundesrepublik gewährleistet, sondern auch ihren außenpolitischen Handlungsspielraum gegenüber den Befürchtungen der Nachbarstaaten abgesichert. In den deutsch-amerikanischen Beziehungen kam es dann zu Spannungen, wenn beide Seiten die Bedrohung unterschiedlich einschätzten, so z.B. in der Anfangsphase der amerikanischen Détente-Politik in der zweiten Hälfte der sechziger Jahre oder, mit umgekehrtem Vorzeichen, während des »Neo-Containment« zu Beginn der Reagan-Administration. Sehr eng waren auch die Wirtschafts- und Währungsbeziehungen zwischen beiden Ländern. Die Wirtschaftshilfe der USA in Form von GARIOA-Programm und Marshall-Plan ermöglichte erst den wirtschaftlichen Wiederaufbau Westdeutschlands und seine Integration in den Weltmarkt. Mit dem zunehmenden ökonomischen Gewicht der Bundesrepublik stieg aber auch die Konfliktanfälligkeit dieser Beziehungen, wie »Hähnchenkrieg«, »Nixon-Schock«, Nuklear- und Röhrenkonflikt belegen. Die USA neigten dabei dazu, ihrer Position über die Herstellung von Junktims mit den für die Bundesrepublik sensitiven Sicherheitsinteressen Nachdruck zu verschaffen, während Bonn für seine Positionen Rückhalt bei den Partnern der Europäischen Gemeinschaft zu suchen pflegte. Trotzdem waren die politischen Interessen Bonns und Washingtons während des Ost-West-Konflikts hinreichend ähnlich, so daß der Nutzen des engen Rapports zwischen beiden Ländern größer war als seine Kosten. Diese Interessenidentität kulminierte in dem Angebot einer »Partnership in Leadership«, das Präsident George *Bush* der Bundesregierung bei seinem Besuch im Mai 1989 in Deutschland machte.[25]

---

25 Vgl. die Rede von Präsident George *Bush* am 31. Mai 1989 in Mainz anläßlich seines Besuches in Deutschland, in: *EA*, 12/1989, S. D 356-361.

Deutschland und die Vereinigten Staaten werden auch künftig an engen gegenseitigen Beziehungen interessiert sein. Dennoch ist deren Gestaltung aus mehreren Gründen schwieriger geworden. Das Ende des Ost-West-Konflikts hat in beiden Ländern zu einer Neuorientierung der Außenpolitik geführt. Die USA halten zwar an ihren normativen Kernkonzepten – Demokratie und Marktwirtschaft – ebenso wie an ihrem globalen Führungsanspruch fest, aber die Methoden ihrer Durchsetzung haben sich verändert. Zum einen ist die neue amerikanische Strategie des »Enlargement«,[26] der Einbeziehung weiterer Staaten und Regionen in die demokratischen und marktwirtschaftlichen Strukturen des Westens, unilateralistisch angelegt, zum anderen haben die USA ihre vorrangige Fokussierung auf Europa aufgegeben, die eine Folge des machtpolitischen Konflikts mit der Sowjetunion war und deren »Containment« dienen sollte. Bündnisse sind nun Instrumente für bestimmte politische Ziele und Verbündete Partner bei der Teilung von Lasten. Hier richten sich die amerikanischen Erwartungen vor allem auf das vereinte Deutschland, in dem die gegenwärtige Administration den aufgrund seines Bevölkerungspotentials, seiner stabilen politischen Strukturen sowie seiner Wirtschaftskraft leistungsfähigsten Partner in Europa sieht.

Auch Deutschland braucht die enge Kooperation mit den Vereinigten Staaten. In Europa stellen die USA weiterhin einen Faktor politischer Stabilität dar. Dieser entlastet es von der Sorge einiger ihrer Partner, Deutschland könnte in Europa erneut eine hegemoniale Stellung anstreben, wie es dessen wirtschaftliche Vormachtstellung für die anderen europäischen Staaten politisch erträglicher macht. Voraussetzung ist freilich, daß sich die »balancing function« der USA nicht gegen die deutsche Politik kehrt.[27] Dafür hat die deutsche Politik in Zukunft Sorge zu tragen.

Weltweit sind die Vereinigten Staaten die dominierende Wirtschaftsmacht geblieben. Sie sind ein Eckpunkt der weltwirtschaftlichen Dreieckskonfiguration USA – (West-) Europa – Japan, die ihre institutionelle Struktur in der G-7, der OECD und im GATT findet und in der über den künftigen Wohlstand Europas und damit auch Deutschlands entschieden wird.[28] Teils direkt, teils vermittelt über die Europäische Union wirkt Deutschland an diesen Entscheidungen mit. Die USA, die EU und Japan sind aber auch Konkurrenten auf dem Weltmarkt, deren Wettbewerb mit zunehmend härteren Bandagen ausgetragen wird, da es bei jedem von ihnen um Standortsicherung und Wettbewerbsfähigkeit geht. Eine der größten Zukunftsgefahren für den freien Welthandel besteht in seiner zunehmenden Regionalisierung durch die Herausbildung von drei großen Wirtschaftsblöcken – Europäischer Wirtschaftsraum (EWR), Nordamerikanische Freihandelszone (NAFTA) und Organisation für Asiatisch-Pazifische Wirtschaftskooperation (APEC).

---

26 Vgl. die Rede des Nationalen Sicherheitsberaters des amerikanischen Präsidenten, Anthony *Lake*, am 21. September 1993 vor der John Hopkins University School of Advanced International Studies in Washington, in: *U.S. Policy Information and Texts* (USIS Bonn), Nr. 97, 23.9.1993.

27 Darauf hat *Link* in Perspektiven der europäischen Integration, a.a.O. (Anm. 7), aufmerksam gemacht.

28 Vgl. Werner *Link*, Handlungsmaximen deutscher Außenpolitik im neuen Internationalen System, in: Werner *Link*/Eberhard *Schütt-Wetschky*/Gesine *Schwan* (Hrsg.), Jahrbuch für Politik, 1. Jg., Hbd. 1, Baden-Baden 1991, S. 77-102. Link geht von einer pentagonalen Struktur sich überlagernder Dreiecke als neuer weltpolitischer Struktur aus.

Deutschland ist mit der Vereinigung in seinen politischen und ökonomischen Interessen »östlicher« geworden, ohne allerdings seinen Charakter als westliches Land und den korrespondierenden Wunsch nach fester Verankerung in (West-) Europa und nach enger Bindung der USA an dieses aufzugeben. Mit dem Verschwinden seines Sicherheitsdefizits – und daraus resultierender Rücksichtnahmen auf amerikanische Belange – wird es unbefangener und ungeschützter seine Interessen auch gegenüber Washington durchzusetzen suchen. Konflikte in der Außen- wie in der Wirtschaftspolitik sind daher vorprogrammiert. Die Schwierigkeit für die deutsche Politik besteht dabei darin, daß sie zusätzlich zu ihrer eigenen Interessenlage auch die Wünsche ihrer EU-Partner mitberücksichtigen muß. Da künftig Rücksichtnahmen und Trade-offs mit anderen Politikbereichen weniger wahrscheinlich sind als früher, ist trotz weiterhin paralleler politischer Ziele mit zunehmenden Friktionen in den deutsch-amerikanischen Beziehungen zu rechnen.

Die Politik der Vereinigten Staaten wird auch durch deren internationales Umfeld geprägt. Der außenpolitische Handlungsspielraum Deutschlands wird deshalb mit davon abhängen, ob Rußland wie früher die Sowjetunion der wichtigste strategische Partner bzw. Gegenspieler der USA bleibt, oder ob es in dieser Rolle von China abgelöst wird. In dem einen Fall muß die deutsche Politik gegenüber Osteuropa amerikanische Interessen in Rechnung stellen, im anderen Fall wächst ihr eine erhöhte Verantwortung für die Entwicklungen in diesem Raum zu, während sie zu Rücksichtnahmen in ihrer Südostasien-Politik gezwungen sein könnte.

Japan und Südostasien

Eine besondere Bedeutung könnten künftig Japan und Südostasien für Deutschland erhalten. Seit 1992 mehren sich die Anzeichen dafür, daß es in Japan nicht nur den wirtschaftlichen Konkurrenten, sondern verstärkt auch einen politischen Partner sieht.[29] Als führende »Zivilmächte«[30] der Nachkriegsepoche befinden sich beide in einer Umbruchsituation, in der von ihnen die Übernahme größerer internationaler Verantwortung erwartet wird, ohne daß ihre Gesellschaften schon voll dazu in der Lage sind und ohne daß die Weltgemeinschaft dies mit einem ständigen Sitz im UN-Sicherheitsrat zu honorieren bereit ist. Das deutsche Interesse an Südostasien ergibt sich daraus, daß diese Region derzeit diejenige mit den größten Wachstumsaussichten ist und sie durch ihren relativ hohen Grad an politischer Stabilität – vor allem im Vergleich zu Osteuropa – ein langfristiges Engagement für die deutsche Wirtschaft besonders attraktiv macht. Der politischen Absicherung dieses Engagements soll die

---

29 Vgl. die Rede von Bundesaußenminister Hans-Dietrich *Genscher* vor der Deutsch-Japanischen Gesellschaft in Bremen am 13. September 1991, in: *Bulletin* (Presse- und Informationsamt der Bundesregierung), Nr. 101, 19.9.1991, S. 801-804; ferner Ansprache von Bundeskanzler Helmut *Kohl* beim Besuch des japanischen Ministerpräsidenten Kiichi *Miyazawa* am 30. April 1992 in Bonn, in: *Bulletin* (Presse- und Informationsamt der Bundesregierung), Nr. 46, 5.5.1992, S. 417-419.
30 Vgl. Hanns W. *Maull*, Germany and Japan: The New Civilian Powers, in: *Foreign Affairs*, Winter 1990/91, S. 91-106.

Vertiefung der bilateralen und multilateralen Beziehungen zu dieser Region, u.a. zwischen EU und ASEAN, dienen.

ANFORDERUNGEN AN DIE DEUTSCHE POLITIK

Die Fortentwicklung der europäisch-atlantischen Institutionen als Beitrag zur europäischen Stabilität

Aus den verschiedenen institutionellen Verflechtungsmustern und dem Multilateralismus seiner diplomatischen Praxis ergeben sich vielfältige Anforderungen an die deutsche Politik, die nicht immer leicht miteinander zu vereinbaren sein dürften. Im westeuropäischen Bereich wird weiter die Tendenz zur Vertiefung der europäischen Integration dominieren. Da Bonn auf absehbare Zeit seine bereits in den fünfziger Jahren getroffene Grundentscheidung zugunsten der Westbindung und der engen Kooperation mit Frankreich nicht revidieren wird, muß es auch den damit verbundenen Verzicht auf politischen Gestaltungsspielraum auf einer Reihe von Gebieten bis hin zur Außen- und Sicherheitspolitik akzeptieren. Allerdings ist es nicht ausgeschlossen, daß einmal der Zeitpunkt kommt, an dem Führungseliten und Bevölkerung der Bundesrepublik nationale Interessen in Gefahr sehen und sich supranationalen Entscheidungen verweigern könnten. Das Urteil des Bundesverfassungsgerichts wäre dann nicht mehr als ein Etappensieg gewesen. Aussagen darüber sind vor allem deshalb noch nicht möglich, weil sich bisher die Gemeinschaftspolitik auf Fragen der Außenhandelspolitik beschränkt hat. Die Abtretung von Souveränitätsrechten im Rahmen des Vertrags von Maastricht entfaltet noch wenig politische Wirkungen. Auch sind in den GASP-Prozeß so viele Filter eingebaut worden, daß dieser vorläufig eher als Bremse denn als Motor der Einigung wirken dürfte. Bei der Harmonisierung der Wirtschaftspolitik haben sich erste Grenzen gezeigt. Sie zeichnen sich dort ab, wo die Aufgabe liebgewordener Traditionen oder Praktiken erforderlich wird; bei der Währungspolitik liegen sie dort, wo die Stabilität der gemeinsamen Währung in Gefahr zu geraten droht. Daher mehren sich auch in Deutschland die Stimmen, die vor einer Aufgabe nationaler Identität warnen.[31]

Die europäische Integrationspolitik mit dem Ziel der Schaffung einer möglichst engen Politischen Union steht zum einen in einem latenten Spannungsverhältnis zu dem Bestreben, die Beziehungen zu den Vereinigten Staaten ebenso wie dessen institutionelles Scharnier, das Atlantische Bündnis, aufrechtzuerhalten und fortzuentwickeln. Trotz seines Interesses daran, daß die Politische Union auch auf dem Gebiet der Außen- und Sicherheitspolitik handlungsfähig wird, muß Deutschland Sorge dafür tragen, daß sich die WEU nicht zur Alternative für das NATO-Bündnis entwickelt,

---

31 So eine Reihe von Redebeiträgen auf dem CSU-Parteitag in München am 8. und 9. Oktober 1993 sowie das dort verabschiedete neue Grundsatzprogramm der CSU, in dem es heißt, die Partei lehne einen europäischen Bundesstaat ab und setze sich für ein Europa der Nationen ein.

sondern zu einem tragfähigen Bindeglied zwischen EU und NATO wird, das primär der innereuropäischen Koordinierung im Sinne eines »Zwei-Säulen-Konzepts« dient. Eine derartige Politik bedingt einen schwierigen Balanceakt zwischen den Interessen Frankreichs und der USA, für den die deutsche Politik bei den anderen europäischen Partnern – so bei Großbritannien – nach Verbündeten suchen muß.

Zum anderen läßt sich die Vertiefung nicht leicht mit der Aufgabe verbinden, die Europäischen Union nicht nur um die EFTA-Staaten Finnland, Norwegen, Österreich und Schweden zu erweitern, sondern sie darüber hinaus auch für die mittel- und osteuropäischen Reformstaaten zu öffnen, um auf diese Weise zur politischen und ökonomischen Stabilisierung dieser Länder beizutragen. Es ist aber bereits auf die Gefahr hingewiesen worden, daß dadurch die Geschlossenheit der Politischen Union noch stärker durchlöchert werden könnte als durch die Ausnahmeregeln für Großbritannien und Dänemark.

Auch auf die Problematik der »Osterweiterung« der NATO ist bereits eingegangen worden. Es wäre kontraproduktiv, wenn durch einen solchen Schritt der Prozeß beschleunigt würde, durch den die Allianz von einem Verteidigungsbündnis zu einem reinen Garantiepakt reduziert wird. Aus deutscher Sicht ist es wichtig, daß die NATO sowohl die Fähigkeit zu kollektiver Verteidigung des Bündnisgebiets behält, als daß sie auch über dieses hinausreichende Möglichkeiten zum Krisenmanagement entwickelt. Langfristig dürfte es jedoch keine Alternative zu der Mitgliedschaft der mittel- und osteuropäischen Reformstaaten in der Europäischen Union ebenso wie im Nordatlantischen Bündnis geben. Eine der wichtigsten Aufgaben der deutschen Politik dürfte es daher sein, Lösungen zu entwickeln, die mit der Aufrechterhaltung und Weiterentwicklung der EU und der NATO vereinbar sind.

Die großen Hoffnungen, mit der KSZE könnte in Europa ein funktionierendes System der Konfliktvermeidung und -lösungen aufgebaut werden, hat sich zerschlagen angesichts der Unfähigkeit seiner Mitglieder, wirksame Maßnahmen zur Regelung der Konflikte im Südosten des Kontinents zu ergreifen. Welche Voraussetzungen müßten gegeben sein, um die Elemente kollektiver Sicherheit im Rahmen der KSZE zu stärken? Wenn dies gelänge, bliebe der deutschen Politik der schwierige Balanceakt zwischen Vertiefung und Erweiterung von EU und NATO erspart. Gegenwärtig fehlt es den Mitgliedern des gesamteuropäischen Systems jedoch an gemeinsamer Handlungsfähigkeit, um insbesondere den Staaten Mittel- und Osteuropas die Garantien für äußere Sicherheit und innere Stabilität geben zu können, die sie für eine ungehinderte demokratische Eigenentwicklung benötigen. Dieses Defizit läßt sich nicht über ausgeklügelte institutionelle Arrangements oder die Ernennung eines deutschen Diplomaten zum KSZE-Generalsekretär korrigieren, sondern nur über einen verstärkten europäischen Gemeinschaftssinn ausgleichen, der gegenwärtig nicht in Sicht ist.

Es ist bereits darauf hingewiesen worden, daß im weltwirtschaftlichen Kräftedreieck mit zunehmenden Konflikten zu rechnen ist, die künftig nicht über die Instrumentarien der Sicherheitspolitik modifiziert werden können. Angesichts der Verflechtung seiner Wirtschaft mit dem Weltmarkt ist Deutschland gut beraten, wenn es nicht nur mit Nachdruck an der Verwirklichung der WWU arbeitet, sondern auch weiterhin seinen Einfluß zugunsten des Abbaus von Handelshemmnissen – auch oder gerade seitens der Europäischen Union – und für die weitere Liberalisierung des Welthandels geltend macht. Es kann die Konkurrenzfähigkeit seiner Industrie nicht durch merkantilistische Schutzmauern, sondern nur durch eine Kombination von Modernisierung im Innern und Handelsliberalisierung nach außen bewahren. Zugleich dürfte eine derartige Politik weniger außenpolitische Konflikte produzieren, allerdings innerhalb der EU nicht immer leicht durchzusetzen sein, als eine Politik der ökonomischen Abschottung.

Die Übernahme internationaler Verantwortung

Da Deutschland weder das politische Gewicht einer »Weltmacht«[32] hat noch eine globale Strategie besitzt, ist es angewiesen auf Kooperationspartner. Dafür bieten sich zum einen die Partnerstaaten in der EU und zum anderen die Vereinigten Staaten an. Es liegt also im deutschen Interesse, daß die EU Fortschritte bei der gemeinsamen Abstimmung ihrer Außen- und Sicherheitspolitik macht, da sich Deutschland und seine Partner nur auf diese Weise international Gehör verschaffen können.

Schließlich wird die weitere Entwicklung des Nahost-Konflikts – oder seine eventuelle Lösung auf der Grundlage des Gaza-Jericho-Abkommens[33] – Rückwirkungen auf die deutsche Politik im arabischen Raum haben. Obwohl politisch wie wirtschaftlich betroffen von Entwicklungen in der südlichen Hemisphäre, hat Deutschland bisher keine kohärente Südpolitik entwickelt. Kontakte zu einzelnen außereuropäischen Ländern und Regionen ergaben sich primär vermittelt über die traditionellen Beziehungen im Rahmen der EG (so z.B. zu den »AKP-Staaten« der Lomé-Konvention), den USA oder dem Nahen und Mittleren Osten.

Gleichzeitig bietet die Kooperation mit den Vereinigten Staaten der deutschen Politik die Möglichkeit, auf die Weltführungsmacht einzuwirken und in gewissen Grenzen an dieser teilzuhaben. Beide Bindungen bedingen Rücksichtnahmen ebenso wie sie Einwirkungsmöglichkeiten eröffnen, die Deutschland im nationalen Maßstab nicht offen stehen. Sowohl im »Wirtschaftsdreieck« als auch bei der Durchsetzung deutscher Interessen im asiatischen Raum bietet sich darüber hinaus eine Kooperation mit Japan an. Die Option eines alternativen Kooperationspartners – die allerdings nur unter bestimmten Umständen gegeben ist – bietet die Möglichkeit, die Abhängigkeit der deutschen Politik von derjenigen ihrer Partner zu vermindern. Sie beinhaltet aber auch die Gefahr, daß Deutschland zwischen die Stühle gerät oder in eine Situation

---

32 An dieser Stelle soll eine inhaltliche Füllung des umstrittenen Begriffs vermieden werden. Vgl. stattdessen Christian *Hacke*, Die Außenpolitik der Bundesrepublik Deutschland: Weltmacht wider Willen, in: *Hartwich/Wewer*, a.a.O. (Anm. 20), S. 93-118 sowie dagegen Volker *Rittberger*, Nach der Vereinigung – Deutschlands Stellung in der Welt, in: ebd., S. 119-144.

33 Vgl. Abkommen zwischen Israel und der Palästinensischen Befreiungsorganisation über befristete Selbstverwaltung vom 13. September 1993 (Gaza-Jericho-Abkommen), in: *EA*, 24/1993, S. D 526-535.

kommt, in der es zwischen Paris und Washington, gegebenenfalls Tokio, wählen muß. Dies zu vermeiden, dürfte künftig noch wichtiger als in der Vergangenheit sein.

Die größte außenpolitische Herausforderung für die deutsche Politik nach der Vereinigung besteht jedoch darin, die Erwartungen der Partner nach der Übernahme größerer internationaler Verantwortung zu erfüllen. In Bonn wird in diesem Zusammenhang gerne darauf hingewiesen, daß die Bundesrepublik nicht nur im Golf-Krieg ein wichtiger Zahlmeister gewesen ist, sondern mit über 90 Milliarden D-Mark auch den Löwenanteil der Osteuropa-Hilfe leistet. Von Deutschland wird jedoch mehr erwartet, und zwar insbesondere, daß es zu einem verläßlichen Exporteur von Sicherheit wird, – Sicherheit in einem sehr weiten Sinne verstanden[34] – während die alte Bundesrepublik ihre Sicherheit vor allem aus den USA importieren mußte. Die Forderung nach der Übernahme größerer Lasten richtet sich nicht primär darauf, daß sich die Bundeswehr künftig in verstärktem Maße an UN-Friedensmissionen beteiligt und dort nicht nur in der Etappe präsent ist. Von Deutschland wird vielmehr erwartet, daß es über eigene politische Initiativen in höherem Maße als bisher an der Gestaltung der internationalen Politik mitwirkt und sich dabei nicht auf die europäische Region beschränkt. Es wird jedoch Mühe haben, diesen Erwartungen in den nächsten Jahren zu entsprechen. Gegenwärtig wird die deutsche Politik durch die Kombination der Probleme von Vereinigung und wirtschaftlicher Strukturkrise gelähmt. Die scheinbare oder reale Konzeptions- und Führungslosigkeit der politischen Eliten – der »Kuhhandel« über den Hauptstadtumzug mag dafür als Beispiel dienen – hat bei den Bürgern des Landes zu einem hohen Maß an Politikverdrossenheit geführt. Sie reagieren mit dem Entzug von innenpolitischer Unterstützung und mit der Ablehnung einer Übernahme von größerer internationaler Verantwortung.

Deutschland wird daher den gewachsenen internationalen Anforderungen nur dann gerecht werden, wenn es seine Führungsfähigkeit stärkt, und zwar nach außen wie nach innen. Wichtig ist, daß bei den politischen Eliten ebenso wie bei der Bevölkerung das Bewußtsein der europäischen wie der globalen Vernetzung deutscher Politik wächst. Erst dann wird es möglich sein, Selbstbeschränkungen, z.B. hinsichtlich des Einsatzes der Bundeswehr außerhalb des NATO-Bereichs, abzubauen. Dies reicht jedoch nicht aus. Hinzukommen muß ein höheres Maß an Betroffenheit, das Bürgerkriege an der europäischen Peripherie nicht als Naturkatastrophen begreift, die sich nicht verhindern, deren Schäden und das durch sie hervorgerufene Leid sich nur nachträglich lindern ließen. Vielmehr bedarf es der Formulierung eigener deutscher Interessen, die im Verein mit den Partnern realisiert werden können. Es soll beileibe nicht einer nationalen Außenpolitik das Wort geredet werden; nur muß der bisherige multilaterale Ansatz mit eigenen Vorstellungen gefüllt und in Zukunft über den europäischen Tellerrand hinausreichen, wenn er angesichts der Verflechtung Europas mit den anderen Weltregionen politisch wirksam werden soll.

---

34 So Wolfgang *Ischinger* am 19. Januar 1994 in einem Vortrag vor der Arbeitsstelle Transatlantische Außen- und Sicherheitspolitik in Berlin.

Nur so wird Deutschland in internationalen Fragen mitführungsfähig sein und als Mitführungsmacht von seinen Partnern respektiert werden.

Die Vermittlung von Innen- und Außenpolitik

Die Handlungsfähigkeit der deutschen Politik wird in Zukunft auch davon abhängen, daß es der Bundesregierung gelingt, außenpolitische Anforderungen mit innenpolitischen Bedürfnissen in Übereinstimmung zu bringen. Dies wird nur dann möglich sein, wenn sie die Zahl und die Leistungsfähigkeit der Scharniere zwischen außen und innen vergrößert. Dazu könnte die verstärkte Einschaltung der Ausschüsse des Deutschen Bundestags und des Bundesrats in den außenpolitischen Beratungs- und Entscheidungsprozeß gehören. Ebenso wie im Rahmen der EU getroffene Entscheidungen Wirkungen auf das politische System und die Gesellschaft der Bundesrepublik haben, so müssen die deutschen Unterhändler in Brüssel innenpolitische Anforderungen berücksichtigen. Robert *Putnam* hat für diese Wechselwirkung von Außen- und Innenpolitik das Bild von den »zwei Tischen« entwickelt, an denen sich internationale Verhandlungen abspielen.[35] Damit soll auf die wechselseitige Abhängigkeit der Verhandlungsprozesse nach außen und nach innen verwiesen und die Notwendigkeit ihrer Vermittlung als Aufgabe der Außenpolitik unterstrichen werden.

Um die Vermittlung zwischen Außen- und Innenpolitik operativ leisten sowie die sich als Folge der erhöhten Komplexität und Verflechtung ergebenden Anforderungen bewältigen zu können, bedarf die Bundesregierung einer verstärkten institutionalisierten Problemlösungskapazität. Unter den Bedingungen internationaler Interdependenz wird sie die aus einander gegenseitig ausschließenden internationalen und innenpolitischen Anforderungen resultierenden Prioritätenkonflikte künftig nur mit einem leistungsfähigen Politikapparat bewältigen können, der über ausreichende operative und Analysefähigkeiten verfügt. Die Tatsache, daß die Bonner Politik nur wenig auf die Ereignisse vorbereitet war, die 1989 zu den als »Wende« apostrophierten Entwicklungen führten, weist auf Schwächen in ihrer Analysekapazität hin. Zu ihrer Verbesserung sollten auch neue Wege gegangen werden. Die klassische Berichterstattung durch die deutschen Botschaften reicht nicht mehr aus, um die Bundesregierung über anstehende Entwicklungen im Ausland zu informieren. Hinzu könnte ein Netz von Beobachtern treten, die von den deutschen Politikberatungsinstituten dorthin entsandt werden und die durch Analysen ausländischer Forschungsinstitute vor Ort ergänzt würden.[36] Die Regierung braucht Seismographen für das, was an außenpolitischen Anforderungen künftig auf sie zukommen wird, wie auch Indikatoren dafür,

---

35 Vgl. Robert *Putnam*, Diplomacy and Domestic Politics: The Logic of Two-level Games, in: *International Organization*, Nr. 3, 1988, S. 427-460.

36 Durch ihre engen Kontakte mit der Regierung des Gastlandes tendieren die Botschaftsberichte dazu, die Absichten und Überlegungen von Regierungsstellen überzuinterpretieren, während die Auffassungen der Opposition und privater Organisationen, trotz deren möglicher Relevanz für künftige Politik, häufig vernachlässigt werden.

was außenpolitisch durchsetzbar ist. Vor allem muß aber der Transfer zwischen den Analysezentren und der operativen Politik verbessert werden.

Je dichter die Verflechtung wird und je mehr Regelungskompetenzen auf die Organe der Politischen Union übergehen, je enger müssen Bundesregierung und EU-Kommission zusammenarbeiten. Da von Brüsseler Regelungen auch die Bundesländer und ihnen vorbehaltene Kompetenzen betroffen sind, wäre es nicht abwegig, wenn die Landesregierungen nicht nur eigene Europa-Beauftragte haben, sondern auch Ländervertretungen in Brüssel unterhalten. Vor allem aber mangelt es dem Europäischen Parlament bisher noch an eigenständigen budgetären und legislativen Kompetenzen, die sich auf alle Gebiete der Gemeinschaftspolitik erstrecken. Erst wenn es diese Rechte erhält, wird es zu einer echten europäischen Legislative. Dann ist eine enge Abstimmung mit den nationalen Parlamenten zwingend. Der Grundsatz der Subsidiarität reicht nicht aus, um zwischen denjenigen Kompetenzen zu unterscheiden, die entweder der nationalen oder der supranationalen Ebene vorbehalten sind, oder bei denen beide in der Gesetzgebung miteinander konkurrieren. Solange es dem Europäischen Parlament jedoch noch an parlamentarischen Befugnissen fehlt, erfolgt die demokratische Legitimation durch die Rückkoppelung des Handelns europäischer Organe an die nationalen Parlamente.

Gegenwärtig erfahren die nationalen Parlamente eine schleichende Entmachtung, die nicht durch eine Verstärkung der demokratischen Elemente der Europäischen Union ausgeglichen wird. Mit der Beschleunigung des Integrationstempos wuchs die Arbeitslast des Bundestags, ohne daß dieser größere Mitsprachemöglichkeiten in der europäischen Politik erhielt. Damit der Binnenmarkt am 1. Januar 1993 inkrafttreten konnte, verabschiedeten Kommission und Rat einen Katalog von ca. 300 Maßnahmen zur Rechtsangleichung, meist in Form von detaillierten Richtlinien, die in nationales Recht umgesetzt werden mußten. Diese Vorgaben waren so detailliert, daß dem Gesetzgeber häufig wenig Gestaltungsmöglichkeiten blieben. Sein Entscheidungsspielraum wurde auch dadurch eingeengt, daß die Gemeinschaftsgremien in zahlreichen Fällen zum Institut der Verordnung griffen, die unmittelbar nationales Recht wurde, oder aber den Weg der gegenseitigen Anerkennung und damit Konkurrenz nationaler Regelungen gingen. Künftig werden noch größere Bereiche gesetzgeberischer Tätigkeiten in die Zuständigkeit von Gemeinschaftsorganen übergehen. Um eine Möglichkeit zu haben, seine Auffassungen rechtzeitig in den europäischen Entscheidungsprozeß einzubringen, hat der Deutsche Bundestag einen Unions-Ausschuß geschaffen, der eine kritische Begleitung und Kontrolle der Europa-Politik ermöglichen soll. Es bleibt zu hoffen, daß dessen Tätigkeit nicht durch die Abstimmungsprobleme behindert wird, welche die 1983 eingerichtete Europa-Kommission des Bundestags sowie den 1987 gegründeten gemeinsamen Unterausschuß von Bundestag und Europäischem Parlament gelähmt haben.

Die Akzeptanz europäischer Politik wird wesentlich davon abhängen, ob das Demokratiedefizit der Europäischen Union abgebaut werden kann. Der Spruch des Bundesverfassungsgerichts hat noch einmal bestätigt, daß die Abgabe nationaler Souveränitätsrechte nur dann grundgesetzkonform ist, wenn sie nicht zu weniger, sondern zu mehr Demokratie führt. Zur Erweiterung der Kompetenzen des Europäischen Parlaments muß auch ein Ausbau der intermediären Strukturen treten – europäische Parteienbünde, Gewerkschaften, Verbände etc. –, wie auch die direkten und indirekten Mitsprachemöglichkeiten für den Bürger – durch bessere Information und höhere Transparenz der Gemeinschaftspolitik – verbessert werden müssen. Nur so kann verhindert werden, daß der Politikverdrossenheit auf der nationalen Ebene eine Europa-Müdigkeit auf der internationalen entspricht.

Bisher will es jedoch scheinen, als ob der Bürger in Deutschland weder den hohen Grad an internationaler Verflechtung noch die sich daraus ergebenden Möglichkeiten und Einschränkungen für sein eigenes Leben erkannt hat. Nicht die Zwerge halten Gulliver gefesselt, sondern er selbst weiß noch nicht, welche Fesseln er abschütteln und welche (institutionellen oder multilateralen) Bindungen er zum eigenen Vorteil akzeptieren muß.

DEUTSCHE SICHERHEITSPOLITIK: KONZEPTIONELLE GRUNDLAGEN FÜR MULTILATERALE RAHMENBEDINGUNGEN

Uwe Nerlich

DAS ERFORDERNIS EINES NEUEN SICHERHEITSBEGRIFFS EINIGE VORÜBERLEGUNGEN

Für jede weltpolitische Konstellation prägen Nationen eine Konzeption internationaler Sicherheit und jede Nation tut dies für sich nach Maßgabe ihrer historischen Erfahrung, ihrer Lage und Kapazität, ihres politischen Systems und ihrer Stellung im internationalen Umfeld. Die deutsche Geschichte offenbart dies exemplarisch.[1] Resultierende Sicherheitskonzeptionen können in verhängnisvoller Weise unangemessen sein – sei es, weil sie an realen Gefährdungen vorbeigehen, sei es, weil sie die Unsicherheit Dritter real oder zumindest subjektiv vergrößern. Von dieser Dialektik ist internationale Sicherheit durchgängig bestimmt: Sicherheitspolitik ist in der Regel zugleich Teil der Lösung wie des Problems.

Die Ära der nuklearen Abschreckung hat diese Ambivalenz wie kaum eine andere Epoche hervortreten lassen. Der Erfolg sicherheitspolitischer Arbeit in jener Ära war beispiellos. Er war es nicht nur in der Vermeidung einer kriegerischen Katastrophe, die wahrscheinlich alle Vorstellungskraft überschritten hätte. Er zeigt sich paradoxerweise auch in der heute verbreiteten Formel von der »neuen Weltunordnung«, mit der sich meist die Sicht verbindet, daß die internationale Konstellation der sowjetisch-westlichen Konfrontation »einfach« gewesen sei: Daß sie im Rückblick so erscheinen kann, bietet gerade das Maß für die Ordnungsleistung internationaler Sicherheitspolitik während mehrerer Jahrzehnte.[2] In C.V. *Wedgwoods* Worten kennt historische Betrachtung »immer schon das Ende, bevor wir den Anfang sehen, und wir können nie ganz zurückholen, was es bedeutete, nur den Anfang zu wissen«.[3]

Auf kaum eine andere beginnende Epoche trifft dies so zu wie für die Formationsphase des Kalten Krieges: In den späten vierziger Jahren war eine globale Konstellation im Entstehen, die, von den USA als Weltmacht wider Willen geprägt, eine Kombination von Wiederaufbau vor allem des zerstörten Europa, erstmaligem

---

1 Für eine grundsätzliche Betrachtung der deutschen Erfahrung vgl. etwa Georg G. *Iggers*, The German Conception of History. The National Tradition of Historical Thought from Herder to the Present, Middletown, Connecticut 1968.

2 Einen systematischen Versuch, vor allem die nuklearen Aspekte dieser Ordnungsleistung zu erfassen, bietet Uwe *Nerlich*/Trutz *Rendtorff* (Hrsg.), Nukleare Abschreckung – Politische und ethische Interpretationen einer neuen Realität, Baden-Baden 1989.

3 Gleichsam als Motto zitiert bei einem der Architekten der Nachkriegsordnung. Dean *Acheson*, Present at the Creation, New York 1969, S. 18.

Aufeinanderstoßen der beiden neuen Weltmächte im Kontext unlösbarer Nach-kriegsprobleme, weltweitem Machtkampf im Zeichen ideologischer Konkurrenz und dem Aufkommen nuklearer Massenvernichtungswaffen ohne irgendeine Tradition der politischen Kontrolle solcher Waffen, aber in beispielloser direkter militärischer Konfrontation als Ausgangslage hatte. Noch zehn Jahre später konstatierte Henry *Kissinger*, die Menschheit habe »gerade in dem Augenblick die Mittel zu ihrer eigenen Vernichtung in die Hände bekommen, in dem tiefere Gegensätze denn je die Völker voneinander trennen«.[4]

Die leichtfertige neokonservative Rede von der »neuen Weltunordnung« und der voraufgegangenen »einfachen« Struktur des Kalten Krieges verkennt *und* konsumiert die Ordnungsleistung jener Jahrzehnte.[5] Damit erkennt sie aber auch nicht die Strukturen und Kräfte, auf die in der gegenwärtigen Übergangssituation zu bauen ist.[6]

Sicherheitspolitik war gerade in der Ära der Konfrontation immer auch Ord-nungspolitik und insoweit komplexer Natur. Sie war zugleich darauf angelegt, ihre eigenen Rahmenbedingungen zu transformieren, was in dem Umbruch der letzten Jahre auf dramatische Weise belegt wird. Es ist eingetreten, was Pierre *Hassner* vor einem Vierteljahrhundert vorhergesehen hat: daß die Suche nach einem europäischen Sicherheitssystem sich am Ende dieser Transformation einem »überraschend uner-schlossenen Gebiet zuwenden (werde): dem Problem der Sicherheit«.[7]

In der Tat sind die Industrienationen nach dem Ende des Ost-West-Konflikts vielfältigen und zum Teil neuartigen Gefährdungen ausgesetzt. Sie erfordern in man-chen Fällen, etwa ethnischen und religiösen Konflikten, beim Minderheitenschutz, bei der Verbreitung von Massenvernichtungswaffen, aber auch beim internationalen Terrorismus, beim Drogenverkehr oder beim organisierten Verbrechen, neue Formen staatlichen und internationalen Handelns. Tatsächlich sind die Strukturen kollekti-ven Handelns wie nie zuvor entwickelt. Wirksame technische, organisatorische und kommunikative Instrumentarien der Konfliktbeherrschung sind verfügbar und lassen sich weiter effektuieren. Das neuzeitliche Souveränitätsdenken, das internationale Sicherheitspolitik lange auf zwischenstaatliche Konflikte beschränkte, wird zuneh-mend restriktiv, das heißt der mögliche Interventionsbereich wird weiter gesehen, wie das Beispiel des Irak gezeigt hat. Von einer »Rückkehr der Geschichte« ist

---

4 Henry S. *Kissinger*, Nuclear Weapons and Foreign Policy, New York 1957 (deutsch unter dem Titel »Kernwaffen und Auswärtige Politik«, München 1959, S. XIX).

5 Dies hat seinen Grund u.a. in den vereinfachenden Wirkungen der Medien und der entsprechend vorherrschenden Art der Expertise. Die Herausgeber von *German Politics and Society* haben dies unlängst auf den Punkt gebracht: »Political scientists love crises. Like doctors they much prefer pathology to normalcy. While this built-in propensity to favor conflict often leads to helpful insights and acute analyses, it also lends itself to a certain alarmism which might easily exaggerate the reality of seriously flawed conditions« (*German Politics and Society*, Sommer 1993, Nr. 29).

6 Für eine grundsätzliche Erörterung vgl. *Nerlich*, Möglichkeiten und Probleme einer Konstellationsanalyse als Grundlage künftiger sicherheitspolitischer Planung, in: Wolfgang *Heydrich* et al. (Hrsg.), Sicherheits-politik Deutschlands: Neue Konstellationen, Risiken, Instrumente, Baden-Baden 1992, S. 40 ff.

7 Pierre *Hassner*, Change and Security in Europe. Part I: The Background, London, Februar 1968 (IISS, Adelphi Papers, Nr. 45), S. 24.

nur insoweit zu sprechen, als im Leben vieler Nationen gewalttätige Leidenschaften wirksam bleiben und gegenwärtig weniger gebremst sind als im Kalten Krieg. Aber der politische Wille gerade der führenden Nationen zum wirksamen Gebrauch der verfügbaren Instrumentarien wird seit geraumer Zeit schwächer, was im Resultat zu einer fortschreitenden Renationalisierung der Sicherheitspolitik führt.

Mit dem Ende der Ost-West-Konfrontation sind in Europa existentielle Risiken in zwischenstaatlichen Verhältnissen und als Produkt absichtsvoller Politik weitgehend und auf wohl längere Sicht verschwunden. Aber das gleichzeitige Auftreten begrenzter Konflikte in Verbindung mit schwindender nationaler Handlungsbereitschaft aller maßgebenden Staaten führt zum Verfall der multilateralen Sicherheitskultur, die namentlich in Europa schon unstrittig wirksam schien.[8] Nichts hat dies bedrückender demonstriert als die westliche Zurückhaltung in Kroatien und vor allem in Bosnien im Anblick von Katastrophen für die betroffene Bevölkerung, wie sie in Europa seit 1945 nicht mehr stattgefunden haben. Es sind zugleich Gefährdungen der multilateralen Sicherheitskultur, von der noch vor wenigen Jahren erwartet wurde, daß sie sich von Europa aus auf andere Regionen übertragen lasse. Wenn nationale Entscheidungsträger sich gegenwärtig von »vitalen« Interessen beim Konfliktmanagement leiten lassen, ist die Erhaltung der Wirksamkeit multinationaler Sicherheitsinstitutionen kaum noch Teil dieses Interesses. Ein neuer »Realismus der Abstinenz« breitet sich aus, dessen sicherheitspolitische Folgen die weitere Entwicklung zumindest bis zur nächsten gravierenden Krise bestimmen werden. Das gilt für alle maßgebenden westlichen Staaten, ist im Blick auf die internationale Sicherheit aber am folgenschwersten im Fall der USA.[9]

Das Paradigma der »einfachen« Sicherheitsstruktur der Konfrontationsära führt also in die Irre, wenn es die Ordnungsleistung internationaler Sicherheitspolitik in diesen Jahrzehnten übersehen läßt. Und – eine zweite grundsätzliche Überlegung – auch die von diesem Paradigma her begründete neue Forderung nach einem »erweiterten Sicherheitsbegriff« ist zumindest irreführend. Zum einen geht es heute – über die Erhaltung der gewachsenen multilateralen Sicherheitskultur hinaus – nicht um die Erweiterung des Sicherheitsbegriffs der letzten Jahrzehnte, sondern darum, eine für die grundlegend veränderte internationale Konstellation zweckmäßige und konsensfähige *neue* Sicherheitskonzeption zu entwickeln. Zum anderen gab es auch in der Ära des Ost-West-Konflikts einen politischen Primat militärischer Zusammenarbeit westlicher Nationen, aber keinen eng militärisch definierbaren Sicherheitsbegriff, den es nun auszuweiten gilt: Eine solche Sicht ist schon im Ansatz falsch, auch wenn

---

8 Vgl. *Nerlich*, Europäische Sicherheitskultur: Das Ziel und der Weg, in: Albrecht *Zunker* (Hrsg.), Weltordnung oder Chaos?, Baden-Baden 1993, S. 21-36.

9 Die Kontroversen um neue Richtlinien der Clinton-Administration für den Einsatz amerikanischer Streitkräfte im VN-Rahmen zeigen dies in erschreckender Weise: Die ursprünglich vorgesehene »Direktive 13« zielte darauf, Rußland aus dem Peace-keeping innerhalb der GUS so weit wie möglich auszuschalten und für die USA eine entscheidende Mittlerrolle vorzusehen (vgl. *Nerlich*, Neue Sicherheitsfunktionen der NATO, in: *EA*, 23/1993, S. 663-672). Inzwischen hat sich ein extrem restriktiver Ansatz durchgesetzt, der amerikanische Beteiligung unter zahlreiche Bedingungen stellt. Vgl. U.S. Seeks New Rules for UN Missions, in: *International Herald Tribune*, 20.11.1993.

auf einzelne Dimensionen der Sicherheit neues Licht fällt, die eine oder andere erst jetzt voll erkannt wird.

Es lassen sich drei Phasen in der Debatte über eine Erweiterung der Sicherheitskonzeptionen unterscheiden. Die erste resultierte aus dem Nahost-Krieg 1973 und dem gezielten Anstieg der Welterdölpreise und gab dem Gesichtspunkt ökonomischer Sicherheit besonderes Gewicht. In letzter Konsequenz führte diese Konzeption zum Eingreifen einer Koalition von 28 Staaten in Kuwait, wenngleich die Logik von 1973 heute aufgrund der inzwischen geringeren Manipulierbarkeit der Preise nicht mehr greift. Der eigentliche Anlaß für die Koalition war denn auch in der Gefahr eines irakischen Ausgreifens auf die gesamten Erdölvorkommen in der oberen Golf-Region zu sehen. Dieses Sicherheitsinteresse besteht fort. In der deutschen Diskussion um den Golf-Krieg kommt es allerdings unzureichend zum Tragen.

Die zweite Phase setzte 1980 mit dem sogenannten Inoki-Bericht ein, der im Auftrag der japanischen Regierung alle Dimensionen möglicher Gefährdung der japanischen Bevölkerung in einem umfassenden Sicherheitskonzept zu integrieren suchte (neben militärischer Sicherheit zum Beispiel Ernährungssicherheit, Erdbebensicherheit usw.).[10] Diese Addition von Dimensionen hat zwar im Westen etwa mit dem Hervortreten ökologischer Risiken eine gewisse Plausibilität gewonnen. Aber es fehlt bisher jede entsprechende sicherheitspolitische Vorsorge und Interventionsbereitschaft, obwohl die brennenden Erdölfelder in Kuwait oder die Androhung von Überschwemmungskatastrophen durch Serbien Anlaß zur Integration dieser Dimensionen in neue Sicherheitskonzeptionen geboten hätten.

Die dritte Phase hat Anfang der neunziger Jahre eingesetzt. Die angestrebte Erweiterung des Sicherheitsbegriffs wird hier vor allem in zwei entgegengesetzten Richtungen auf gleichermaßen paradoxe Weise gesucht: Die eine zielt auf Ergänzung durch nichtmilitärische Mittel bei gleichzeitiger Einschränkung der Rolle militärischer Mittel. Aber, die inzwischen ausgebrochenen Konflikte vor allem in Bosnien lassen dann letztlich nur eine Wahl: zwischen militärischer Intervention oder Abstinenz. Militärische Intervention auszuschließen, heißt dann Abstinenz mit höheren moralischen Gründen rechtfertigen zu müssen.[11] Die andere Erweiterung des Sicherheitsbegriffs ist auf eine Ergänzung kollektiver Verteidigung durch mandatierte militärische Maßnahmen angelegt. Ihr Paradoxon: Die gleichen Regierungen befürworten eine Mandatierung vor allem des Nordatlantikpakts (NATO) wie eine

---

10 The Comprehensive National Security Study Group Report on Comprehensive National Security, Tokio, 2. Juli 1980.

11 Vgl. SPD-Parteivorstand/Abt. Parteileben/Organisation (Hrsg.), Anträge zum Parteitag der SPD, hier: »Perspektiven einer neuen Außen- und Sicherheitspolitik«, Wiesbaden, 13.9.1993, S. 8-22. »Sozialdemokratischer Friedenspolitik liegt ein umfassender Sicherheitsbegriff zugrunde. Über militärische Sicherheit hinaus schließt er ein: die ökologische und ökonomische Stabilität, soziale Gerechtigkeit, selbsttragende Entwicklung, friedliche Beilegung sozialer, nationaler, ethnischer und religiöser Konflikte, Eindämmung von Wanderungsbewegungen durch Bekämpfung von Fluchtursachen, Schutz vor international organisierter Kriminalität. Wir sind mehr denn je überzeugt, daß Sicherheit nur auf der Grundlage politischer, wirtschaftlicher, sozialer und ökologischer Zusammenarbeit, d.h. als kooperative Sicherheit im Wege umfassender, nichtmilitärischer Verhütung und Beilegung von Konflikten entsteht. Wir wollen, daß die militärische Dimension der Sicherheit weiter an Bedeutung verliert.«

Stärkung der mandatsstiftenden Rolle der Vereinten Nationen (VN), vermeiden aber in einem alle Prinzipien europäischer Sicherheit verletzenden Fall wie Bosnien bisher jeden Beschluß zur Implementierung.[12] In der einen Sicht wird das militärische Instrument in seiner unverzichtbaren Wirkung verkannt, in der anderen zu isoliert gesehen. Beiden gemeinsam ist jedoch, daß sie in der sicherheitspolitischen Praxis der Gegenwart zur Blockade des erforderlichen Handelns führen. Beiden gemeinsam ist auch, daß sie – bei unterschiedlicher Gewichtung – an kollektiver Verteidigung festhalten. Beide Erweiterungsansätze sind so bisher praktisch auf die deklaratorische Ebene beschränkt.

Die gegenwärtige Situation erfordert gerade aus deutscher Sicht, die Wirksamkeit multilateraler Institutionen zu erhalten und zu stärken, was nur durch weitere Reformen und Fortbildung dieser Institutionen möglich ist. Dabei spielen die Dimensionen möglicher Konflikte, die kollektives Handeln erfordern, eine kritische Rolle:
- Konfliktmanagement ist nicht mehr auf zwischenstaatliche Konflikte beschränkt.
- Ein effektives Krisenmanagement erfordert, schon im Ansatz nichtmilitärische und militärische Mittel zu integrieren und das entsprechende Handeln international zu koordinieren.
- Bei jedem Schritt in Richtung eines Konfliktmanagements müssen mögliche spätere Steigerungsnotwendigkeiten gerade auch in ihrer Wirkung auf erste Schritte berücksichtigt werden, um zu verhindern, daß effektives Handeln zum Gefangenen erster begrenzter Schritte wird, vor allem aber, um auf aggressives Verhalten im Konflikt mäßigend und in diesem Sinne abschreckend einzuwirken. Die bisher entwickelte neue strategische Konzeption der NATO bleibt hinter dieser Zielsetzung weit zurück.
- Politisch wird zwar der Einsatz militärischer Mittel meist möglichst lange hinausgezögert, aber die vielleicht wichtigste Lehre aus den postjugoslawischen Konflikten ist, daß der Einsatz sehr begrenzter militärischer Mittel zu einem früheren Zeitpunkt politische Wirkungen auf den Aggressor haben kann, die ein auch politisch kostspieliger massiver Einsatz zu einem späteren Zeitpunkt nicht mehr haben kann, zumal der Schaden dann bereits weitgehend eingetreten ist.
- Kollektive Sicherheit im Sinne mandatierter Maßnahmen und kollektive Verteidigung sind nicht nur rein additiv zu sehen, sondern in strategischem Zusammenhang aus der Sicht der kollektiv Handelnden wie der Aggressoren. Nur so ist eine zusammenhängende Sicherheitskonzeption der führenden Mächte denkbar, die über Ad-hoc-Reaktionen hinausführt.

In der Perspektive dieser Vorüberlegungen sollen im folgenden Zusammenhänge zwischen kollektiver Verteidigung und kollektiver Sicherheit untersucht werden. Dabei ist der Gedanke leitend, daß es in der gegenwärtigen internationalen Konstellation

---

12 Das tatsächliche Verhalten der Regierungskoalition im Kroatien- und Bosnien-Konflikt zeigt, daß zwischen Regierung und Opposition in der Praxis des Konfliktmanagements bisher keine gravierenden Unterschiede zu registrieren sind.

nicht um eine Alternative zwischen kollektiver Sicherheit und Verteidigung geht: Entweder beide werden pari passu weiterentwickelt, und zwar in engem Zusammenhang, oder beide Kollektivformen der Sicherheitspolitik werden degenerieren.

Dies hat spezifische Bedeutung für Deutschland und die deutsche Sicherheitspolitik. Alle maßgebenden Nationen sehen sich gegenwärtig vor der Kombination zweier Trends: des Schwindens ihrer inneren Handlungsfähigkeit und einem Verfall der multilateralen Sicherheitsstrukturen, in denen sie weiter hoffen, agieren zu können. Diese beiden Vorgänge verstärken sich wechselseitig. Für Deutschland gilt aber überdies, daß es wie kein Land vergleichbarer Größenordnung auf multilaterale Strukturen angewiesen ist und auf eine Führungsrolle in deren Ausgestaltung drängen müßte. Um die spezifische Bedeutung für Deutschland in größter Schärfe zu bezeichnen: Innere Handlungsschwäche potenziert sich im multilateralen Rahmen, weil dieser schwächer wird und damit für die deutsche Sicherheitspolitik eine Wahl auftut: Sie müßte wählen zwischen fortschreitender Selbstmarginalisierung innerhalb zunehmend schwächerer multilateraler Strukturen und bloßer Hinnahme der Renationalisierung der Sicherheitspolitik der Partner bei schwindender eigener Handlungsfähigkeit. Deshalb: Der Zusammenhang von kollektiver Verteidigung und kollektiver Sicherheit ist gerade aus deutscher Sicht von grundlegender Bedeutung.

DER GEGENSATZ VON KOLLEKTIVER VERTEIDIGUNG UND KOLLEKTIVER SICHERHEIT IN DER DEUTSCHEN INNENPOLITIK

Unter den Bedingungen des Ost-West-Konflikts wurde kollektive Verteidigung notwendig zum überragenden Zweck der NATO. Kollektive Verteidigung und kollektive Sicherheit gerieten so in einen Gegensatz, der in der Innenpolitik verschiedener Mitgliedstaaten reproduziert wurde. Dies galt besonders für die Bundesrepublik: In den fünfziger Jahren stellte die SPD der NATO die Forderung nach einem regionalen System kollektiver Sicherheit gegenüber. Später wurde ein Übergang der seit 1960 bejahten NATO in ein kollektives Sicherheitssystem gefordert. Heute wird von der SPD eher den Vereinten Nationen der Vorzug vor einem regionalen kollektiven Sicherheitssystem gegeben, während die NATO möglichst auf ihre kollektive Verteidigungsfunktion eingeschränkt bleiben soll.

Die Bundesregierung sucht andererseits die Zweckbestimmung der NATO über kollektive Selbstverteidigung im bisherigen Sinn hinaus auf neue Aufgaben auszuweiten, und zwar sowohl aus eigenem Recht des Bündnisses (bzw. einer westeuropäischen Verteidigungsgemeinschaft innerhalb des Bündnisses) wie unter Mandaten der VN oder autorisierter regionaler Organisationen. Aber sie hat sich bisher durch verfassungspolitische und historische Argumentationen selbst daran gehindert, diese vor allem von ihr selbst gewollten Erweiterungen sicherheitspolitischer Aufgaben mit herbeizuführen.

Es entsteht also eine Lage, in der sich ein neuer Gegensatz in bezug auf die beiden Sicherheitsfunktionen gerade auch in der deutschen Innenpolitik auftut, aber eben mit vertauschten Rollen und mit Dilemmas für beide Seiten – einer sicherheitspolitisch konservativen SPD, die im Resultat, wenn auch ungewollt, einer Renationalisierung deutscher Sicherheitspolitik den Weg bereitet, und einer Regierungskoalition, die auf Evolution bestehender multinationaler Sicherheitsinstitutionen setzt, sich dabei aber vom Konsens mit der SPD abhängig macht – mit einem entsprechenden Resultat ungewollter Renationalisierung. Fehlende Handlungsfähigkeit in der Gestaltung multinationaler Sicherheitspolitik mit dem Resultat zunehmender Renationalisierung führt aber, wie schon heute erkennbar, zu schwindendem Einfluß und Gewicht Deutschlands, was letztlich eine prekäre Kombination von zunehmender Marginalisierung Deutschlands und zunehmender nationaler Ungeduld in Deutschland hervorrufen kann. Die Tendenzen zur Renationalisierung der Sicherheitspolitik, die im europäischen Umfeld zur Zeit zunehmen, könnten dann rasch in einen Konsens umschlagen, der sich auf eine multilaterale Einbindung Deutschlands, aber ohne deutsche Gestaltungsrolle, richtet. Innenpolitische Blockade in der Sicherheitspolitik kann so aus der neu gewonnenen Souveränität in faktischen Souveränitätsverlust ohne Reziprozität führen.

In den zurückliegenden Jahrzehnten ging es nicht nur um strategische Stabilität, sondern vor allem um politische Evolution und Transformation unter Konfrontationsbedingungen. Diese innenpolitischen Gegensätze, die in Abstufungen und Variationen in allen Bündnisländern existierten, hatten deshalb eine katalytische Funktion im Prozeß der Veränderung der Ost-West-Beziehungen: Sie balancierten immer neu die konkurrierenden und gleichermaßen notwendigen Zielsetzungen der Stabilität und Transformation sowie der vorrangigen euro-amerikanischen Sicherheitsgemeinschaft und der Gestaltung sicherheitspolitischer Kooperation mit der Sowjetunion. In dieser Hinsicht war kollektive Verteidigung die Grundlage, kollektive Sicherheit die Perspektive. Beide Funktionen blieben so – wenngleich in immer neuen Spannungsverhältnissen – in der sicherheitspolitischen Zielsetzung verbunden, traten aber gerade darum in der innenpolitischen Kontroverse oft als scheinbar unvermittelte Gegensätze auseinander.

Für die Bundesrepublik manifestierte sich diese Lage in einzigartiger Weise: Wie sonst nur für die Vereinigten Staaten war eine multilaterale Sicherheitsstruktur auf die besonderen nationalen Interessen der Bundesrepublik abgestimmt. Beide – die USA und die Bundesrepublik – konnten nationale Zwecke mit allgemeinen Zwecken weitgehend deckungsgleich machen. Aber gerade der Unterschied zu den USA macht auch die besondere Lage der Bundesrepublik deutlich: Für die USA waren multilaterale Strukturen – und allgemeiner der Internationalismus der Nachkriegszeit – das Mittel, um als globale Ordnungsmacht zu agieren. Die Bundesrepublik suchte in den europäischen Teilen dieser Strukturen zunächst Akzeptanz, dann den Rahmen, in dem sie ihr Ziel einer Transformation des Ost-West-Verhältnisses verfolgen konnte – mit dem schließlichen Resultat, daß sie diese Strukturen in Europa selbst nachdrücklich umgestaltete. Aber die Grenzen dieser Institutionalisierung zeigten sich nach dem Ende des Kalten Krieges: Sie hatte ausgereicht, um den historisch beispiellosen Umbruch in Europa und im westlich-sowjetischen Verhältnis herbeizuführen. Gerade weil sie für die Bundesrepublik mit spezifischen Zielsetzungen verbunden war, erschöpfte sich darin zunächst aber auch der Zweck multilateraler Institutionen.

Ohne die nach Ende des Kalten Krieges aufbrechenden militärischen Konflikte hätte sich dies vermutlich erst später gezeigt – als Resultat kontraktiver Sicherheitspolitik der eigenen westlichen Partner. So aber verbanden sich zwei Erfordernisse gerade für Deutschland in einer schwierigen Weise, und zwar in einer Lage, in der die internen Probleme der Vereinigung internationale Lösungen erforderten, die aber, anders als in den vergangenen Jahrzehnten, eher auf Kosten der Partner gesucht wurden: Das eine war die Notwendigkeit, erstmals nach 1945 militärische Mittel tatsächlich einsetzen zu müssen, und zwar aus eigener Entscheidung, nicht als Resultat von unausweichlichen Sachzwängen. Das andere war die Notwendigkeit, alle bestehenden multinationalen Sicherheitsorganisationen auf neue Zwecke hin zu reformieren, und zwar gerade auch mit dem Ziel wirksamen militärischen Krisenmanagements und einer zweckmäßigen Organisation des Zusammenwirkens funktional verschiedener Organisationen, vor allem der NATO und der Vereinten Nationen.

Gerade das vereinigte Deutschland mußte an solchen Reformen ein vitales Interesse haben. Es mußte sie selbst maßgebend vorantreiben. In Westeuropa wird ihm kein Partner diese Rolle abnehmen, und die USA werden eine solche Aufgabe nur mit europäischen Partnern zusammen annehmen: Die nationalen Interessen der USA werden ohnehin auch in Europa zunehmend durch ein radiales Netz bilateraler Kooperationsbeziehungen wahrgenommen.

Die Beteiligung der Bundesrepublik an multilateralen Strukturen wie der NATO und der Konferenz über Sicherheit und Zusammenarbeit in Europa (KSZE) hat verdeckt, daß die Sicherheitspolitik der Bundesrepublik kaum über Mitteleuropa hinausreichte, wenn es um eigenes Engagement mit Risiko und um die Sicherheit Dritter ging. Sogar das NATO-Vertragsgebiet ist, wie man im Rückblick erkennt, ein letztlich fiktiver Rahmen für die Definition nationaler Sicherheitsinteressen der Bundesrepublik gewesen. In den zurückliegenden Jahrzehnten war dies jedoch erträglich, weil es mit dem Zweck der Einbindung Deutschlands einherging, obwohl für die Bundesrepublik weiter gilt, daß die NATO vor allem der kollektive Rahmen für die eigene Verteidigung ist.

Die Massierung sowjetischer Offensivstreitkräfte östlich der Bundesrepublik bot die objektive Rechtfertigung, verdeckte aber zugleich die wenig entwickelte Bereitschaft der Bundesrepublik zum Schutz Dritter. In dieser Hinsicht war die NATO eine multinationale Organisation zum militärischen Schutz der Bundesrepublik mit Eigenbeteiligung, die KSZE und Rüstungskontrolle ein Rahmen für die Transformation der innerdeutschen Konfrontation und Teilung – mit zunehmender Führungsrolle der Bundesrepublik. Für kein anderes Bündnisland waren diese Organisationen aber auch so mit dem Zweck der eigenen militärischen Absicherung und dem Ziel der Normalisierung in Mitteleuropa verbunden wie für die Bundesrepublik. Das letztere stand den Interessen wichtiger Partner sogar entgegen. Entsprechend entstand mit dem Ende des Kalten Krieges für kein anderes Bündnisland eine vergleichbare Krise der multilateralen Sicherheitsorientierung: Alle hatten ausnahmslos durchgängig nationale Ziele definiert, die einerseits nur zum Teil mit dem Ende des Kalten Krieges in Frage standen, andererseits mit einer Vielfalt multinationaler Organisationsformen vereinbar sind, sofern nur die Kontrolle Mitteleuropas gewährleistet bleibt.

Je mehr Deutschland außerstande ist, die Umgestaltung der multinationalen Sicherheitsstrukturen im eigenen Interesse zu beeinflussen, um so mehr werden diese Strukturen auf den Zweck der Kontrolle Mitteleuropas reduziert werden, und zwar mit zunehmender bilateraler Kooperation der drei wichtigsten Partner im Westen und bei schwindender Rolle und Gestaltungsmacht Deutschlands. Konservative Bündnispolitik Großbritanniens und – in Vorwegnahme einer verminderten amerikanischen Position in Europa – Frankreichs könnte bereits im Konzert mit den USA eine solche Lage entstehen lassen.

Es kommt hier zum Tragen, daß die drei wichtigsten westlichen Partner sowohl Gründer der Vereinten Nationen wie der NATO sind – lange bevor die Bundesrepublik im einen wie im anderen Fall überhaupt Mitglied wurde. Mehr noch, in beiden Gründungen spielte die Kontrolle Deutschlands eine zentrale Rolle, die in der VN-Satzung wie in der militärischen Organisation der NATO auch ihre Ausprägungen hatte.

Wie in vergangenen Situationen werden allein die Vereinigten Staaten ein Interesse an einer Balance zwischen Großbritannien, Frankreich und Deutschland in künftigen europäischen Sicherheitsstrukturen haben – sofern Deutschland selbst sich engagiert. Schon heute ist aber offenkundig, daß die traditionelle bündnispolitische Position der Bundesrepublik, die sich in der unentschiedenen Haltung gegenüber den konkurrierenden amerikanischen und französischen Zielen in einer Vermittlungsrolle sah, in der neuen Lage eher einen amerikanisch-französischen Konsens auf deutsche Kosten begünstigt: Wenn Deutschland auf die sicherheitspolitische Gestaltung seines Umfelds weiter verzichtet, wird sich dieses Umfeld selbst organisieren. Was in Deutschland gegenwärtig vor allem übersehen wird, ist, daß es dabei vor allem um das *westliche* Umfeld geht – sowohl als primärer Rahmen deutscher Sicherheitspolitik wie als Grundlage für jeden Versuch einer Stabilisierung des östlichen Umfelds.

In dieser Situation entsteht ein neuer innenpolitischer Gegensatz in bezug auf die künftige Sicherheitspolitik Deutschlands. Dies ist plausibel und notwendig. Es liegt darin zwar – vor allem im Blick auf das Wahljahr 1994 – die Gefahr, daß die sicherheitspolitischen Gestaltungsmöglichkeiten des vereinigten Deutschlands weiter schwinden. Aber dies darf kein Grund sein, die Frage der künftigen internationalen Rolle des vereinigten Deutschlands so klein zu schreiben, wie es den demoskopischen Rangfolgen entsprechen würde: Wie in den frühen fünfziger Jahren wird sich die innere Entwicklung Deutschlands wesentlich aus den Rückwirkungen seiner internationalen Orientierung und Rolle ergeben – und umgekehrt. Insofern ist die beginnende innenpolitische Kontroverse über die Sicherheitspolitik Teil der notwendigen Neubestimmung des Standorts Deutschland.

Dies bedeutet, daß es tatsächlich um die künftige Sicherheitspolitik gehen muß, nicht nur um die Haltung zur Frage der Bundeswehreinsätze, so konstitutiv politische Grundsatzentscheidungen zu diesen auch für die künftige Sicherheitspolitik und internationale Rolle des vereinigten Deutschlands sind. Tatsächlich sind die erforderlichen Entscheidungen in der Frage der Bundeswehreinsätze gerade aus einer umfassenden Neubestimmung der sicherheitspolitischen Interessen und Zielsetzungen Deutschlands und einer Bereitschaft, internationale Gestaltungsmacht auszuüben, zu erwarten.

In dieser beginnenden deutschen Diskussion scheint es einen Konsens in zwei Punkten zu geben:

- Beide Seiten tendieren zum Festhalten an der NATO. Die Bundesregierung akzeptiert eine fortgesetzte kollektive Verteidigungsfunktion der NATO, aber eher als Eigenwert (Multilateralität) und ohne eine Konzeption für die Neugestaltung des euro-amerikanischen Verhältnisses, dafür mit dem Ziel, die Zustimmung zur NATO durch zusätzliche Aufgaben im Bereich kollektiver Sicherheit zu erhalten. Die Opposition akzeptiert kollektive Verteidigung, weil eine Bedrohung der NATO nicht erwartet wird und eine Beschränkung von Kampfeinsätzen der Bundeswehr auf kollektive Verteidigung im Rahmen der NATO zugleich einer Renationalisierung entgegenwirkt und die Möglichkeit tatsächlicher Kampfeinsätze der Bundeswehr praktisch überhaupt ausschließt.

- Beide Seiten befürworten friedenserhaltende Einsätze der Bundeswehr. Die Bundesregierung akzeptiert, daß kollektive Sicherheit in verschiedenen Formen auch die Möglichkeit von Kampfeinsätzen einschließt, für die eine sicherheitspolitische Konzeption noch fehlt, die sie aber auch selbst blockiert, da sie bisher nicht auf die von der FDP eingebrachte Forderung nach vorheriger Grundgesetzänderung verzichtet hat, eine solche Änderung aber gerade nicht die Zustimmung der SPD findet. Die Opposition schwankt zwischen einer Beschränkung der deutschen militärischen Beteiligung an kollektiver Sicherheit auf bloße friedenserhaltende Maßnahmen bei völligem Ausschluß von Kampfmaßnahmen und einer begrenzten Teilnahme an Kampfmaßnahmen unter prohibitiven Bedingungen. Mit anderen Worten, der Konsens im Bereich kollektiver Sicherheit beschränkt sich gerade auf die Kategorie von Maßnahmen, für die es in den Vereinten Nationen eine bestehende Praxis, nicht aber legitimierende Verpflichtungen aus der Satzung gibt.

Der Konsens in diesen zwei Punkten wird entweder politisch zum Tragen kommen und damit jede Weiterentwicklung kollektiver Sicherheit wie kollektiver Verteidigung blockieren, oder er wird durch die Polarisierung in bezug auf weitergehende Forderungen verdrängt, bei der »progressive« Politik auf einen minimalistischen Status quo, »konservative« Politik auf die Weiterentwicklung multinationaler Institutionen abzielt. Auch diese Polarisierung würde zur Blockade sicherheitspolitischer Gestaltung führen.

Bisher bleibt in beiden Ansätzen unklar, wie der künftige internationale Standort Deutschland in diesem Kontext zu definieren ist. Die Erfahrung der letzten Jahrzehnte, daß man nur den europäischen Prozeß abwarten und wo nötig nachsteuern muß, wird sich hier nicht wiederholen.

Es wird um drei Fragen gehen, nämlich darum, wie sich konzeptionell und organisatorisch kollektive Verteidigung wie kollektive Sicherheit weiterentwickeln lassen, wie sie in einen sicherheitspolitischen Zusammenhang zu bringen sind und wie sich dies auf die internationale Rolle Deutschlands und die internen Rückkopplungen auswirkt. Ohne eine Zusammenführung der beiden Sicherheitsfunktionen wird keine Antwort möglich, die den Interessen Deutschlands langfristig entspricht. Mit ihr kann sich der Gestaltungsspielraum für die deutsche Sicherheitspolitik trotz der derzeitigen innenpolitischen Blockaden wieder ausweiten. Ein Verständnis der bisherigen Zusammenhänge beider Funktionen ist dazu wichtige Voraussetzung.

Kollektive Verteidigung Und Kollektive Sicherheit Im Rückblick: Zielkonflikt Oder Komplementarität?

Der ursprüngliche Doppelzweck der NATO

Zwischen kollektiver Sicherheit und Selbstverteidigung besteht ein Spannungsverhältnis. Es hat seit der San-Francisco-Konferenz von 1945 eine neue Struktur. Ohne ein Vetorecht der Ständigen Mitglieder des Sicherheitsrats (P-5) wäre dieses Verhältnis nicht regelungsbedürftig gewesen: Die Mitgliedstaaten hätten die faktische Rückfallposition der Selbstverteidigung behalten. Das sowjetische Drängen auf ein uneingeschränktes Vetorecht führte auf Initiative der USA zum Artikel 51 der VN-Satzung mit der Zielsetzung, ein Veto gegen kollektive Selbstverteidigung in der westlichen Hemisphäre umgehen zu können – ein Veto der UdSSR, Chinas oder Großbritanniens (sic). Der Rio-Pakt von 1947 war das Resultat und das Modell. Beides – der Artikel 51 und der Rio-Pakt – ging von den USA aus, also von der Macht, die sich vor allem für kollektive Sicherheit im Rahmen der Vereinten Nationen engagierte. Die Formel für kollektive Selbstverteidigung unter den Bedingungen eines bestehenden Vetorechts der Ständigen Mitglieder war »within the Charter but outside the Veto«.[13]

Die negative Entwicklung der Beziehungen zur Sowjetunion nach 1945 rückte den Artikel 51 erneut ins Zentrum amerikanischer Diplomatie – diesmal, um das »tödliche Veto« beim Versuch der Stabilisierung Westeuropas zu umgehen. In den Worten des Senators Arthur H. *Vandenberg*, der 1945 als engagierter Befürworter kollektiver Sicherheit durch die VN den Artikel 51 in der Hauptsache formuliert hatte, wurde dieser Artikel 51 »zur Schlüsselbestimmung, soweit es um die effektive Hoffnung auf organisierten Frieden geht«. Er könne letztendlich als Grundlage dienen »für eine vollständige Reorganisation der Vereinten Nationen innerhalb der Charta und außerhalb des Vetos«.[14]

---

13 Einen Sonderfall stellten die »Feindstaaten« (im Sinne von Art. 53.2 und 107 der VN-Charta) dar, gegen die bei erneuter Aggressionsgefahr Maßnahmen ohne Vetomöglichkeit und Autorisierung durch den Sicherheitsrat möglich waren. Seine Einschaltung lag im Ermessen betroffener Regierungen.

14 Vgl. Arthur H. *Vandenberg*, Jr. (Hrsg.), The Private Papers of Senator Vandenberg, Boston 1952, S. 172-219, 320-324, 399-420 und 474-501.

In diesem Sinne legte Senator *Vandenberg* vor 45 Jahren die Grundlage für die NATO. Die nach ihm benannte Resolution sah eine Reform der VN – eine teilweise Abschaffung des Vetorechts der P-5-Staaten – und regionale Verteidigungsvorkehrungen auf der Grundlage von Artikel 51 der VN-Satzung mit dem Ziel der Unterstützung der Vereinten Nationen vor. Die Entwicklung der Beziehungen zwischen den P-5-Mächten nach 1945 machte beides zwingend – die Reform des Sicherheitsrats (SR) und die Unterstützung der VN durch kollektive Selbstverteidigung nach Art. 51. Die Resolution wurde mit 66 zu 6 Stimmen angenommen. Das Vetorecht der Ständigen Mitglieder blieb gleichwohl unangetastet.[15] Aber es folgten der Vertrag von Washington und der politische Aufbau der NATO.

Das Ziel war nicht der Aufbau »militärischer Allianzen im herkömmlichen Sinne«, sondern die »Deblockierung der Vereinten Nationen«.[16] Der schließliche Aufbau der militärischen Organisation der NATO seit 1950 hatte – dies kommt in der defensiven Zweckbestimmung der NATO nicht voll zum Ausdruck – ursprünglich den doppelten Zweck der Unterstützung der Vereinten Nationen und der organisierten kollektiven Selbstverteidigung »innerhalb der Satzung und außerhalb des Vetos«. Man muß ergänzen, daß dieser Doppelzweck unter den Bedingungen des beginnenden Ost-West-Konflikts insbesondere von der UdSSR vehement bestritten wurde: Gerade dies wurde eine der zentralen Fragen der Auseinandersetzungen. Aber vierzig Jahre Erfahrung zeigen, daß die NATO als Resultat dieser Entwicklung in der Tat eine prinzipiell neue Art der Organisation kollektiver Verteidigung repräsentiert, wenngleich keiner ihrer Gründer Rolle, Dauer, Organisation und Potentiale der NATO voraussehen konnte.

Der Kalte Krieg als Entwicklungsbedingung von
kollektiver Verteidigung und kollektiver Sicherheit

Ohne die politische Blockade im Ost-West-Verhältnis mit der Möglichkeit militärischer Konfrontation wäre dieser Doppelzweck Theorie geblieben. Kollektive Verteidigung wäre auf Koalitionsfreiheit im Aggressionsfall beschränkt geblieben, die Wirksamkeit kollektiver Sicherheit ging Ende der vierziger Jahre trotz der Einrichtung des Sicherheitsrats nicht wesentlich über die Praxis des Völkerbundes hinaus.

Bei Ausbruch der ersten Berlin-Krise war Westeuropa praktisch ohne militärischen Schutz, die amerikanische Präsenz war auf Besatzungskontingente reduziert. Bei Ausbruch des Korea-Kriegs waren die amerikanischen Streitkräfte fast völlig abgezogen.

---

15 Eine Einschränkung des Vetorechts wurde gleichzeitig im Baruch-Plan vorgeschlagen, um Sanktionen des SR gegen militärischen Mißbrauch von Kernenergie zu ermöglichen: »Die Frage der Bestrafung (bildet) den eigentlichen Kern unseres hier dargestellten Sicherheitssystems. Es darf kein Veto zum Schutze derjenigen geben, die unter Verletzung ihrer feierlichen Zusagen Atomenergie zu destruktiven Zwecken erzeugen oder verwenden«. Baruch-Plan vom 14.6.1946, abgedruckt in: Hermann *Volle*/Claus-Jürgen *Duisberg* (Hrsg.), Probleme der internationalen Abrüstung, Band 1/II, Frankfurt a.M./Berlin 1964, S. 328 f.

16 *Vandenberg*, a.a.O. (Anm. 14), S. 403.

Auf die Berlin-Krise gab es keine kollektive Sicherheitsreaktion, da der Sicherheitsrat durch sowjetische Verweigerung blockiert war. Im Fall Koreas war die UdSSR bei den entscheidenden Sitzungen am 25. und 27. Juni sowie am 7. Juli 1949 (aus Protest gegen die Präsenz Nationalchinas im SR) im Sicherheitsrat nicht anwesend. Diese Abwesenheit ermöglichte die Aufstellung von Streitkräften der Vereinten Nationen unter amerikanischem Oberbefehl. Die Organisation der militärischen Maßnahmen erfolgte (nach Rückkehr der UdSSR in den SR und angesichts einer noch ausreichenden Mehrheit in der Vollversammlung) gemäß Kap. IV der Charta und auf der Grundlage der »Uniting for Peace«-Resolution der Generalversammlung (GV) vom November 1950: Die VN-Intervention stellte damit einen *Mischfall von kollektiver Sicherheit und kollektiver Verteidigung* dar, bei dem eine militärische Koalition von 17 Nationen beteiligt war, darunter die wichtigen unter den 12 ursprünglichen Mitgliedern der NATO (die USA, Großbritannien, Frankreich, Belgien sowie die beiden Beitrittskandidaten Türkei und Griechenland). Die Stationierung amerikanischer Streitkräfte in der Republik Korea wird bis heute auf das VN-Mandat gegründet.

Das militärische Zusammenwirken von NATO-Mitgliedern in Korea erfolgte, bevor es irgendeine Art der militärischen Organisation der NATO gab: Im September 1950 beschloß der NATO-Rat in New York – parallel zur VN-Vollversammlung – im Grundsatz die Aufstellung einer integrierten Streitmacht der NATO. Das chinesische Eingreifen in Korea im November brachte die VN-Streitkräfte an den Rand der Niederlage und führte zugleich zum Konsens in der NATO über den Aufbau der militärischen Organisation einer kollektiven Verteidigung in Europa.

Der Aufbau einer militärischen Organisation kollektiver Verteidigung durch die NATO erfolgte seit 1950 im Schatten einer nach 1945 fortbestehenden militärischen Präsenz der Sowjetunion in Osteuropa, deren Ende günstigstenfalls mit einer kaum erwarteten politischen Lösung der deutschen Frage möglich schien. *Kollektive Verteidigung* mußte also als *langfristige multinationale Aufgabe unter Friedensbedingungen* organisiert werden.

Ein praktischer Zusammenhang mit kollektiver Sicherheit konnte unter diesen Bedingungen in der Praxis nicht entstehen, wenngleich der Vertrag von Washington ausdrücklich auf eine Unterstützung der VN und entsprechend weit angelegt ist. Das Resultat war eine kollektive Verteidigungsorganisation, die, historisch ohne Beispiel, mit ihrem dreifachen Zweck – Eindämmung der Sowjetunion, Einbindung der Bundesrepublik und Institutionalisierung der amerikanischen Rolle als europäischer Sicherheitsmanager – einen *Vorrang kollektiver Verteidigung vor individueller Verteidigung* begründete, der nicht nur aus dem sowjetischen militärischen Übergewicht resultierte.

Kollektive Selbstverteidigung hat sich also in den letzten Jahrzehnten außerhalb des zeitweilig wirkungslosen VN-Systems entwickelt, aber sie entwickelte sich im Sinne der Zielsetzungen der VN-Satzung zu einem System wechselseitiger Beschränkungen, das sich von allen Erfahrungen vor 1945 unterschied, und zwar trotz einer historisch beispiellosen politisch-militärischen Konfrontation. Mit der NATO als Schrittmacher der Entwicklung wurde der Ost-West-Konflikt zu einem neuartigen Modell der

Konfliktverhinderung, das für künftige kollektive Verteidigung nach Artikel 51 in
bezug auf defensive Zielsetzungen, Kollektivität und systematische wechselseitige
Selbstbeschränkung eine Grundlage bietet, die nicht preisgegeben werden darf, sondern auszugestalten ist.

Kollektive Sicherheit war bei Ausbruch des Korea-Krieges ebenfalls eine ungetestete Möglichkeit, die – ähnlich wie die VN-Koalition gegen den Irak nach dem Ende
des Kalten Krieges – nur als Mischfall von kollektiver Sicherheit und kollektiver
Verteidigung realisierbar war. Sie führte in Korea zur Wiederherstellung der territorialen Integrität und zu einer Waffenstillstandsvereinbarung, die eine langfristige
Präsenz der USA in der Republik Korea bedingte. Unter den Bedingungen des
Kalten Krieges waren solche Mischfälle (nach Kap. IV bzw. VII der VN-Charta)
praktisch ausgeschlossen: Sie erfordern entweder die Absenz von Vetomächten im
Sicherheitsrat, die Konfliktpartei sind, bei gleichzeitiger Unterstützung durch die
Mehrheit in der GV (wie in Korea) oder eine ausreichende Sicherheitskooperation
aller P-5-Staaten im SR, wie im Fall Kuwaits, während dies für das ehemalige
Jugoslawien aber schon nicht mehr gegeben war.

Unter den Bedingungen des Ost-West-Konflikts war Sicherheitskooperation der
P-5-Staaten nur da möglich, wo es nicht um deren individuelle oder kollektive
Selbstverteidigung ging. Dies war nur in einer Reihe von Konflikten in der Dritten Welt der Fall. Nur dort war Konsens der P-5-Staaten als Voraussetzung einer
Sicherheitskooperation zwischen ihnen erreichbar. Gerade hier boten die VN jedoch
weder der Satzung noch der Praxis nach ausreichende Voraussetzungen: Diese mußten
– wie im Fall der kollektiven Verteidigung – erst geschaffen werden. Erstmals im
Suez-Konflikt wurde so eine *neue* Praxis begründet, das sogenannte Peace-keeping
(die »Blauhelme«).[17]

Diese Praxis friedenserhaltender Einsätze basiert also – im Unterschied zu Zwangsmaßnahmen – nicht auf der VN-Satzung, sondern von Fall zu Fall auf Resolutionen
des SR mit Zustimmung der Beteiligten. Entsprechend hat sich auch noch keine allgemeine Verfahrensweise herausgebildet: Für jede Peacekeeping-Aktion werden ad hoc
Verfahrensweisen entwickelt, und zwar im engen Rahmen möglicher Konsensbildung.

Veränderungen seit dem Ende des Kalten Krieges

Die Erfahrungen seit dem Ende des Kalten Krieges ergeben ein paradoxes Zwischenbild. Erstmals haben sich beide Sicherheitsmethoden weiterentwickelt. Im Bereich *kollektiver Sicherheit* ist trotz unterschiedlicher Zielsetzungen und Verfahren
der Unterschied von friedensschaffenden und friedenserhaltenden Maßnahmen relativiert worden, und zwar mit der Erweiterung der Konzeption des Peace-keeping
um Selbstschutz, Mandatssicherung und Schutz humanitärer Aktionen der VN. In

---

17 Mit der Resolution 161 vom 21. Februar 1961 und der 20 000 Mann starken VN-Streitmacht im Kongo
1960-62 wurde sogar die Anwendung von militärischer Gewalt durch VN-Streitkräfte autorisiert.

gleichem Maße ergibt sich ein Angewiesensein auf durchführungsfähige Organisationen, wofür bei hohen militärischen Anforderungen gegenwärtig nur die NATO in Betracht kommt. Über hybride Interventionsfälle mit Ad-hoc-Koalitionen wie in Korea und im Irak hinaus ist so die Konzeption von ausdrücklichen *Mandaten für kollektive Verteidigungsorganisationen* bzw. deren sämtliche Mitglieder entstanden.

Mit dem Ende des Ost-West-Konflikts wurde ein zweiter Mischfall von kollektiver Sicherheit und kollektiver Verteidigung durch Beschlüsse des SR möglich: mit der Koalition gegen den Irak. Im ehemaligen Jugoslawien kam es zur ersten VN-Aktion in Europa (wenn man Zypern als geographischen Sonderfall betrachtet). Aber auch nach dem Ende des Kalten Krieges zeigten sich hier die Grenzen der erforderlichen Sicherheitskooperation der P-5-Staaten in Europa: Militärische Zwangsmaßnahmen sind bisher gegen Serbien nicht ergriffen worden, da die Interessen von mindestens vier der P-5-Staaten dem entgegenstanden.

Dennoch sind mit Bezug auf die SR-Resolutionen 770, 776 und vor allem 836 sowie mit dem Beschluß der NATO vom 9. August 1993, unter bestimmten Bedingungen Luftangriffe gegen serbische Ziele durchzuführen. Damit ist eine neue Lage im Umgang mit *beiden* Sicherheitsmethoden geschaffen worden, die in die Richtung wirksamer Komplementarität von kollektiver Sicherheit und kollektiver Verteidigung weist: Die VN haben den Einsatz von NATO-Streitkräften zu militärischen Zwangsmaßnahmen gebilligt, und die NATO hat im Prinzip militärische Kampfmaßnahmen beschlossen, deren Eintreten nicht von Aggressionen gegen das Vertragsgebiet, sondern vom Verhalten Dritter außerhalb des Vertragsgebiets abhängig ist.

Kollektive Verteidigung hat sich im Falle der NATO nach dem Ende der Konfrontation entwickelt, und zwar so, daß Multilateralität der Streitkräfte- und Kommandostrukturen als Eigenwert akzeptiert wurde und zu entsprechenden anpassenden Reformen geführt hat. Dabei ist kollektive Verteidigung aus dem Schatten nuklearer Abschreckung herausgetreten: Sie ist für fast alle plausiblen Verteidigungsfälle im wesentlichen als konventionelle Verteidigung zu planen. Andererseits hat der verpflichtende Charakter kollektiver Verteidigung unter dem NATO-Vertrag ohne die Sachzwänge der Ost-West-Konfrontation an Stringenz eingebüßt. Die eskalatorische Konfliktgeneralisierung in NATO-Fällen hatte den einzelnen Mitgliedern (mit Ausnahme der nordamerikanischen Mitglieder) kaum Alternativen zum kollektiven Beistand gelassen. Sie war zugleich mit dem Risiko der Selbstzerstörung verbunden. Seit dem Ende des Kalten Krieges sind kollektive Beistandsverpflichtungen eine Frage nationaler Interessenabwägung und Verläßlichkeit geworden.

Die einschneidendste Veränderung hat im Fall der Bundesrepublik stattgefunden: Obwohl die Bundesrepublik am uneingeschränktesten auf Multilateralität festgelegt ist, kann eine Beistandsverpflichtung inzwischen sogar vor allem bei interregionalen Kooperationsverhältnissen innerhalb des Vertragsgebiets der NATO im Ernstfall strittig sein, wie die politischen Reaktionen auf eine mögliche Bedrohung der Türkei im Januar 1991 gezeigt haben.[18]

Diese Sachlage, die mehr als nur die Absenz einer spezifischen und konkreten militärischen Bedrohung, nämlich die Ungewißheit von Beistandsentscheidungen bei stark vermindertem Risiko darstellt, wird vielfach im Sinne einer Erosion kollektiver Verteidigungsverpflichtungen überhaupt wahrgenommen. Aber auch unabhängig von solchen politischen Wahrnehmungen ist zunächst grundsätzlich (Oslo-Erklärung), dann konkret, mit der bedingten Entscheidung für Luftangriffe auf serbische Ziele in Bosnien, die Zielsetzung der NATO um die Ausführung von Mandaten ergänzt worden. Die Möglichkeit einer massiven Peace-keeping-Streitkraft der VN in Bosnien mit einem erheblichen NATO-Kontingent und unter dem operativen Kommando der NATO ist für den Fall einer bosnischen Friedensregelung in Aussicht genommen worden.

Ist kollektive Verteidigung nach dem Modell der NATO ohnehin VN-satzungs-konform, so ist mit den Entwicklungen im Bereich beider Arten von Sicherheitsorganisation seit dem Ende des Kalten Krieges ein konzeptioneller Schritt in Richtung *zweckbezogener Komplementarität von kollektiver Sicherheit und kollektiver Verteidigung* vollzogen worden, der weit über die regionale Arbeitsteilung nach Nord-Süd-Kategorien während des Ost-West-Konflikts hinausgeht (kollektive Verteidigung im Norden und sporadisch kollektive Sicherheit im Süden).

Aber in beiden Organisationsarten oder konkreter: in den VN wie in der NATO wirken auch regressive Kräfte, die einem solchen Synergismus zunehmend entgegenstehen. Nationale Interessenkalküle werden nicht mehr wie im Kalten Krieg in Grenzen parallelisiert, sondern folgen vielfach vornuklearen traditionellen Mustern. Gerade die zunehmenden funktionalen Zusammenhänge von kollektiven Sicherheits- und kollektiven Verteidigungsorganisationen würden einen konzertierten Umgang der wichtigen Nationen bei der Koordinierung beider – vor allem VN und NATO – erfordern, was wiederum ein verstärktes sicherheitspolitisches Engagement der einzelnen Nationen notwendig macht: Diese können nicht mehr zwischen den beiden Funktionen wählen, sondern sie stärken entweder das Zusammenwirken beider Sicherheitsfunktionen oder sie schwächen jede von ihnen. Genau dies ist gegenwärtig in Bosnien offenkundig. Nationale Interessenpolitik und unzureichendes Engagement in multinationalen Institutionen werden in ihren negativen Wirkungen noch dadurch verstärkt, daß die Verknappung der Ressourcen sogar die Kooperations*fähigkeit* der relativ handlungsfähigen Nationen zunehmend an Grenzen führt, die dann zugleich Grenzen der Wirksamkeit der multinationalen Organisationen sind. Die Wirksamkeit dieser Institutionen läßt sich effektuieren, wenn sie überhaupt gegeben ist. Sie hängt vor allem ab von der Bereitschaft und Fähigkeit ihrer Mitglieder.

---

18 Eine ähnliche Situation hat es während der Zypern-Krise von 1964 bereits zwischen den USA und der Türkei gegeben (vgl. Correspondence between President Lyndon B. Johnson and Prime Minister Ismet Inönü, June 1964, as released by the White House, January 15, 1966, abgedruckt in: *The Middle East Journal*, Nr. 3, 1966, S. 386-393). Vgl. auch Jacob M. *Landau*, Johnson's 1964 Letter to Inönü and Greek Lobbying in the White House, in: Jerusalem Papers on Peace Problems, Jerusalem 1979.

Für die Bundesrepublik stellt sich dies insofern anders dar als für ihre Partner, als sie mehr als diese auf Multilateralismus in der Sicherheitspolitik angewiesen ist. Bei dessen Gestaltung müßte sie neben den USA die Führungsrolle wahrnehmen. Tatsächlich aber verliert sie ständig an gestaltendem Einfluß, da sie nur unzureichend handlungsfähig ist, die Partner durch Praxis genötigt und aus Interesse zu neuen Kooperationsformen finden (vor allem die USA und Frankreich) und die Zeit anders als während des Kalten Krieges diesmal gegen die Interessen Deutschlands arbeitet. Abgesehen von der Frage künftiger Handlungsfähigkeit bleibt indessen die Notwendigkeit bestehen, konzeptionell auf eine politische Situation vorbereitet zu sein, in der die Bundesrepublik handlungsfähig ist. Das Erarbeiten neuer konzeptioneller Grundlagen ist doppelt notwendig: Es kann den politischen Prozeß leiten, aus dem Handlungsfähigkeit entstehen soll, und es kann der Renationalisierung der Partner und damit dem funktional wie legitimatorisch zu verstehenden Verfall der multinationalen Sicherheitsorganisationen entgegenwirken. Die deutsche Politik steht hier noch am Anfang.

DIE MÖGLICHE WEITERENTWICKLUNG BEIDER SICHERHEITSFUNKTIONEN

Eine fortschreitende innenpolitische Polarisierung wird das Verständnis beider Sicherheitsfunktionen weiter einengen in einer Lage, in der es gerade um ein erweitertes Verständnis geht. Der Rückblick auf die Erfahrung mit beiden Funktionen seit 1945 sollte einem solchen erweiterten Verständnis dienlich sein. Als Ausgangspunkt für weiterführende konzeptionelle und organisatorische Überlegungen sollen im folgenden zunächst die Definitionen beider Funktionen im Lichte der bisherigen Erfahrungen geprüft werden.

Erweiterte Definition kollektiver Verteidigung bzw. Sicherheit

Zwischen den beiden in der VN-Satzung vorgesehenen Sicherheitsmethoden, der kollektiven Verteidigung und der kollektiven Sicherheit, besteht ein kategorialer Unterschied: Er liegt in der *Art der Legitimation* von Maßnahmen im Falle von Aggression gegen Mitgliedstaaten der VN.

Kollektive Verteidigung nach Art. 51 der VN-Satzung stellt – wie das individuelle Recht der Staaten auf Selbstverteidigung – ein inhärentes bzw. naturgegebenes Recht dar. Kollektive Sicherheit soll das Resultat von Maßnahmen sein, für die die Vereinten Nationen oder von dieser autorisierte Organisationen Mandate beschlossen haben. Im Regelfall wird eine solche Beauftragung auf absehbare Zeit durch den Sicherheitsrat der VN erfolgen. Die kaum aufhebbare Insuffizienz internationaler Ordnung bedingt, daß Staaten über *beide* Sicherheitsmethoden verfügen müssen. Aber diese stehen nicht willkürlich nebeneinander.

Beide Sicherheitsmethoden unterliegen Beschränkungen:

– Kollektive Verteidigung ist bisher auf die Abwehr von Aggressionen gegen Mitgliedstaaten der VN beschränkt. Sie steht unter der Bedingung, daß der SR
  informiert wird und dieser noch keine ausreichenden Maßnahmen beschlossen
  hat.
– Kollektive Sicherheit ist bisher auf Maßnahmen beschränkt, welche Mehrheiten
  mit Einschluß der Ständigen SR-Mitglieder erfordern: die Herbeiführung er-
  forderlicher Maßnahmen ist nicht nur eine Befugnis, sondern eine Pflicht des
  Sicherheitsrats.

Nicht nur kollektive Sicherheit, sondern auch kollektive Verteidigung (nach Art. 51
der VN-Satzung) ist somit Beschränkungen unterworfen: Kollektive Verteidigung
verbindet Pflichten und inhärente Rechte der Mitgliedstaaten auf Selbstverteidigung
und Schutz für andere Mitgliedstaaten der VN im Falle bewaffneter Aggression
mit den Rechten und Pflichten des VN-Sicherheitsrats. Sie ist zulässig, solange der
SR die erforderlichen Maßnahmen nicht getroffen hat. Diese Maßnahmen erfordern
die Zustimmung aller Ständigen Mitglieder, die insoweit eine Wahl haben zwischen
Teilnahme an kollektiver Selbstverteidigung und kollektiven Maßnahmen des SR.

Die Tatsache des Vetorechts möglicher direkter oder indirekter Konfliktpartner
macht, wie ausgeführt, kollektive Verteidigung nach Art. 51 zur notwendigen Voraussetzung der Möglichkeit kollektiver Sicherheit.[19] Aber selbst eine weitgehende
Einschränkung oder Abschaffung des Vetorechts gewährleistet keine Handlungsfähigkeit der SR, wenn handlungsfähige Staaten direkt oder durch Unterstützung
Dritter zur Konfliktpartei werden. Kollektive Verteidigung nach Art. 51 ist also
kein Wildwuchs im Sinne traditioneller Anarchie, sondern ist als »inhärentes Recht«
an die Verpflichtungen der VN-Satzung gebunden: Sie ist Regeln wechselseitiger
Selbstbeschränkung unterworfen.

Diese Notwendigkeit beruht auf der vierfachen Tatsache, daß es größere militärisch
potente Staaten gibt, daß sie direkt oder durch Unterstützung Dritter Konfliktpartei
werden können, daß Konflikte ohne Konsens der führenden Mächte eine abnehmend
steuerbare Eigendynamik erlangen und daß die Handlungsfähigkeit des SR an den
Konsens der führenden Mächte gebunden, also konstellationsabhängig ist, was im
übrigen nicht nur aus der Tatsache des Vetorechts der derzeitigen Ständigen Mitglieder
folgt, dadurch aber verstärkt wird.

Kollektive Verteidigung nach Artikel 51 der VN-Satzung *erfordert per se keine feste
Organisationsform*, sondern kann als gemeinsame Verpflichtung, durch Konsens der
Betroffenen oder als Nothilfe für Dritte erfolgen. Sie steht unter den Einschränkungen

---

19 Systematisch betrachtet kann man eine Matrix bilden aus kollektiver Verteidigung ohne und mit Artikel
   51 und aus kollektiver Sicherheit mit und ohne Vetorecht von SR-Mitgliedern. Ohne Vetorecht kann der
   SR mehrheitlich Maßnahmen zur Unterbindung von Selbstverteidigung (ohne Artikel 51, im Resultat
   wie im Sinne der Feindstaatenklausel) bzw. zur Aussetzung kollektiver Verteidigung (mit Artikel 51)
   beschließen. Bei gegebenem Vetorecht im SR kann das Veto ohne Artikel 51 gegen kollektive Verteidigung
   z.B. durch regionale Organisationen (amerikanische Befürchtung in San Francisco) oder mit Artikel 51
   gegen SR-Beschlüsse über kollektive Maßnahmen eingelegt werden, durch die kollektive Verteidigung
   ausgesetzt werden soll. Im VN-System der kollektiven Sicherheit bedingen sich also Vetorecht und Artikel
   51 wechselseitig. Eine qualifizierte Einschränkung des Vetorechts ist damit nicht unverträglich.

der VN-Satzung, bleibt andererseits bei Handlungsunfähigkeit des SR eine legitimierbare Option.[20] Kollektive Sicherheit wird durch Mandatierung bzw. Autorisierung durch die VN bzw. dazu autorisierte regionale oder subglobale Systeme definiert: Mandatsträger können formale Bündnisse, Ad-hoc-Koalitionen, einzelne Staaten oder bei Bereitstellung von Kontingenten unter VN-Kommando die Vereinten Nationen selbst sein.

In der Praxis seit 1991 findet also eine Neudefinition kollektiver Verteidigung und kollektiver Sicherheit statt: *Kollektive Verteidigung wird nicht mehr auf Territorialschutz eingeengt, und kollektive Sicherheit wird nicht mehr durch die Souveränität von Friedensbrechern eingeschränkt.* Die 1945 zeitgerechten Definitionen, die von der Souveränität von Nationalstaaten als wichtigster Bezugsgröße ausgingen, werden inzwischen durch die Praxis überholt. Den realen Entwicklungen entsprechend ist dies vor allem im Bereich kollektiver Sicherheit erkennbar: Irak, Libyen, Jugoslawien oder Haiti sind Beispiele.

Eine konzeptionelle Erweiterung kollektiver Sicherheit ist unter drei Aspekten möglich und in der Praxis in Ansätzen bereits erkennbar:
- Friedensbruch als Auslöser kollektiver Sicherheitsmaßnahmen wird zunehmend weiter verstanden und in der Tendenz auf Genozid, Bruch des Nichtverbreitungsregimes für Nuklearwaffen u.a. ausgedehnt.
- Die Legitimation kollektiver Sicherheitsmaßnahmen in der Folge der Einschränkung der Souveränität von Friedensbrechern (u.a. in bezug auf Vorgänge, die als innere Angelegenheit reklamiert werden) wird in zunehmendem Maße möglich.
- Das Spektrum möglicher Zwecke von kollektiven Sicherheitsmaßnahmen erweitert sich mit der Folge, daß sich auch das Spektrum möglicher Maßnahmen ausweitet.

Als mögliche Zwecke kollektiver Sicherheitsmaßnahmen zeichnen sich ab:
- friedenserhaltende und humanitäre Maßnahmen;
- Selbstverteidigung bei der Durchführung solcher Maßnahmen;
- Mandatsverteidigung und -durchsetzung (»robustes« Peace-keeping);
- Gewaltverhinderung im Konfliktfall (militärische Maßnahmen zur Verminderung militärischer Optionen bestimmter Konfliktparteien: mehr als robustes Peace-keeping und weniger als friedensschaffende Maßnahmen);
- friedensschaffende Maßnahmen (Peace-enforcement), und zwar als hybride Intervention (wie in Korea oder im Golf) oder ausschließlich unter Mandat; vor allem hier führt eine erweiterte Definition von Friedensbruch zu einem weiteren Spektrum möglicher Fälle und Maßnahmen;
- punitive militärische Maßnahmen (etwa bei Einsatz von Massenvernichtungswaffen).

Diese Kategorisierung besagt eo ipso nichts über die Wahrscheinlichkeit politischer Entschlüsse im SR.

---

20 Daraus folgt, daß die Handlungsfähigkeit der NATO und deren Legitimität nur durch den Zweck der Unterstützung der VN begrenzt wird: Sie ist eine Frage des politischen Konsenses der Mitgliedstaaten im Rahmen der Beschränkungen militärischer Machtanwendung, die die VN-Satzung vorschreibt. Auf das Vertragsgebiet ist nur die Verpflichtung zur kollektiven Selbstverteidigung eingeschränkt.

Auch kollektive Verteidigung läßt eine Reihe von konzeptionellen Differenzierungen zu, und zwar nicht nur, wie beschrieben, im Blick auf die Entwicklung seit 1945, sondern auch in bezug auf künftige Herausforderungen und Reaktionen. Konzeptionelle Erweiterungen sind vor allem unter folgenden Gesichtspunkten vorstellbar:
- *Aggressionen* können kollektive Verteidigungsmaßnahmen auch dort auslösen, wo Territorium nur indirekt oder ohne Kriegsziel gefährdet wird.
- Die *Organisation* kollektiver Verteidigungsmaßnahmen läßt ein Spektrum von Maßnahmen zu, das von militärischem Beistand durch Kampfmaßnahmen bis zu diversen Unterstützungsmaßnahmen reicht.
- Die *Kollektivität* der Verteidigung kann aus sehr unterschiedlicher Kohäsion der gemeinsam reagierenden Staatengruppen resultieren, die von Ad-hoc-Koalitionen bis zu politischen Gemeinschaften reicht.
- Die *Legitimität* kollektiver Verteidigung ist zwar grundsätzlich mit dem Artikel 51 der VN-Satzung gegeben, sie nimmt aber politisch mit der Intensität der Aggression, mit der Begrenztheit der Reaktionen und mit der gemeinsamen Betroffenheit zu.

Vor allem die folgenden Optionen kollektiver Verteidigung kommen in künftigen strategischen Lagen für die Partner der NATO in Betracht:
- individuelle Selbstverteidigung mit Unterstützungsmaßnahmen Dritter (Staaten oder Bündnisse),
- Nothilfemaßnahmen,
- Ad-hoc-Koalitionen,
- Unterstützung von Ad-hoc-Koalitionen durch Bündnisse,
- kollektive Stabilitätsverpflichtungen als potentieller Beistandsfall,
- kollektive Stabilitätsverpflichtungen als virtueller Beistandsfall,
- kollektiver Beistand im Rahmen formaler Bündnisse,
- kollektiver Beistand im Rahmen politischer Gemeinschaften.

Kollektive Beistandsverpflichtungen sind hier anders als etwa ein assoziierter Mitgliedschaftsstatus in Bündnissen, der zur Teilnahme an Konsultationen (etwa im Sinne von Art. 4 des Washingtoner Vertrags) berechtigt, eine kollektive Verpflichtung, aber unterhalb der Ebene einer vollen Mitgliedschaft und der entsprechenden Beistandsverpflichtung. Für die NATO käme sie in zwei Formen in Betracht: als *potentieller Beistandsfall*, wenn eine Aggression gegen benachbarte Drittstaaten erfolgt, die sich auf das Bündnisterritorium auszudehnen droht, und als *virtueller Beistandsfall*, wenn bei Konflikten zwischen Dritten schuldhaft, wenngleich nicht absichtlich grenzüberschreitende Auswirkungen stattfinden und/oder entsprechende schadensbegrenzende Maßnahmen Dritter verweigert werden. Kollektive Beistandsverpflichtungen im ersten Sinne erfordern obligatorische Maßnahmen zur Unterstützung der Selbstverteidigung Dritter. Sie könnten einen begrenzten Schutz zum Beispiel für die Staaten Mittel- und Osteuropas bieten – begrenzt in dem doppelten Sinne, daß sie nicht bei allen Konflikten ausgelöst werden, sondern nur bei indirekter Gefährdung der NATO, und daß die NATO zu unterstützenden militärischen Maßnahmen, nicht aber zum Beistand im Sinne einer Beteiligung an Kampfmaßnahmen verpflichtet ist. Voller Beistand bleibt möglich, ist aber nicht obligatorisch.

Im Prinzip läßt das Spektrum möglicher Konflikte außer an den Extremen *beide* Reaktionsformen, also kollektive Verteidigung wie kollektive Sicherheit zu. Konflikte mit geringer Intensität werden in der Praxis selten kollektive Verteidigung auslösen (dies war nicht einmal im NATO-Dokument, MC 14/3, vorgesehen). Konflikte mit großer Intensität werden umgekehrt in der Regel Ständige Mitglieder des Sicherheitsrats involvieren und meist nur kollektive Verteidigungsmaßnahmen zulassen. Grenada am einen Ende war eine kontroverse Ausnahme, so wie am anderen ein WP-NATO-Konflikt ein Fall ausschließlicher kollektiver Verteidigung gewesen wäre.[21]

In der Situation nach 1990/91 geht es, sofern die internationale Konstellation dies gestattet, um eine Erweiterung der Optionen für beides – kollektive Verteidigung wie kollektive Sicherheit. Bei vorherrschend evolutionären Tendenzen in der internationalen Sicherheit ist eine *parallele* Erweiterung der Optionen in beiden Bereichen möglich. Damit ist einerseits eine Wahlfreiheit gegeben, andererseits findet eine zunehmende Konvergenz beider Bereiche statt, bei der die Präferenz grundsätzlich für kollektive Sicherheitsoptionen gegeben ist, kollektive Verteidigungsoptionen aber sowohl als Rückfallposition wie als Druckmittel (mögliche Alternative bei Ausbleiben von Konsens bzw. als Androhung möglicher Steigerung) relevant bleiben.

Die Idee unteilbarer Sicherheit in Europa hat ihre lange Vorgeschichte im europäischen Gedankengut. In der sicherheitspolitischen Praxis hat sie keine Grundlage mehr. Dennoch bleibt sie als regulative Leitvorstellung wichtig: um ein heterogenes, in unterschiedliche Sicherheitsregionen fragmentiertes Europa zu ordnen und steuerbar zu machen. Es geht um eine neue Sicherheitsorganisation für ein heterogenes Europa in einem weiteren euro-atlantisch/nordasiatisch-pazifischen Raum.

In dieser Perspektive müssen kollektive Verteidigungs- und kollektive Sicherheitsfunktionen sich weiterentwickeln und organisch verbinden. Dies geht nur mit einer entsprechend reformierten NATO als Kerninstitution. Die Alternative ist eine gleichzeitige Rückbildung von kollektiver Sicherheit und kollektiver Verteidigung mit dem Resultat verstärkter Fragmentierung und Renationalisierung.

Für keinen anderen Staat tut sich die Alternative zwischen einem neuen Multilateralismus und Isolierung so weit auf wie für Deutschland. Der gegenwärtige politische Diskurs in Deutschland ist in dieser Frage polarisiert. In vielen Abstufungen sind beide Seiten dieser Debatte an überholten Versionen des Prinzips kollektive Verteidigung bzw. kollektive Sicherheit ausgerichtet. Die Aufgabe wäre für beide Seiten, Wege zur Integration dieser beiden Prinzipien und das heißt zur Weiterentwicklung beider zu finden. Dies würde im positiven Fall den sicherheitspolitischen Konsens in Deutschland neu begründen und ausweiten, ohne den die erforderliche deutsche

---

21 Beispiele wie die Berlin-Krisen, der Suez-Konflikt oder die Kuba-Krise zeigen indessen, daß die Vereinten Nationen zum Zweck größerer Elastizität des Krisenmanagements auch in Ost-West-Krisen genutzt wurden.

Handlungsfähigkeit unmöglich, eine Sicherheitsorganisation für das heterogene Europa nicht erreichbar ist – es sei denn mit dem vorrangigen Ziel der Einbindung Deutschlands: Adenauers überwunden geglaubter Alptraum. Die Bundesrepublik Deutschland hat in dieser Frage viel zu gewinnen und viel zu verlieren. Die Politik ist gefordert.

GESELLSCHAFTLICHE GRUNDLAGEN DER DEUTSCHEN AUSSENPOLITIK

Walter L. Bühl

DIE »VERGESELLSCHAFTUNG« DER AUSSENPOLITIK

Modellüberlegungen

Wenn man mit Außenpolitik mehr meint als eine nur punktuelle Krisenpolitik und sie als den Versuch definiert, auf die internationale Umwelt so einzuwirken bzw. deren Gegebenheiten und Veränderungen so zu nutzen, daß die langfristige Entwicklungsfähigkeit des eigenen politischen und gesellschaftlichen Systems nach selbstbestimmten Maßstäben gewährleistet ist, dann erweist sich einerseits die Theorie des nationalstaatlich ausgerichteten »Macht-Realismus«, andererseits aber auch der Utopismus einer »Weltinnenpolitik« als unzureichend.

Der »Realismus« oder »Neo-Realismus« neigt dazu, die Sicherheitskomponente oder den staatlichen Machtapparat überzubetonen und die Bedeutung der transnational wirksamen wirtschaftlichen, technologischen und gesellschaftlichen Komponenten zu unterschätzen. Außerdem lassen sich aus den allein in das realistische Machtkalkül eingehenden statischen Attributionen (Gebiets- und Bevölkerungsgröße, materielle Ressourcen und Energiebedarf, Bruttosozialprodukt, militärische Stärke) keine Aussagen über das dynamische Potential eines Akteurs gewinnen, noch weniger Voraussagen über seine Kooperationsfähigkeit und -willigkeit, geschweige denn über die tatsächlichen Kooperationsverhältnisse und Allianzen.[1]

Umgekehrt ist das Konzept einer »Weltinnenpolitik«,[2] das die außenpolitische Dimension am liebsten eliminieren möchte, solange als utopisch zu bewerten, als es keine zentrale internationale Autorität und Erzwingungsgewalt gibt. Eine solche aber kann nicht legitimiert sein, solange die Bevölkerungsverhältnisse, die Ressourcen und Entwicklungspotentiale in der Welt so ungleich sind wie jetzt.

Vorerst bleibt der Staat (als Nationalstaat oder im Ansatz auch als supranationaler Staat) – trotz der starken wirtschaftlichen Interdependenzen jedenfalls im Bereich der entwickelten Industrieländer, trotz der gelegentlichen Aufwertung von internationalen Institutionen (wie den Vereinten Nationen, VN, oder des Internationalen

---

1 Vgl. Ernst-Otto *Czempiel*, Gleichgewicht oder Symmetrie?, in: Werner *Link*/Eberhard *Schütt-Wetschky*/Gesine *Schwan* (Hrsg.), Jahrbuch für Politik, Halbband 1, 1991, S. 127-150; sowie Friedrich *Kratochwil*, The Embarassment of Changes: Neo-Realism as the Science of Realpolitik Without Politics, in: *Review of International Studies (RIS)*, Nr. 19, 1993, S. 63-80; hier S. 72 f.

2 Dieter *Senghaas*, Weltinnenpolitik – Ansätze für ein Konzept, in: *EA*, 22/1992, S. 643-652. Vgl. Manfred *Knapp*, Die Außenpolitik der Bundesrepublik Deutschland, in: Manfred *Knapp*/Gert *Krell* (Hrsg.), Einführung in die Internationale Politik, München 1990, S. 137-174; hier S. 167.

Währungsfonds, IWF), aber auch trotz der Erosion der Staatsgewalt »von unten« (von seiten der Regionen und Kommunen) – die größte (und oft auch die einzige) politische Autorität, und die Staatsorganisation als solche hat sich bis jetzt immer noch als die dauerhafteste und anpassungsfähigste politische Organisation erwiesen.[3] Vor allem aber stehen nationales Interesse und internationale Interdependenz, nationale und kollektive Sicherheit, nationaler Wohlstand und transnationale Unternehmenstätigkeit in keinem exklusiven Verhältnis zueinander – sie bedingen sich vielmehr gegenseitig.

Die Unterschiedlichkeit der nationalen Interessen ergibt sich aus Differenzen in der geopolitischen und geoökonomischen Lage, aus Unterschieden in der Bevölkerungs-struktur und -dynamik wie im technologischen und bildungsmäßigen Entwicklungs-stand, schließlich aber auch in den Wertsetzungen und Einstellungen der politischen Elite und der Bevölkerung. Diese verschwinden keineswegs bei einer Stärkung der internationalen Kooperation oder der internationalen Institutionen, die vielmehr nur einen veränderten Kontext für die Definition nationaler Interessen bieten.

Überhaupt ist »Außenpolitik« ein »relationales« Konzept oder eine Sache des jeweils (für eine bestimmte Problemlösung) aktivierten Bezugssystems: Was aus der Perspektive des Nationalstaats als »Außenpolitik« figuriert, erscheint für eine multinationale Firma als »Intra-Firmen-Problem« oder für eine Grenzregion als »interregionales« Problem. Die Probleme der Ausländerfeindlichkeit, der Gastarbeiter und der Arbeitslosigkeit sind zugleich außen- wie innenpolitische Probleme.

Wenn die Europäische Union (EU) nicht imstande ist, eine gemeinsame Außenpoli-tik zu entwickeln, dann werden die Außenpolitiken der Nationalstaaten dominant. Wenn ein Nationalstaat kulturell oder wirtschaftlich gespalten ist, dann gewinnen eben die Außenpolitiken der Länder oder Regionen an Gewicht. Außenpolitik und Innenpolitik stehen in keinem exklusiven Verhältnis zueinander; d.h. aber auch, Außenpolitik schlägt nicht plötzlich in Innenpolitik um; die Außenpolitik verschwin-det nicht einfach, sondern allenfalls erweitert (oder verengt) sich der Horizont einer Außenpolitik, z.B. von einem nationalstaatlichen zu einem übernationalen oder von einem internationalen zu einem globalen Horizont; oder der funktionale Bezug verlagert sich, z.B. von Sicherheits- zu Wirtschaftsbelangen.

Ein für die Bundesrepublik Deutschland geeignetes theoretisches Modell der Außenpolitik muß jedenfalls beide Seiten miteinander verbinden können. Nachdem die Bundesrepublik so vielfach mit anderen Ländern bzw. trans- und supranationalen Organisationen verflochten ist wie kaum ein anderes Land, somit aber auch die Steu-erbarkeit dieses funktionalen Zusammenhangs als gering anzusehen ist, empfiehlt sich darüber hinaus eine Perspektivenumkehr, wonach nicht mehr einfach vom einzelnen außenpolitischen Akteur und seinen »Intentionen« bzw. »Ressourcen« auszugehen ist, sondern eher von der »Umwelt«, ihren »Widerständen« oder »Beschränkungen«,

---

3 Vgl. Robert J. *Lieber*, Existential Realism After the Cold War, in: *The Washington Quarterly (WQ)*, Nr. 16, 1992, S. 155-168; hier S. 161.

aber auch ihren »strukturellen Komplementaritäten« und (günstigen) »Gelegenheiten«.[4]

Damit verschiebt sich aber auch die Betrachtungsweise von den »Ereignissen« zu den zugrundeliegenden System- und Prozeßzusammenhängen, und von den »Entscheidungen« zum tatsächlichen Verhalten und seinen oft unerwarteten Rückwirkungen. Obwohl die Formierung eines festen und von außen klar erkennbaren »Willens« natürlich eine Grundvoraussetzung einer langfristigen und strukturell angelegten Außenpolitik ist, sind es doch oft weniger die Intentionen als vielmehr die Institutionen oder Entscheidungsregime,[5] die – eher unsichtbar, aber hartnäckig – eine Außenpolitik in ihrer tatsächlichen Wirksamkeit bestimmen: nämlich schon in der Auswahl der Agenten oder Agenturen, in der Verarbeitung und Weitergabe der Wahrnehmungen und Informationen, in der Überantwortung des Entscheidungsvorgangs auf bestimmte Verfahren und Gremien. Dort, wo institutionelle Routine versagt, spielt schließlich das soziale Umfeld der Massenkommunikation und der öffentlichen Meinung, der gesellschaftlichen Stimmungsumschwünge und Wertwandlungen eine umso größere Rolle.

Deutsche Lokalisierung

1. Für die zunächst in ihrem Handlungsspielraum erheblich eingeengte Bundesrepublik war Außenpolitik immer Interdependenzpolitik; denn nur die wechselseitige funktionale Verflechtung hat ihr höherwertige funktionale Zugänge und Investitionen, neue Absatz- wie Rohstoffmärkte sowie schließlich auch die notwendigen Sicherheitsgarantien verschafft. Die politische »Macht« der Bundesrepublik beruhte vor allem auf ihrer Unentbehrlichkeit in dieser funktionalen Interdependenz. Daran hat auch die territoriale und bevölkerungsmäßige Vergrößerung und die Abschaffung der alliierten Vorbehaltsrechte nicht das geringste geändert. Vielmehr ruht nun die ganze Hoffnung auf Deutschland, daß es gelinge, die funktionale Interdependenz bruchlos nach Osteuropa fortzusetzen, ohne jedoch die Verankerung in den trilateralen Beziehungen zwischen Westeuropa, USA und Japan aufs Spiel zu setzen.[6] Negativ und nur vom Staat her gesehen, bedeutet eine Zunahme an »Interdependenz« Verlust an »Souveränität«, Minderung der autonomen Handlungsmacht, Unwirksamkeit staatlicher Interventionen; positiv gesehen impliziert sie eine fortschreitende transnationale

---

4 Vgl. dazu Maria *Papadakis*/Harvey *Starr*, Opportunity, Willingness, and Small States, in: Charles F. *Hermann*/Charles W. *Kegley*/James N. *Rosenau* (Hrsg.), New Directions in the Study of Foreign Policy, Boston 1978, S. 409-432; hier S. 417 ff.

5 Vgl. Walter *Carlsnaes*, The Agency-Structure Problem in Foreign Policy Analysis, in: *International Studies Quarterly (ISQ)*, Nr. 36, 1992, S. 245-270; hier S. 417 ff. Vgl. Oran *Young*, Effectiveness of International Organizations, in: James N. *Rosenau*/Ernst-Otto *Czempiel* (Hrsg.), Governance Without Government, Cambridge 1992, S. 160-194.

6 Vgl. Robert G. *Livingston*, United Germany: Bigger and Better, in: *Foreign Policy (FP)*, Nr. 87, 1992, S. 157-174; hier S. 167.

»Vergesellschaftung« bzw. die Herausbildung einer »globalen zivilen Gesellschaft«.[7] Die Bundesrepublik muß versuchen, die positiven Seiten der funktionalen Interdependenz zu nutzen, ohne zu sehr an ihren negativen Seiten zu leiden.

2. Ebenso stark wie die funktionalen Interdependenzen sind die politischen Bindungen der alten wie der neuen Bundesrepublik. Wenn der Nordatlantikpakt (NATO) weiterhin Bestand haben wird, dann nur wegen der Einbindung Deutschlands, die von den Vereinigten Staaten genauso gewünscht wird wie von den west- und osteuropäischen Ländern – aber auch von den Deutschen selbst, die nur in dieser festen sicherheitspolitischen Einbindung politisches Vertrauen und relative ökonomische Handlungsfreiheit gewinnen können. Auch wenn es mit dem Vertrag von Maastricht (noch) nicht gelungen ist, den ersten wirklich übernationalen Staat zu schaffen[8] – wenn es weiterhin keine Europäische Verteidigungsgemeinschaft geben wird, wenn die Politische Union in weite Ferne gerückt, jedoch die Währungsunion zum Politikum geworden ist –, so bleibt die Europäische Union für Deutschland dennoch der wichtigste wirtschaftliche und auch politische Rahmen zur Durchsetzung eigener industrieller Interessen sowie zur rechtlichen wie technischen Normangleichung und zur Koordination und Kooperation auf allen Ebenen. Es sind – negativ definiert – gerade die Inkongruenz oder der Polyzentrismus, positiv definiert jedoch der Mehrebenencharakter und die Multiperspektivität dieser Rahmenordnungen, die Deutschland (und auch die anderen europäischen Staaten) davor bewahren, in das Nationalstaatsdenken zurückzufallen.[9]

3. Der starken politischen und funktionalen Einbindung in die Interdependenzordnung entspricht im Falle der Bundesrepublik ein niedriges außenpolitisches Profil. Trotz großer finanzieller Beiträge zur EU wie zur NATO oder zur Unterstützung der Nachfolgestaaten der Sowjetunion bzw. der mittelosteuropäischen Staaten kann von einer politischen Führungsrolle Deutschlands in Europa wohl kaum die Rede sein. Dies hat jedoch nicht nur externe, sondern vor allem auch interne Gründe: zum einen die dezentrale föderale Struktur der Bundesrepublik, in der die Bundesländer (allerdings auch nicht anders als die europäischen Kleinstaaten) de facto eigene außenpolitische Kompetenzen beanspruchen; zum andern das Ressortprinzip in der Organisation der Bundesregierung und das Fehlen einer starken zentralen Agentur für die europäischen Belange – was zwar bestens mit dem Ressortprinzip der Europäischen Kommission korrespondiert, jedoch die Richtlinienkompetenz des

---

7 Vgl. Ronnie D. *Lippschutz*, Emergence of Global Civil Society, in: *Millenium*, Nr. 21, 1992, S. 389-420. Vgl. Hanns W. *Maull*, Zivilmacht Bundesrepublik Deutschland, in: *EA*, 10/1992, S. 269-278. Vgl. David *Held*/Anthony *McGrew*, Globalization and the Liberal Democratic State, in: *Government and Opposition*, Nr. 28, 1993, S. 261-285.

8 Vgl. Walter *Goldstein*, Europe After Maastricht, in: *Foreign Affairs (FA)*, Winter 1992/93, S. 117-132; hier S. 123.

9 Vgl. Philippe C. *Schmitter*, Representation and the Future Euro-Polity, in: *Staatswissenschaften und Staatspraxis*, Nr. 3, 1992, S. 379-405; hier S. 380 f. Vgl. John G. *Ruggie*, Territoriality and Beyond: Problematizing Modernity in International Relations, in: *International Organisation (IO)*, Nr. 47, 1993, S. 139-174; hier S. 172 f.

Bundeskanzlers aushöhlt.[10] Dennoch zieht der Bundeskanzler – unterstützt durch einen kleinen Beraterstab – im Krisenfalle weitreichende Entscheidungskompetenzen an sich, während der große Apparat des Außenministeriums oft ungenutzt bleibt oder auch durch den Apparat des Verteidigungsministeriums konterkariert wird.[11] Noch bedenklicher ist, daß Deutschland (im Gegensatz etwa zu Frankreich, England oder Japan) über keine internationale politische Elite verfügt, so daß es nicht einmal die ihm zustehenden Sitze oder Führungspositionen beim IWF, bei der Weltbank oder selbst bei der Organisation für wirtschaftliche Zusammenarbeit und Entwicklung (OECD) oder der Europäischen Union einnimmt, geschweige denn einen großen internationalen Einfluß ausüben kann.

4. Auch der neuen Bundesrepublik bleiben im wesentlichen nur ökonomische Instrumente zur Förderung ihrer außenpolitischen Interessen und Ziele. Die Bundesrepublik ist angetreten als ein »neuer Handelsstaat«, und das bleibt sie auch nach der Wiedervereinigung, die zwar das Bruttosozialprodukt um acht bis zehn Prozent anhebt, jedoch die sicherheitspolitischen Instrumente entwertet hat.[12] Die Ökonomisierung der Außenpolitik ist allerdings nicht nur ein deutsches Phänomen, sie gilt genauso für Japan und Südkorea oder Taiwan, und neuerdings selbst für die USA: Es besteht zwar die Möglichkeit, daß künftig verschiedene Versionen der Marktwirtschaft miteinander konkurrieren, aber die im Bereich der OECD bestimmenden Strukturvoraussetzungen der Außenpolitik bleiben für alle die des Freihandels und der Marktwirtschaft.[13] Eine höhere Stufe des »neuen Handelsstaats« wäre erreicht, wenn das Modell einer unabhängigen Bundesbank europäisiert würde, aber gleichzeitig erhöht sich damit auch der Widerstand gegen ein Junktim von Wirtschaftsunion und Politischer Union.[14] Die machtpolitische Position Deutschlands in Westeuropa ist jedenfalls nicht stärker geworden; und von einem gesellschaftspolitischen »Modell Deutschland« ist schon lange nicht mehr die Rede.

5. Trotz bewegender moralischer Appelle hat Deutschland kein großes moralisches Gewicht in die Außenpolitik einzubringen. Belastet durch die imperialistische Vergangenheit des Wilhelminischen Reiches und des Nationalsozialismus, und auch in der Nachkriegszeit mehr als Handels- und Wohlfahrtsstaat denn als Demokratie legitimiert, verpuffen die Ansprüche und Deklarationen einer »Zivilmacht« nur allzuschnell im Problemkreis von Asyl und »Ausländerfeindlichkeit« einerseits und von

---

10 Vgl. Simon *Bulmer*/William *Paterson*, The Federal Republic of Germany in Europe: the Limits of Leadership, in: *The International Spectator*, Nr. 22, 1987, S. 237-248; hier S. 242 ff. Vgl. William *Horsley*, United Germany's Seven Sins, in: *Millenium*, Nr. 21, 1992, S. 225-241; hier S. 225 ff.

11 Vgl. Christian *Hacke*, Deutschland und die neue Weltordnung, in: *Aus Politik und Zeitgeschichte, Beilage zur Wochenzeitung Das Parlament (APZ)*, Nr. B 46/92, 6.11.1992, S. 3-16; hier S. 5 ff.

12 Vgl. Manfred G. *Schmidt*, Political Consequences of German Unification, in: *West European Politics*, Nr. 15, 1992, S. 1-15; hier S. 10. Vgl. William R. *Smyser*, The Economy of United Germany, New York 1992, S. 259 ff.

13 Vgl. C. Fred *Bergsten*, The Primacy of Economics, in: *FP*, Nr. 87, Sommer 1992, S. 3-24; hier S. 5 ff. Zur Konkurrenzsituation vgl. Lester *Thurow*, Kopf an Kopf, Düsseldorf 1993. Vgl. Jeffrey E. *Garten*, A Cold Peace: America, Japan, Germany and the Struggle for Supremacy, New York 1992.

14 Vgl. Volker *Rittberger*, Nach der Vereinigung – Deutschlands Stellung in der Welt, in: *Leviathan*, Heft 20, 1992, S. 207-229; hier S. 221.

Schuldenrückzahlung und verweigerter Beteiligung an den »Blauhelm-Einsätzen« der VN andererseits. Selbst die USA tun sich schwer, nach dem scheinbar so erfolgreichen – jedoch ihre Selektivität in bezug auf Menschenrechte und Demokratie offenbaren-den – Golf-Krieg noch mit einem glaubhaften normativen Anspruch aufzutreten. Zwar ist die Legitimität des Sowjetsystems angesichts der westlichen Freiheitswerte und Konsummuster zerbrochen, doch nicht nur die Amerikaner beklagen den Verfall ihrer eigenen Gesellschaft durch Hedonismus und Konsumismus.[15]

Strukturelle Konsequenzen für die deutsche Außenpolitik

Erstens bleibt der Bundesrepublik auch nach ihrer äußerlichen Vergrößerung, die jedoch funktional wenig verändert hat, keine andere Strategie als die der Beibehaltung des niedrigen außenpolitischen Profils bei aktiver Nutzung der transnationalen Wirt-schafts-, Technologie- und Politikverflechtung, die im Westen bereits so verbreitert und intensiviert worden ist, daß sie nun ohne Gefahr stärker nach Ost-, Mittelost- und Südosteuropa ausgedehnt werden kann. Die Transnationalisierung stützt sich auf die Einschaltung von transnationalen Organisationen (wie »joint ventures«, »mul-tinationale« Firmen, Kommunikationsnetzwerke, Forschungsinstitutionen, Weltan-schauungsgemeinschaften); sie unterläuft Entscheidungen der Regierungsspitze (der Nationalstaaten oder auch der EU), indem bereits Unterabteilungen der Regierungen selbsttätig transgouvernementale Beziehungen eingehen. Vor allem aber beruht sie auf der Herausbildung einer transnationalen Gesellschaft, in der über die Staatsgrenzen hinweg sich im Grunde die gleichen Werthaltungen und Legitimitätsvorstellungen, die gleichen Konsummuster und Lebensformen ausbreiten, auf die die verschiedenen Regierungen Rücksicht nehmen müssen, wenn sie nicht selbst ihre Autorität und ihren Einfluß in Frage stellen wollen. Die Transnationalisierung in diesem Sinn entpolitisiert, ökonomisiert und vergesellschaftet gewissermaßen die Außenpolitik.[16]

Die direkt einsetzbaren Mittel der Außenpolitik (diplomatische Demarchen, mili-tärische Interventionen, staatliche Kredite oder Kreditbürgschaften) schwinden. Zur hohen Kunst der Außenpolitik wird die mediale Steuerung, d.h. die Beeinflussung des außenpolitischen Umfelds über den Markt und über die Kommunikations-netzwerke, über die Rechtsprechung und öffentliche Meinung, durch den Einsatz von Geld, Humankapital, Information und Wissen.[17] Erst die Transnationalisierung ermöglicht eine Balance (oder vielmehr: eine systemische Verflechtung) zwischen Innen- und Außenpolitik, zwischen Sicherheits- und Wirtschaftsinteressen, zwischen der (westeuropäischen) Vertiefung und der (osteuropäischen) Erweiterung der EU, zwischen europäischer Integration und der Übernahme globaler Verantwortung. »Von

---

15 Vgl. Daniel *Deudney*/G. John *Ikenberry*, Who Won the Cold War?, in: *FP*, Nr. 87, 1992, S. 123-138; hier S. 134 f.

16 Vgl. Ernst-Otto *Czempiel*, Weltpolitik im Umbruch, München 1991, S. 86-110. Vgl. Armin *von Bogdan-dy*, Konturen des integrierten Europa, in: *EA*, 2/1993, S. 49-58; hier S. 52 ff.

17 Vgl. Axel *Görlitz*, Mediale Steuerung, in: Axel *Görlitz*/Ulrich *Druwe* (Hrsg.), Politische Steuerung und Systemumwelt, Pfaffenweiler 1990, S. 9-43.

oben« gesehen führt der Transnationalismus zur Dezentralisierung, ja in West- und Mitteleuropa inzwischen vielfach zur Regionalisierung, »von unten« gesehen jedoch zu einer verstärkten Partizipation und Demokratisierung, zu einer Stärkung einer föderativen Ordnung nach den Prinzipien von Eigeninitiative, Selbstverwaltung und Subsidiarität.[18] Allerdings ist auch nicht zu übersehen, daß die Transnationalisierung über Europa hinausgreift, daß sie global ausgerichtet und mit einem in sich abgeschlossenen europäischen Superstaat nicht vereinbar ist.

Zweitens liegt kein Grund vor, warum die größer gewordene Bundesrepublik ihre Strategie des Multilateralismus aufgeben sollte; im Gegenteil ist dieser nun auf eine größere Anzahl von Akteuren zu erweitern und funktional zu vertiefen. Was die Erweiterung betrifft, so sind durch die Auflösung der Blöcke nicht nur neue staatliche Akteure »losgeeist« worden, sondern sie sind auch zum Teil in einen globalen Horizont gestellt worden. Die funktionale Vertiefung besteht darin, daß es nicht mehr allein um die Beziehung von Staaten gehen kann, sondern daß nun auch wirtschaftliche und gesellschaftliche Institutionen ins Spiel kommen, die quer zu den Staaten stehen.[19] Der Multilateralismus zeichnet sich vor allem dadurch aus, daß er auf Kooperation begründet ist, daß er jedoch funktional spezifisch ist und daß je nach Problemlage andere Interaktionsbeziehungen und -formen erprobt werden können. Dennoch ist ein frei vagierender Multilateralismus undenkbar;[20] vielmehr muß sich die Außenpolitik der Bundesrepublik stets dessen bewußt sein, daß Deutschland längst zum »harten Kern« dieser multilateralen Ordnung gehört. Der Multilateralismus in diesem Sinn wird daher immer ein »funktional gebundener Multilateralismus« sein, der sich ganz im Rahmen der lebenswichtigen funktionalen Regime bewegen muß, in diesem Rahmen zwar eine stärkere Beteiligung an einer kollektiven Führung und neue systemische Arrangements erfordert, sich jedoch einerseits nicht in einen unverbindlichen globalen Multilateralismus verlieren, sich andererseits aber auch nicht auf einen »parochialen Multilateralismus« (beispielsweise im Rahmen der Westeuropäischen Union, WEU) verengen darf.[21] Ohne die Beteiligung der führenden Industriemächte kann es keine effektive Weltordnung geben, wenn auch umgekehrt eine exklusive Konsortienbildung der Reichen und Mächtigen die Gefahr in sich birgt, daß die Entwicklungserfordernisse der Dritten Welt bzw. Ost- und Südeuropas zu kurz kommen.

---

18 Vgl. Martin *Saeter*, Föderalismus und Konföderalismus als Strukturelemente europäischer Zusammenarbeit, in: *Link/Schütt-Wetschky/Schwan*, a.a.O. (Anm. 1), 1991, S. 103-126. Joachim Jens *Hesse*/Wolfgang Renzsch (Hrsg.), Föderalstaatliche Entwicklung in Europa, Baden-Baden 1991.

19 Vgl. Robert W. *Cox*, Multilateralism and World Order, in: *RIS*, Nr. 18, 1992, S. 161-180; hier S. 162. Vgl. Miriam L. *Campanella*, The Effects of Globalization and Turbulence on Policy-Making Processes, in: *Government and Opposition*, Nr. 28, 1993, S. 190-202.

20 Vgl. James A. *Caporaso*, International Relations Theory and Multilateralism, in: *IO*, Nr. 46, 1992, S. 599-632; hier S. 604.

21 Vgl. Michael *Brenner*, Multilateralism and European Security, in: *Survival*, Nr. 35, 1993, S. 138-155; hier S. 139.

Dimensionen Und Prozesse Der Transnationalisierung

1. In den Prozessen der Multilateralisierung, der Transnationalisierung und »Vergesellschaftung« der Außenpolitik verschmelzen externe und interne Belange bis zur Ununterscheidbarkeit. Selbst in der Sicherheitspolitik wird eine Vertauschung und Vermischung von regionalen, nationalen, internationalen und globalen Belangen spürbar. In einer funktional verflochtenen Welt gibt es keine »nationale Sicherheit« ohne »kollektive Sicherheit« und keine »kollektive Sicherheit« ohne ein Minimum an »globaler Sicherheit«,[22] offenbar aber auch keine »nationale Sicherheit« mehr ohne international garantierte Minderheitenrechte und effektive Regionalorgane.[23] Das Problem der Sicherheit ist ein Mehrebenen-Problem geworden, das allein mit zwischenstaatlichen Mitteln (ob mit Militäreinsätzen oder diplomatischen Mitteln, Handels- oder Hilfsabkommen) eben gerade nicht mehr zu lösen ist. Doch in der Diskussion der deutschen Sicherheitspolitik dominiert der »demokratische Internationalismus«, in dem die vordem so hoch geschätzte kollektive Sicherheit nun gering geachtet und die nationale wie die regionale Komponente völlig geleugnet wird.

Die Konzeption der »Zivilmacht Deutschland« wendet sich mit Recht gegen einen zu kurzsichtigen, nur auf Stabilität und nicht auf strukturellen Ausgleich und langfristige Entwicklung bedachten »Macht-Realismus«; ihre Unterstellung der nationalen wie der kollektiven Sicherheitsinteressen unter die Obhut der Vereinten Nationen (oder der Konferenz über Sicherheit und Zusammenarbeit in Europa, KSZE) ist jedoch angesichts der tatsächlichen Machtverteilung und der nach wie vor dominierenden nationalen Großmachtinteressen (USA, China, Japan, Rußland und andere) einerseits und der überaus schwachen Legitimations- und Finanzbasis des Sicherheitsrats andererseits gefährlich illusionär.[24] Ebenso leidet das Konzept des »neuen Handelsstaats«[25] daran, daß es keinerlei außenpolitische Instrumente außerhalb eben einer durch funktionale Verflechtung und wirtschaftlichen Austausch geordneten »Handelswelt« anbieten kann.

Der Verzicht auf die nationale Komponente, der beiden »Selbstbeschreibungen« zugrundeliegt, erweckt zudem nur den Verdacht auf Verheimlichung hegemonialer Ambitionen. Wie eine Reihe von »Fremdbeschreibungen« zeigt,[26] läßt sich weder die hervorgehobene geopolitische Lage Deutschlands in Mitteleuropa noch seine zentrale funktionale Bedeutung in wirtschaftlicher und strategischer Hinsicht verleugnen.

---

22 Vgl. Theodore C. *Sorensen*, Rethinking National Security, in: *FA*, Sommer 1990, S. 1-18; hier S. 3.
23 Vgl. Catherine *Guicherd*, The Hour of Europe: Lessons from the Yugoslav Conflict, in: *The Fletcher Forum of World Affairs (FFWA)*, Nr. 17, 1993, S. 159-181. Vgl. David J. *Karl*, Beyond Collective Security, in: ebd., S. 183-198.
24 Vgl. Jeffrey R. *Gerlach*, A U.N. Army for the New World Order?, in: *Orbis*, Nr. 37, Frühjahr 1993, S. 223-236. Adam *Roberts*, The United Nations and International Security, in: *Survival*, Nr. 35, 1993, S. 3-30. Vgl. Lothar *Rühl*, Krisenbeherrschung in Europa, in: *EA*, 6/1993, S. 159-166.
25 *Rittberger*, a.a.O. (Anm. 14), S. 223 ff.
26 Vgl. Patrick *McCarthy*, Can France Survive German Reunification?, in: *SAIS Review*, Nr. 12, 1992, S. 85-99; hier S. 85. Vgl. Nils Morten *Udgaard*, From Threat Perceptions to Confidence?, in: *Bulletin of Peace Proposals (BPP)*, Nr. 20, 1989, S. 363-368; hier S. 365.

Wenn deutsche Autoren immer wieder betonen,[27] daß die Überwindung der Spaltung Europas nicht nur im deutschen Interesse liege, sondern eine gemeinsame Aufgabe der Westeuropäer und der Atlantischen Allianz sei, so spricht der überaus ungleiche Einsatz der Finanzmittel doch eine ganz andere Sprache.

Es ist eben gar nicht möglich und auch nicht notwendig, die nationalen Interessen zu verleugnen; notwendig ist vielmehr, eine Konvergenzformel für den Zusammenhang von nationalen, kollektiven und globalen Sicherheitsinteressen zu finden. Was Deutschland betrifft, so hat es das größte Interesse an der Entwicklung Osteuropas – zunächst, um nicht von einer Armutswanderung überrollt zu werden, dann aber vor allem wegen des vor der Haustür liegenden Entwicklungspotentials mit seinen funktionalen Komplementaritäten.

Als erklärte Nichtatommacht braucht Deutschland aber auch unbedingt die Rückendeckung der Vereinigten Staaten, die ihrerseits in Deutschland die zuverlässigste Verankerung in der Europäischen Union und in Gesamteuropa sehen. In diesen Interessen unterscheidet sich Deutschland deutlich von Frankreich oder Großbritannien.[28] Angesichts seiner Stellung und Funktion zwischen West- und Osteuropa, zwischen enger politischer Einbindung und weitem wirtschaftlichen Ausgriff, bleibt so für Deutschland das kollektive Sicherheitssystem der NATO weiterhin der einzige realistische Angelpunkt seiner Sicherheitspolitik. Zwar liegt die Erweiterung oder Kooperationsfähigkeit dieses Bündnisses nach Osten (wie über den NATO-Kooperationsrat angebahnt) unmittelbar im deutschen Interesse, doch der Anspruch einer globalen Sicherheitspolitik wäre sicher viel zu weit gegriffen, während umgekehrt die Beschränkung auf eine nationale Sicherheitspolitik als kurzsichtig und interdependenzzerstörend bewertet werden müßte.[29]

Allerdings ist nun eine neue Definition des Sicherheitsbegriffs erforderlich, in der es nicht mehr in erster Linie um die Verletzung von Hoheitsrechten, um Souveränität und territoriale Integrität von Staaten geht, sondern um die Lebensqualität der Bewohner und die politischen Handlungsmöglichkeiten der Regierung wie auch der entscheidenden nichtstaatlichen Akteure.[30] Dabei wird die Sicherheit nicht notwendigerweise mit militärischen Mitteln und »von außen« bedroht, sondern eher durch nichtmilitärische Mittel »von innen«: durch Aufstände, Boykotts, Generalstreiks, Blockaden, Hungersnöte und Versorgungsengpässe, Infiltration und Terror, politischen Extremismus, mafiose Organisationen, Wirtschaftszusammenbrüche und ökologische Katastrophen, interethnische Streitigkeiten bis zum Sezessionskrieg. Das

---

27 Vgl. z.B. Karsten D. *Voigt*, Defense Alliances in the Future: West European Integration and All-European Co-operation, in: ebd., S. 355-361; hier S. 355. Vgl. Werner *Weidenfeld*/Josef *Janning*, European Integration After the Cold War – Perspectives of a New Order, in: *International Social Science Journal*, Nr. 31, 1992, S. 79-90; hier S. 86 ff.

28 Vgl. *McCarthy*, a.a.O. (Anm. 26), S. 99. Vgl. Lord *Skidelsky*, Britain and the New European Order, in: *SAIS Review*, Nr. 12, 1992, S. 101-124; hier S. 105.

29 Vgl. James E. *Goodby*, Collective Security in Europe After the Cold War, in: *Journal of International Affairs (JIA)*, Nr. 2, 1993, S. 299-321; hier S. 316 f.

30 Vgl. Barry *Buzan*, New Patterns of Global Security in the Twenty-First Century, in: *International Affairs (IA)*, Nr. 3, 1991, S. 431-451; hier S. 433.

heißt nicht, daß die militärische Dimension im Sicherheitsbegriff unwichtig geworden wäre – im Gegenteil scheint sie in der Interventionsproblematik wieder verstärkt zur Geltung zu kommen;[31] entscheidend ist jedoch, daß sie nun strukturell und unauflöslich mit Problemen der politischen, der wirtschaftlichen, der technologischen und ökologischen wie der gesellschaftlichen Sicherheit verbunden ist. Wo die politische Dimension einer Allianzbildung oder einer wirtschaftlichen Kooperation, einer technischen Zusammenarbeit oder eines Entwicklungsprojekts fehlt, dort ist zwar ein Rekurs auf militärische Mittel möglich; doch hat der Golf-Krieg ebenso wie der Krieg auf dem Balkan gezeigt, welcher Mitteleinsatz dann erforderlich ist (gewesen wäre) – und wie gering die politische Wirkung ist. Für Europa ist das Sicherheitsproblem zusätzlich durch das kaum zu lösende Problem eines »zweiten europäischen Wiederaufbaus« im Osten politisiert und ökonomisiert und auch sozialisiert worden: ohne humanitäre Hilfe, ohne Beistand bei der Einführung der Marktwirtschaft, ohne die Mittel eines leistungsfähigen Sozialstaats, ohne Ausbildung für moderne Produktionsmethoden und Organisationsformen, ohne die Sanierung unglaublicher ökologischer Verwüstungen wird es nicht möglich sein, die Emigration und Entwurzelung von Millionen aufzuhalten, die nun unmittelbar den westlichen Wohlstand bedrohen.[32]

2. In der Wirtschafts- und Finanzpolitik ist schon seit längerem ein Prozeß der Transnationalisierung spürbar, d.h. ein immer größerer Teil der internationalen Waren- und Kapitalströme sowie der sie regulierenden Vereinbarungen und Ordnungsregime wird nicht mehr von Regierungen und diplomatischen Vertretungen ausgehandelt, sondern kommt durch die Tätigkeit von multinationalen Firmen und transnationalen Bankenverbünden, von Verbänden oder Stiftungen, von Bundesländern oder Kommunen zustande, die sozusagen über den Kopf der Regierung hinweg miteinander Kontakt aufnehmen und direkt auf die Bevölkerung Einfluß nehmen. Eine effektive Kontrolle dieser teils formellen, teils informellen, teils öffentlichen, teils privaten Beziehungen bzw. Kollusionen ist nicht mehr möglich oder ist kontraproduktiv.[33]

Die Transnationalisierung ist nicht nur eine Erscheinung der sogenannten multinationalen Firmen,[34] sondern sie betrifft auch die Metropolen oder die großen

---

31 Vgl. Manfred *Funke*, Aktuelle Aspekte deutscher Sicherheitspolitik, in: *APZ*, Nr. B 46/92, 6.11.1992, S. 17-26; hier S. 24. Vgl. Peter *Coulmas*, Das Problem des Selbstbestimmungsrechts, in: *EA*, 4/1993, S. 85-92. Vgl. Christopher *Greenwood*, Gibt es ein Recht auf humanitäre Interventionen?, in: *EA*, 4/1993, S. 93-106. Vgl. Pierre *Hassner*, Im Zweifel für die Intervention, in: *EA*, 5/1993, S. 151-158. Vgl. Klaus Otto *Nass*, Grenzen und Gefahren humanitärer Interventionen, in: *EA*, 10/1993, S. 279-288.

32 Vgl. Uwe *Nerlich*, Einige nichtmilitärische Bedingungen europäischer Sicherheit, in: *EA*, 19/1991, S. 547-557; hier S. 553 ff.

33 Vgl. Alexis *Jacquemin*, International and Multinational Strategic Behaviour, in: *Kyklos*, Nr. 42, 1989, S. 495-513; hier S. 500 ff.

34 Vgl. Rahat Nabi *Khan*, Multinational Companies and the World Economy, in: *Impact of Science on Society*, Nr. 141, 1986, S. 15-25. Vgl. Silvio *Borner*, The Multinational Corporation – Competition and National Sovereignty, in: *List Forum für Wirtschafts- und Finanzpolitik*, Nr. 16, 1990, S. 55-71. Der Intra-Firmen-Handel beträgt in der zweiten Hälfte der 80er Jahre 35-40 % des Welthandels; vgl. Takashi *Nakano*, Globalisation and Intra-Firm Trade: An Empirical Note, in: *OECD Economic Studies*, Nr. 30, 1993, S. 145-159.

Forschungs- und Technologiezentren, die über ihr funktional weniger qualifiziertes Umland hinweg bereits eine Art »globaler Gesellschaft« bilden,[35] und sie durchdringt ganze »Nationalökonomien«, die – trotz der weiterhin nationalstaatlichen »Buchführung« – in Wirklichkeit keine geschlossenen und ohne weiteres gegeneinander abgrenzbaren Einheiten mehr darstellen.[36] Vor allem hat die Transnationalisierung den Kapitalmarkt (und mit ihm auch die Staatsfinanzen) erfaßt, der von keiner Zentralbank mehr effektiv zu beherrschen ist.[37] Das heißt nicht unbedingt, daß die Regierungen der Nationalstaaten unwichtig geworden sind. Sie müssen sich nun auf eine mehr indirekte »Infrastrukturpolitik« beschränken, um beispielsweise einen Landstrich durch ein effektives Schul- und Ausbildungssystem, durch Wohnqualität und Rechtssicherheit, durch die steuerliche Begünstigung von Forschung und technischer Entwicklung als neuen Industriestandort attraktiv zu machen. Eine direkte Lenkungspolitik ist illusorisch geworden, vielmehr verspricht – selbst in den sensitivsten Bereichen der Rüstungsindustrie – nur noch eine »Politik des gesicherten Zugangs« durch Kooperation und Öffnung Erfolg.[38]

Die vordem relativ kompakten Nationalökonomien sind schon dadurch aufgelöst worden, daß sich in einer postindustriellen Ökonomie die riesigen internationalen Kapitalströme von der Industrieentwicklung und den Rohstoffpreisen weitgehend losgelöst haben. Im Gegensatz zu den Vorhersagen des »Club of Rome« oder dem »Global 2000 Report« sind die Rohstoffpreise seit 1977 gefallen, da kartellierbare Rohstoffe weitgehend substituierbar oder zumindest diversifizierbar sind. Die Ausweitung der Produktion ist heute in der Regel mit einem Abbau von (ehedem qualifizierten) Arbeitsplätzen verbunden, da der Anteil der Informationsverarbeitung (Computer, Roboter, Sensortechnik) immer wichtiger wird. Die »reale Ökonomie« der Güter und Dienstleistungen, die an Warenlager, Produktionsanlagen, Personal, Grundstücke und Fuhrparks gebunden ist, wird immer mehr von einer »symbolischen Ökonomie«, von Geld, Kredit, Börsen- und Währungsspekulation überlagert, so daß das Volumen der reinen Finanzgeschäfte 1989 das Volumen des Welthandels um das 40fache überstieg oder der sogenannte »Eurodollarmarkt« 25mal größer war als der gesamte Welthandel.[39] Angesichts der weitgehenden Inter- bzw. Transnationalisierung der Finanzmärkte haben die staatlichen Zentralbanken und die Regierungen nur

---

35 Vgl. Rüdiger *Korff*, Die Weltstadt zwischen globaler Gesellschaft und Lokalitäten, in: *Zeitschrift für Soziologie*, Nr. 20, 1991, S. 357-368. Vgl. Jack N. *Behrman*, Globalization and the Future of Cities, in: *Futures Research Quarterly*, Frühjahr 1992, S. 41-74.

36 Vgl. Richard N. *Cooper*, Macroeconomics in an Open Economy, in: *Science*, Nr. 233, 1986, S. 1155-1159. Vgl. Thomas J. *Biersteker*, Reducing the Role of State in the Economy, in: *ISQ*, Nr. 34, 1990, S. 477-492. Vgl. Kenichi *Ohmae*, The Rise of the Region State, in: *FA*, Frühjahr 1993, S. 78-87.

37 Vgl. Peter A. *Drucker*, The Changed World Economy, in: *FA*, Frühjahr 1986, S. 768-791; hier S. 768 f. Vgl. Celso *Furtado*, Transnationalization and Monetarism, in: *International Journal of Political Economy*, Nr. 17, 1987, S. 15-44; hier S. 27 ff.

38 Vgl. Michael E. *Porter*, The Competitive Advantage of Nations, New York 1990. Vgl. Jacques S. *Gansler*, Facing the Paradoxes of the Post-Cold War, in: *SAIS Review*, Nr. 13, 1993, S. 105-119. Vgl. Theodore H. *Moran*, Foreign Acquisition of Critical U.S. Industries, in: *WQ*, Nr. 16, 1993, S. 61-74. Vgl. James R. *Golden*, Economics and National Strategy, in: ebd., S. 91-113.

39 Vgl. Jeffry A. *Frieden*, Invested Interests, in: *IO*, Nr. 45, 1991, S. 425-451; hier S. 428. Vgl. Geoffrey R. D. *Underhill*, Markets Beyond Politics?, in: *European Journal of Political Research*, Nr. 19, 1991, S. 197-225.

noch wenige direkte Zugriffsmöglichkeiten. Die Aussichten erfolgreicher Staatsunternehmen oder gar einer staatlichen zentralen Planung sind weitgehend entschwunden, der Zusammenbruch der Sowjetunion ist systemisch bedingt.[40]

Trotzdem besteht kein Grund zur Verzweiflung im Hinblick auf eine wirkungsvolle Außenpolitik. Trotz des Schwindens der (benevolenten) Hegemonialführung der USA, die einmal ihre militärische Stellung als Supermacht mit technologischer Führung und wirtschaftlichem Übergewicht verbinden konnten, hat sich die inter- oder transnationale Kooperation verdichtet. Dies ist auf die zunehmende Wirksamkeit von funktionalen Regimen zurückzuführen, d.h. auf mehr oder weniger gut institutionalisierte internationale Regelungen von Funktionsproblemen wie Ölversorgung, Postwesen, Luftverkehr, Schiffahrt, Fischfang und Mineralausbeute in Küstengewässern, Internationaler Währungsfonds, GATT-Freihandelszone sowie internationale Abrüstungskontrollen. Diese kommen zum Teil aufgrund von anerkannten Regeln und finanziellen Verpflichtungen, zum Teil nur aufgrund von gegenseitigen Erwartungen zustande; sie sind jedenfalls weitgehend »unpolitisch« bzw. ohne gesetzliche Grundlage und kommen ohne eine zentrale Erzwingungsgewalt aus.[41]

Diese Regime funktionieren weitgehend schon dadurch, daß sie sich als Foren anbieten, in denen sich die Betroffenen zur wechselseitigen Information und Aushandlung ihrer Interessen treffen können. Diese hundert verschiedenen Regimeordnungen, die sich auf ganz unterschiedliche Mitglieder und Stimmverhältnisse stützen,[42] sind kein Versuch, »Frieden durch Recht« zu schaffen, und sie stellen auch nicht den Ansatz einer noch unsichtbaren »Weltregierung« oder »Weltinnenpolitik« dar, sondern sie sind im Prinzip dezentralisiert und spezialisiert, wenn nicht sogar fragmentiert. Sie befinden sich weitgehend außerhalb des Bereichs der »Hohen Politik«, der Regierungserklärungen und Krisendiplomatie. Die Devise einer Außenpolitik mit niedrigem politischen Profil wäre daher »Funktionalisierung« statt »Politisierung«.

3. Die gesellschaftliche Bedeutung dieser Transnationalisierung wird noch deutlicher im Bereich der technologischen Innovation und Technologieentwicklung, wo einem Trend nach Diffusion und Globalisierung zugleich ein Trend nach Wissensvertiefung und technologischer Konzentration gegenübersteht. Beide Trends aber überschreiten den nationalstaatlichen Rahmen sowie die Trennung von Innen- und Außenpolitik. Globalisierung meint hier mehr und etwas anderes als »Internationalisierung«, nämlich nicht einfach die (horizontale) Interaktion von nationalen Akteuren auf der gleichen Ebene, sondern gleichzeitig die nicht mehr aufzulösende Verflechtung von regionaler Entscheidungsfindung, lokaler Implementation und globaler Auswirkung.[43]

---

40 Vgl. Peter *Murrell*/Mancur *Olson*, The Devolution of Centrally Planned Economies, in: *Journal of Comparative Economics*, Nr. 15, 1991, S. 239-265.

41 Vgl. John Gerard *Ruggie*, International Responses to Technology, in: *IO*, Nr. 29, 1975, S. 557-584; hier S. 570.

42 Vgl. Stephen D. *Krasner* (Hrsg.), International Regimes, Ithaca 1983.

43 Vgl. Miriam L. *Campanella*, Globalization: Processes and Interpretations, in: *World Futures*, Nr. 30, 1990, S. 1-16; hier S. 6 f.

Das Dilemma der Globalisierung liegt gerade darin, daß es keinen globalen Plan, keine zentrale Koordination gibt, nichtsdestoweniger jedoch die Folgen global sind. Das bedeutet aber nicht, daß die Auswirkungen für alle die gleichen sind. Vielmehr müssen sie die einen passiv erleiden, während sie die anderen aktiv nutzen können. Die Globalisierung betrifft auch mehr die Oberflächenebene der Information und des Warenaustausches; sie erfolgt weitgehend über den Markt, wobei sich die Staatsführungen und internationalen Gremien – nach jahrelangem vergeblichen Widerstand – in aller Regel mit einer Politik der Deregulation zufriedengeben müssen. Dem steht in der Tiefendimension – im Bereich der Informationsverarbeitung, der Grundlagenforschung und der generischen Technologie[44] – jedoch ein Prozeß der Konzentration gegenüber, der nicht nur ein fähiges Forschungspersonal, große Forschungsapparate und eine kontinuierliche und systematische Arbeit erfordert, sondern auch infrastrukturelle und gesellschaftlich-kulturelle Voraussetzungen hat, die nicht so leicht zu schaffen sind.

Insoweit mit Hilfe der modernen Telekommunikationsmittel eine Oligopolisierung der Mittel und Entscheidungen bei den potenteren Staaten und Unternehmen stattgefunden hat, ist zweifellos eine zunehmende Konzentration der technologischen Potenz und der politischen Macht festzustellen. In der Verbindung der multinationalen Unternehmen mit den wissenschaftlich-technologischen Staaten hat sich bereits eine Triade USA, Japan und Westeuropa herausgebildet, in der nahezu alle wissenschaftlich-technologischen Mittel versammelt sind.[45] Zwar ist die wissenschaftliche Kommunikation und Kooperation global: Ergebnisse werden ausgetauscht, Patente sind dokumentiert und allgemein zugänglich, es gibt gemeinsame Standards, viele der an wichtigen Entwicklungen arbeitenden Wissenschaftler sind geographisch außerordentlich mobil; dennoch verschärft die Globalisierung die Konkurrenz der Staaten und Unternehmen um die Führung in der globalen Wissensstruktur.[46] Die komparativen Vorteile, die sich aus unterschiedlichen Industriestrukturen und Innovationssystemen ergeben, sind keineswegs verschwunden; was sich geändert hat, ist erstens die Geschwindigkeit ihres Entstehens und Entschwindens, und zweitens die technologische Komplexität bzw. Selektivität, die dazu führt, daß nur noch ein Bruchteil der Innovationen das Stadium der globalen Diffusion erreicht.[47]

Um diesen erhöhten Anforderungen gerecht zu werden, müssen jedoch die herkömmlichen Grenzen des Unternehmens in verschiedenen Dimensionen überschritten werden: Einerseits ist eine enge (horizontale) Zusammenarbeit zwischen Regierung, Wissenschaftlern und ökonomischen Akteuren erforderlich, andererseits ist

---

44 Vgl. François *Chesnais*, Science, Technology, and Competitiveness, in: *STI Review*, Nr. 1, 1986, S. 85-128; hier S. 97.

45 Vgl. Riccardo *Petrella*, Globalization of Technological Innovation, in: *Technology Analysis and Strategic Management*, Nr. 1, 1989, S. 393-407; hier S. 400. Vgl. Jeffrey T. *Bergner*, The New Superpowers, New York 1991, S. 195 ff.

46 Vgl. Susan *Strange*, States and Markets, London 1989, S. 117.

47 Vgl. W. *Kurth*/Ernst-Jürgen *Horn*, Technology and Shifting Comparative Advantage, in: *STI Review*, Nr. 10, 1992, S. 7-47. Vgl. Jorge *Niosi* et al., National Systems of Innovation, in: *Technology in Society*, Nr. 15, 1993, S. 207-227.

(vertikal) eine Abstimmung der verschiedenen Ebenen, wie Grundlagenforschung, wissenschaftliche Anwendung und technologische Entwicklung, Produktdesign und -diffusion notwendig. Auf der sozialgeographischen Ebene bedingt diese vielfache Verflechtung einen Zug zur Regionalisierung oder Metropolitanisierung, d.h. zu einer Konzentration der technologischen Innovationen in jenen Zentren und ihrem Umland, die ein großes Angebot an höheren technischen und kaufmännischen Dienstleistungen, an hochqualifizierten Bildungseinrichtungen und Forschungsinstituten, aber auch ein reiches kulturelles Angebot und hohen Freizeitwert zu bieten haben.[48]

Bezogen auf ein Land oder die internationale Konkurrenz der Nationalstaaten führt dies zu einem ausgeprägten (Schumpeterschen) Verdrängungsprozeß, in dem die ausgelöste Investitionswelle – ehe sie noch das eigene Land durchdrungen hat – über den nationalen Markt hinausgreift und durch Handel, Direktinvestitionen und Lizenzvergaben schnell zu einer internationalen Diffusion der Produkte und Produktionsverfahren gelangt.[49] Während sich so die Wachstumszentren transnational miteinander verbinden, besteht die Gefahr, daß sich die regionalen Unterschiede innerhalb der einzelnen Nationen noch wesentlich vergrößern. Auf die Dauer läßt sich eine gewisse Flexibilität des Mitteleinsatzes und ein sozialer und regionaler Ausgleich nur dadurch sicherstellen, daß der Staat den Aufbau einer soliden wissenschaftlich-technischen Infrastruktur übernimmt. In diesem Sinne gründet die außenpolitische Potenz in der internen Pflege des »Humankapitals«.[50]

4. Der gleiche Zusammenhang von Globalisierung und »Vergesellschaftung« – hier allerdings meist nur negativ definiert als »fehlende Internalisierung der wirtschaftlichen und technischen Externalitäten« – ist auch in bezug auf die Umweltproblematik festzustellen. Nicht erst auf der UN-Umweltkonferenz von 1992 in Rio de Janeiro ist deutlich geworden, daß gerade die schwierigsten Umweltprobleme – bei den Entwicklungsländern wie auch den Industrieländern – nicht mehr regional und national zu beheben sind.[51] Wenn oberflächlich der Eindruck entstanden ist, daß die ökologischen Probleme der Industrieländer vor allem in den technischen Großrisiken (in Kernwaffenlagern und Kernkraftwerken, in Energieverbrauch, Bodenzerstörung und Müllbeseitigung) lägen, während die ökologischen Probleme der Entwicklungsländer in erster Linie Ressourcenprobleme seien – Bewässerungsprobleme, Nahrungsmittelversorgung, Übervölkerung – ,[52] so liegt die eigentliche Gefahr

---

48 Vgl. Wendelin *Strubelt*, Neuere Tendenzen der räumlichen Entwicklung der Bundesrepublik Deutschland, in: *Ifo-Schnelldienst*, Nr. 17, 1988, S. 21-34; hier S. 21. Vgl. Franz Josef *Bade*, Funktionale Arbeitsteilung und regionale Beschäftigungsentwicklung, in: *Informationen zur Raumentwicklung*, 1986, S. 695-713; hier S. 695 ff.

49 Vgl. Paul J. J. *Welfens*, Schumpetersche Prozesse in der Weltwirtschaft, in: *List-Forum für Wirtschafts- und Finanzpolitik*, Nr. 15, 1989, S. 40-60.

50 Vgl. Richard R. *Nelson*, U.S. Technological Leadership, in: *Research Policy*, Nr. 19, 1990, S. 117-132; hier S. 131.

51 Vgl. Maurice F. *Strong*, ECO '92, in: *JIA*, Nr. 44, 1991, S. 287-300; hier S. 298. Vgl. Ted *Hanisch*, The Rio Climate Convention, in: *Security Dialogue*, Nr. 23, 1992, S. 63-73.

52 Vgl. Gerald H. *Blake*/Richard N. *Schofield* (Hrsg.), Boundaries and State Territory in the Middle East and North Africa, Wisbech 1987. Vgl. Arthur H. *Westing* (Hrsg.), Global Resources and International Conflict, Oxford 1986.

in der Verschmelzung beider, so z.B. in der Aufzehrung der Ozonschicht nun auch über der Nordhalbkugel. Die sozioökonomischen bzw. außenpolitischen Konsequenzen werden spätestens deutlich, wenn die Reduzierung der Regenwälder, die zunehmende Luftverschmutzung, die Verlagerung der Agrarproduktion noch weiter in die nördlichen Anbaugebiete, wenn eine Zunahme der Tropenkrankheiten, das Ansteigen des Meeresspiegels, die Zunahme von Überflutungen und der Verlust an Trinkwasser und landwirtschaftlich nutzbaren Wasserreserven die Populationszahlen und die wirtschaftlichen Gewichte grundlegend verschieben wird.[53] Konflikte werden notwendigerweise dadurch verschärft, daß Ökoregion und Ethnie selten zur Deckung kommen – dies gilt vor allem dort, wo Grenzen mehr oder weniger willkürlich durch Kolonialmächte gezogen worden sind und wo Staaten mit mehreren Ökoregionen in der Regel auch multiethnische Staaten sind.

Doch geht es hier nicht nur um die unmittelbaren Auswirkungen auf Agrarproduktion und Bevölkerungsstruktur, sondern auch um die mittelbaren Folgen für die Regierungsfähigkeit oder den Zusammenbruch von Regierungen, für die Ausbreitung von Demokratie oder Diktatur bzw. um die Verteilung realer Entwicklungschancen in der Welt.[54] Schon jetzt ist deutlich genug, daß die funktionale Interdependenz in gleicher Weise die Kooperation zwischen West und Ost wie auch die zwischen Nord und Süd erfordert. Die osteuropäischen Staaten brauchen die westeuropäischen zu ihrer technischen Entwicklung und zur Überwindung der tiefen ökonomischen Krise wie auch der bisher schon eingetretenen ökologischen Verwüstungen. Die westlichen brauchen die östlichen Industriestaaten zur Stärkung ihrer schlechten internationalen Verhandlungsposition gegenüber den Entwicklungsländern. Die Entwicklungsländer brauchen die Hilfe der Industrieländer zur unmittelbaren Bewältigung von Naturkatastrophen, Notlagen und Versorgungsengpässen. Die Industrieländer brauchen die grundsätzliche Kooperationsbereitschaft der Entwicklungsländer zur Bewältigung globaler Probleme wie des Klimawandels oder des zunehmend ernster werdenden Übervölkerungsproblems.[55] Die westeuropäischen Industriestaaten verlangen die Schaffung einer neuen Autorität innerhalb der Vereinten Nationen zum Schutz und zur Überwachung der globalen Umweltbedingungen; bisher jedoch gibt es kaum schwache Ansätze, um überhaupt zu einem Diskussionsforum, geschweige denn einem institutionellen Konfliktregelungsmechanismus zu kommen – auch nicht in der EU.[56] Doch die konstitutionelle Unfähigkeit der Vereinten Nationen kann kein Hindernis für die noch auf ihre Handlungsfähigkeit bedachten Staaten, Regionen, Städte und multinationalen Unternehmen sein, in ihren Vorsorgemaßnahmen und

---

53 Vgl. Dennis C. *Pirages*, Social Evolution and Ecological Security, in: *BPP*, Nr. 22, 1991, S. 329-334. Vgl. Bruce *Byers*, Ecoregions, State Sovereignty and Conflict, in: ebd., S. 65-76.
54 Vgl. James P. *Grant*, Jumpstarting Development, in: *FP*, Nr. 91, 1993, S. 124-154.
55 Vgl. Gareth *Porter*, Post-Cold War Global Environment and Security, in: *FFWA*, Nr. 14, 1990, S. 332-343; hier S. 333 f.
56 Vgl. Michael G. *Huelshoff*/Thomas *Pfeiffer*, Environmental Policy in the EC, in: *International Journal*, Nr. 47, 1991, S. 136-158. Vgl. C. Boyden *Gray*/David B. *Rivkin*, A ›No Regrets‹ Environmental Policy, in: *FP*, Nr. 83, 1991, S. 47-65; hier S. 61.

Projekten den Zusammenhang zwischen den direkten und indirekten ökologischen Bedingungen zu berücksichtigen.

5. Entwicklungsprobleme in der Welt werden bei uns unmittelbar spürbar als Probleme der Migration, nämlich der Arbeitsmigration im Raum der EU wie der Armutswanderung von außerhalb. Im Falle einer massenhaften Migration aber verliert die Unterscheidung zwischen Innen- und Außenpolitik ihren Sinn. Wie groß auch die Lasten sein mögen, die die Bundesrepublik auf sich nimmt: Jede innenpolitische Argumentation bricht zusammen, wenn türkische Frauen und Mädchen einem Brandanschlag von deutschen Tätern zum Opfer fallen oder Asylbewerber mißhandelt werden. Dies wird in der Weltöffentlichkeit selbstverständlich als ein »außenpolitischer« Akt wahrgenommen, und die Menschenrechtskommission der Vereinten Nationen ernennt einen Sonderberichterstatter zum Problem »aktueller Formen von Rassismus, Rassendiskriminierung und Fremdenhaß« speziell für Deutschland. Dabei macht man keinen Unterschied, warum die Immigranten oder Asylbewerber gekommen sind: wegen politischer Verfolgung und Menschenrechtsverletzungen, wegen der Bedrohung ethnischer Minderheiten, wegen Krieg und Bürgerkrieg, wegen wirtschaftlicher Not oder wachsender Umweltprobleme. Es interessiert die anderen Regierungen auch wenig, wieviel Einwanderer, Flüchtlinge und Asylanten bereits aufgenommen worden sind,[57] bzw. ob die Integrationskraft des Aufnahmelandes möglicherweise schon erschöpft ist.[58] Es mildert ihre Anklagen auch nicht, wenn sie offensichtlich selbst die Hauptschuld an der Emigration ihrer Bevölkerungen tragen. Dabei hat die »neue Völkerwanderung« wohl erst begonnen, die für Deutschland vor allem eine starke Ost-West-Migration, aber auch eine zunehmende Süd-Nord-Migration einschließen wird.[59] Das Verzweifelte daran ist, daß es sich hier um globale Trends handelt, die nicht aufzuhalten sind, daß beim gegenwärtigen Zustand weder die Auswanderungswilligen noch die Aufnahmeländer eine politische Option haben, bzw. daß es weder eine nationale noch eine europäische noch eine globale Lösung gibt.[60]

Aber auch aus der Perspektive des Aufnahmelandes bleiben die gesellschaftlichen Probleme ungelöst: Zum einen ist – schon wegen der großen Heterogenität der Einwanderungsgruppen, aber auch wegen der betonten kulturellen Eigenständigkeit

---

57 Vgl. Liselotte *Funcke*, Bericht der Beauftragten der Bundesregierung für die Integration der ausländischen Arbeitnehmer und ihrer Familienangehörigen, Bonn 1991, S. 7 f. sowie Hans-Ingo *von Pollern*, Die Entwicklung der Asylbewerberzahlen im Jahre 1991, in: *Zeitschrift für Ausländerrecht und Ausländerpolitik*, Nr. 1, 1992, S. 24-32; hier S. 29.

58 Vgl. Wilhelm *Heitmeyer*, Gesellschaftliche Desintegrationsprozesse als Ursachen von fremdenfeindlicher Gewalt und politischer Paralysierung, in: *APZ*, Nr. B 2-3/93, 8.1.1993, S. 3-13.

59 Vgl. Horst *Afheldt*, Sozialstaat und Zuwanderung, in: *APZ*, Nr. B 7/93, 12.2.1993, S. 42-52; hier S. 48. Zur Ost-West-Wanderung vgl. Volker *Ronge*, Ost-West-Wanderung nach Deutschland, in: ebd., S. 16-28. Vgl. Robin *Cohen*, East-West and European Migration in a Global Context, in: *New Community*, Nr. 18, 1991, S. 9-26. Zur Süd-Nord-Wanderung vgl. André *Postel-Vinay*, Nord-Sud: les flux migratoires, une fatalité?, in: *Futuribles*, Nr. 171, 1992, S. 3-33. Vgl. auch Karl-Heinz *Meier-Braun*, Die neue Völkerwanderung – Perspektiven für die Bundesrepublik Deutschland, in: *Zeitschrift für Kulturaustausch*, Nr. 2, 1992, S. 208-216.

60 Vgl. Albert *Mühlum*, Armutswanderung, Asyl und Abwehrverhalten: Globale und nationale Dilemmata, in: *APZ*, Nr. B 7/93, 12.2.1993, S. 3-15; hier S. 13 f.

einiger unter ihnen, z.B. aus den islamischen Ländern – kaum auf eine allmähliche nationale Assimilation zu hoffen. Von einer vagen »europäischen« Integration könnte vielleicht bei den ost- und südosteuropäischen Einwanderungsgruppen ausgegangen werden, deren eigene nationale und kulturelle Identität in den letzten Jahrzehnten geschwächt oder zerstört worden ist. Zum anderen kann aber auch die »multikulturelle« Gesellschaft weder den Einwanderern noch den Gastgebern gerecht werden: Bei den Einwanderern und Asylanten führt sie in der Regel nur zu einer Re-Ethnisierung, die sie auf primitivere politische Organisationsformen zurückwirft und sie nur folkloristisch stigmatisiert, ohne sie politisch effektiv einzubinden.[61] Auf der Seite der aufnehmenden Gesellschaft tendiert die »multikulturelle Gesellschaft« leicht zu einer kulinarisch-zynischen Haltung,[62] in der auch die Gemeinschaftsbindung und die Verbindlichkeit der eigenen Kultur verlorengeht. Man sollte besser davon ausgehen, daß alle zusammen – Eingesessene wie Migranten – bereits jetzt in einer Gesellschaft oder Kultur leben, die geprägt ist von einer weltumspannenden Unterhaltungs- und Freizeitindustrie, von einer gemeinsamen Konsumkultur und gemeinsamen Identifikationen, aber auch einem Strom von politischen Ereignissen und Unternehmensentscheidungen, denen sich keiner entziehen kann. Dieser Zustand ist allenfalls mit dem Begriff der »Transkulturalität« zu erfassen.[63] Das heißt aber auch, daß das Migrationsproblem derzeit – wenn überhaupt – nur »transnational« zu lösen ist: also weder von den Vereinten Nationen noch von einzelnen Nationalstaaten noch von regionalen Blockbildungen, sondern allein im Verbund der transnational führenden Mächte. Dies aber macht einen erheblichen Unterschied für die deutsche Außenpolitik, die eben weder als »Weltinnenpolitik« noch als »klassische Nationalstaatspolitik mit anderen Mitteln« (etwa karitativen, verfassungsrechtlichen oder sozialpolitischen Mitteln) fortzusetzen ist.[64]

6. Die Aufgabe der Außenpolitik hat sich in den letzten Jahren nicht nur in ihren funktionalen Bedingungen und strukturellen Voraussetzungen grundlegend geändert, sondern auch im Entscheidungsprozeß selbst,[65] der im Zeitalter der Informationsgesellschaft und einer globalen Realzeit-Berichterstattung über das Satellitenfernsehen bereits zu einer ganz neuen Form gefunden hat. Obwohl oder gerade weil die außenpolitische Elite in den Vereinigten Staaten wie in der Bundesrepublik klein und

---

61 Vgl. Albert F. *Reiterer*, Theorie der Ethnizität – eine allgemeine Enwicklungstheorie?, in: *Österreichische Zeitschrift für Politikwissenschaft*, Nr. 20, 1991, S. 59-71; hier S. 66 ff.

62 Vgl. Frank Olaf *Radtke*, Multikulturalismus – vier Formen der Ethnisierung, in: *Frankfurter Rundschau*, 19.6.1990.

63 Vgl. Wolfgang *Welsch*, Transkulturalität, in: *Information Philosophie*, Mai 1992, S. 5-20.

64 Weil die Außenpolitik hier versagt oder die Aufgabe gar nicht wahrnimmt, ist es ironischerweise der Bundesinnenminister, der 1990 eine »Flüchtlingskonzeption« vorgelegt hat, die die Fluchtursachen ganzheitlich mit Maßnahmen der Entwicklungs-, Wirtschafts- und Außenpolitik bekämpfen will. Vgl. Beate *Winkler*, Zukunftsangst Einwanderung, München 1992, S. 100.

65 Zu den unübersehbaren Forschungsdefiziten auf diesem Gebiet vgl. Helga *Haftendorn*, Zur Theorie außenpolitischer Entscheidungsprozesse, in: *Politische Vierteljahresschrift (PVS)*, Sonderheft Nr. 21, 1990, S. 401-423.

eher unsichtbar ist, gehört es doch zu den gesicherten Forschungsergebnissen, daß die
öffentliche Meinung – obwohl mehr aus »inneren« als aus »äußeren« Quellen ge-
nährt –[66] weitgehend die Richtung und die Durchführung der Außenpolitik bestimmt.[67] Der Einfluß ist zum Teil direkt, d.h. Meinungsänderungen in der Öffentlichkeit gehen grundlegenden außenpolitischen Entscheidungen der Regierung voran;
zum Teil mehr indirekt über die Wertschätzung der politischen Führung und des
Meinungsklimas, in dem sie arbeiten muß.[68] Dabei zeigt die öffentliche Meinung
in bezug auf außenpolitische Streitpunkte eine große Stabilität, Kohärenz und doch
auch Sensibilität.[69] Nach pragmatischen Gesichtspunkten der Angemessenheit und
Voraussehbarkeit der Reaktionen beurteilt, kann der öffentlichen Meinung eine gewisse »Rationalität« nicht abgesprochen werden. Freilich handelt es sich um eine
»Rationalität bei geringer Information«,[70] die jedoch den Vorzug hat, Extreme zu
vermeiden und in der Regel konsens- und kompromißfähig zu sein. Allerdings ist
diese öffentliche Meinung schwer formbar; den Politikern gelingt dies im allgemeinen
nur dann, wenn sie sich auf eine drohende »Krise« in den außen- oder sicherheitspolitischen Beziehungen berufen können – und Wahlkämpfe sind immer günstige Zeiten
für eine dramatisierte Krisenwahrnehmung.[71]

Diese Krisenaffinität der außenpolitischen Entscheidungen scheint bis heute bestimmend zu sein. Geändert hat sich jedoch die Form des Entscheidungsprozesses:
Während man früher angenommen hat, daß ein relativ stabiler Kern von Werthaltungen nur über »Meinungsführer« (seien es außenpolitische Amtsträger selbst
oder angesehene Journalisten) beeinflußt werden könne, so hat sich nun dank des
Satellitenfernsehens – das um Stunden schneller ist als die Lageanalysen des amerikanischen Geheimdienstes (CIA) und das den Präsidenten oder Außenminister
somit unter unmittelbaren Erklärungs- und Entscheidungszwang bringt – das ganze
Verfahren kurzschlußartig verkürzt. Der Präsident ist mit seinem unmittelbaren
Beraterstab allein. Dieser aber ist weder demokratisch legitimiert noch unbedingt
fachlich vorgebildet oder an den großen außenpolitischen Apparat gebunden, der

---

66 Vgl. Ole *Holsti*/James N. *Rosenau*, The Domestic and Foreign Policy Beliefs of American Leaders, in:
   Journal of Conflict Resolution, Nr. 32, 1988, S. 248-294. Vgl. James M. *Lindsay*, Testing the Parochial
   Hypothesis, in: *Journal of Politics*, Nr. 53, 1991, S. 860-876. Vgl. Geraint *Parry*, The Interweaving of
   Foreign and Domestic Policy-Making, in: *Government and Opposition*, 1993, S. 143-151.
67 Vgl. Benjamin I. *Page*/Robert Y. *Shapiro*, Effects of Public Opinion on Policy, in: *American Political
   Science Review*, Nr. 77, 1983, S. 175-190. Vgl. Wolfgang *Dobler*, Außenpolitik und öffentliche Meinung,
   Frankfurt a.M. 1989, S. 233.
68 Vgl. Eugene R. *Wittkopf*, Faces of Internationalism, Durham 1990, S. 220. Vgl. Miroslav *Nincic*/Barbara
   Hinckley, Foreign Policy and the Evaluation of Presidential Candidates, in: *Journal of Conflict Resolution*,
   Nr. 35, 1991, S. 333-355.
69 Vgl. Benjamin I. *Page*/Robert Y. *Shapiro*, Fifty Years of Trends in Americans' Policy Preferences, Chicago
   1992, S. XI.
70 Dies gilt auf seiten der Entscheidungsträger wie der Wähler; vgl. Yaacov Y.I. *Vertzberger*, The World in
   Their Minds, Stanford/Cal., 1990, S. 343 ff. Vgl. Samuel L. *Popkin*, The Reasoning Voter, Chicago 1991,
   S. 7.
71 Miroslav *Nincic*, Democracy and Foreign Policy, New York 1992, S. 121.

oft erst nachträglich die Konsequenzen zu klären versuchen kann.[72] Statt von der außenpolitischen Elite wird die Agenda nun häufig durch das Fernsehen festgesetzt; statt der Elitenmeinung dominiert die Ansicht des »Mannes auf der Straße«, die notwendigerweise die Problemlage auf einfache Perzeptionsschemata reduziert und vorschnell moralisiert, nichtsdestoweniger aber zu einer allgemeinen Plausibilität und interkulturellen Verständlichkeit der Entscheidungen beiträgt.

Unabhängig davon, wie dieser Kurzschlußprozeß der außenpolitischen Entscheidungsfindung zu bewerten ist, bleibt die Tatsache bestehen, daß dieses offene und vielleicht chaotisch erscheinende westliche Kommunikationssystem die Abschottung des hierarchisch und zentralistisch dirigierten sowjetischen Propagandasystems durchbrochen hat, ja daß die Bipolarität des »Kalten Krieges« durch die Unipolarität des westlichen Kommunikationssystems aufgelöst wurde und daß Deutschland zunächst durch das Fernsehen »wiedervereinigt« worden ist.[73] Im Unterschied zum Vietnam-Krieg, in dem Regierung und Militärführung der USA noch vergeblich gegen eine als subversiv angesehene Berichterstattung anrannten, ist nun das Fernsehen, in Verbindung mit Radio und Presse, selbst zum Instrument einer »Satelliten-Diplomatie« geworden.[74] Aktuelle Fernsehberichte über Ereignisse wie Tschernobyl oder den Aufstand am Tiananmen-Platz, den Fall der Berliner Mauer oder den gescheiterten Staatsstreich gegen Boris *Jelzin* waren nicht nur journalistische Berichte, sondern zugleich außenpolitische Kundgaben und/oder Einflußnahmen. Gewiß herrscht – schon durch den technischen Vorsprung, durch ein weltweit ausgebautes Organisationsnetz, aber eben auch dank des globalen politischen Interesses der Amerikaner – so etwas wie ein »amerikanischer Medien- und Nachrichtenimperialismus«. Die Franzosen konnten mit ihrer staatsgestützten »Frankophonie« hier keine Konkurrenz bieten, während die Europäer insgesamt hoffnungslos zerstritten sind. Auch die Vereinten Nationen sind mit ihrer auf die Ideologie nationaler Schutzzonen gegründeten »New World Information and Communication Order« (NWICO) gescheitert.[75] Aber im Rahmen eines globalen Konkurrenzsystems von regierungsunabhängigen Medien ist dies immer noch die bessere Lösung.

In diesem Wandel des außenpolitischen Entscheidungsprozesses spielen die Wertsetzungen und politischen Einstellungen eine vielleicht noch größere Rolle als früher. Unter dem Druck der Realzeit-Telekommunikation ist der »klassische Realismus«

---

72 Miroslaw *Nincic*, A Sensible Public, in: *Journal of Conflict Resolution*, Nr. 36, 1992, S. 772-789; hier S. 780 f. Vgl. Donald L. *Jordan*/Benjamin J. *Page*, Shaping Foreign Policy Opinions, in: ebd., S. 227-240. Vgl. Timothy J. *McNulty*, Television's Impact on Executive Decisionmaking and Diplomacy, in: *FFWA*, Winter 1993, S. 67-83; hier S. 71.

73 Vgl. William *Hachten*, The Triumph of Western News Communication, in: ebd., S. 17-34; hier S. 19.

74 Vgl. Patrick *O'Hefferman*, Mass Media and American Foreign Policy, Norwood, N.J., 1991, S. 67 ff. Vgl. Hansjürgen *Koschwitz*, Das Versagen der Abschreckung im Golf-Konflikt – ein Medienproblem?, in: *Außenpolitik*, II. Quartal, 1993, S. 127-134.

75 Vgl. Inge *Gräßle*, Fernsehen im Dienst der Außenpolitik, in: *EA*, 22/1992, S. 664-670; hier S. 665. Vgl. Everett E. *Dennis*, Communication, Media and the Global Marketplace of Ideas, in: *FFWA*, Winter 1993, S. 1-8; hier S. 2 ff.

nur noch schwer zu vermitteln, an seine Stelle tritt ein etwas kurzschlüssiger »Idealismus« oder »Moralismus«. Strategische Überlegungen und langfristige strukturelle Entwicklungen bleiben dabei weitgehend ausgespart. Insgesamt vollzieht sich in der politischen Einstellung – bei den jüngeren und gebildeteren Jahrgängen mehr als bei den älteren und weniger gebildeten – ein Schwenk zum »Postmaterialismus« mit einer Betonung von »Lebensqualität« und »Nullwachstum«, »Ökologie« und »sozialer Kommunikation«, »Entstaatlichung«, »Frieden«, »Abrüstung« und anderem.[76] In der außenpolitischen Orientierung der Deutschen kommt dieser Wertewandel darin zum Ausdruck, daß sie sich vor allem Verantwortung für humanitäre Maßnahmen, vorzugsweise im Rahmen der Vereinten Nationen, zuschreiben, die Beteiligung an kriegerischen Auseinandersetzungen ablehnen und glauben, allein durch Wirtschaftssanktionen oder allenfalls durch die Mitfinanzierung von Interventionen der internationalen Verantwortung Deutschlands genügen zu können.[77]

Prinzipien Und Prioritäten In Soziologischer Sicht

Prinzipien einer transnationalen Außenpolitik

Mit dem Ende einer vor allem geopolitisch ausgerichteten Abschreckungspolitik, die in struktureller und entwicklungspolitischer Hinsicht jedoch wenig ertragreich war, ist so ziemlich allen außenpolitischen Beobachtern im Gefolge des amerikanischen Präsidenten bewußt geworden, daß eine punktuelle Krisenpolitik, die zudem übermäßig zentralisiert und personalisiert ist, nicht mehr genügen kann.[78] Ebensowenig aber reicht eine bloße Stabilitätspolitik, die den atomaren oder militärstrategischen Status quo zu bewahren sucht, ohne die bevölkerungsmäßigen und wirtschaftlichen, die politischen und ökologischen, die gesellschaftlichen und kulturellen Entwicklungen mit einzubeziehen. Aber auch die alte »Laissez-faire-Politik«, die unter der tatsächlichen – militärischen wie technologischen, wirtschaftlichen wie finanziellen – Hegemonie gewissermaßen den freien Markt für die nationalen und internationalen Interessen der USA arbeiten lassen konnte, läßt sich nicht mehr fortsetzen.[79]

Erforderlich ist nun ein systemischer Ansatz bzw. die Herausbildung von systemischen Mechanismen oder Institutionen bzw. Regimen, die es ermöglichen, die neuen Probleme, Umwelt und Energie, Nichtweiterverbreitung von Atomwaffen und anderen Massenvernichtungswaffen, Bevölkerungswachstum und Migration, Hunger und Gesundheit, Drogen und Aids,[80] in Angriff zu nehmen und in einem kooperativen

---

76 Vgl. Karl-Heinz *Hillmann*, Wertewandel, Darmstadt 1989, S. 177 ff.
77 Vgl. Ronald D. *Asmus*, Deutschland im Übergang, in: *EA*, 8/1992, S. 199-211; hier S. 205.
78 Vgl. Lee H. *Hamilton*, A Democrat Looks at Foreign Policy, in: *FA*, Sommer 1992, S. 32-51; hier S. 49.
79 Vgl. Clyde V. *Prestowitz*, Beyond Laissez Faire, in: *FP*, Nr. 87, 1992, S. 67-87; hier S. 74.
80 Vgl. *Hamilton*, a.a.O. (Anm. 78), S. 35. Vgl. Theodore C. *Sorensen*, America's First Post-Cold War President, in: *FA*, Sommer 1992, S. 13-30; hier S. 29.

systemischen Management zu lösen.[81] Ganz gleich, welche besonderen Interessen es verfolgen mag oder welche Nöte es heimsuchen werden, muß Deutschland seinen Platz in diesem systemischen Management einnehmen, und die Prinzipien seiner Außenpolitik müssen mit denen der Vereinigten Staaten in den Grundzügen kompatibel sein.

In einer kooperativen Welt sind die obersten formalen Prinzipien der Außenpolitik ihre Glaubwürdigkeit und Zuverlässigkeit.[82] Um aber glaubwürdig sein zu können, muß sie zum einen erkennbaren moralischen Grundsätzen folgen, muß sie zumindest die noch schwache internationale Rechtsordnung wahren und die Institutionen und Praktiken der Diplomatie achten. Zum andern darf sie nicht überzogen und unrealistisch sein, wenn sie nicht in Rhetorik, im moralischen Appell (an die anderen) und in faktischer Hilflosigkeit enden will. Eine zuverlässige Außenpolitik muß funktional ausgerichtet sein, sie muß klare Prioritäten setzen, und sie muß sich einer politischen Allianz anschließen bzw. sich in eine Kooperation begeben, die tatsächlich den Willen und die militärischen, wirtschaftlichen und technologischen Mittel hat, um auch global für eine minimale Ordnung zu sorgen. Jede andere Außenpolitik wird illusorisch sein; sie wird knappe Energien nutzlos verschleudern, ihre eigenen Ziele verfehlen und auch noch die internationale Umwelt verunsichern. »Funktional« in diesem Sinn ist nur eine Außenpolitik, die sich nicht in symbolischen Gesten und Fensterreden erschöpft, die sich aber auch nicht heillos in die Probleme der anderen Staaten verstrickt. Daß der gegenseitige Vorteil und der eigene Nutzen bzw. das Wohl insbesondere der Partner, mit denen man eng und ständig zusammenarbeitet,[83] im Vordergrund steht, ist eine pragmatische Notwendigkeit und durchaus legitim. Natürlich sollte eine Außenpolitik auch moralisch attraktiv sein: zum einen muß sie die Unterstützung der eigenen Bevölkerung finden; zum andern sollte sie außenpolitische Partner ansprechen, die durch ihre Unterstützung die eigenen Kräfte stärken helfen.

Um bei begrenzten Mitteln effektiv sein zu können, wird es sich nicht vermeiden lassen, diese auf wenige sektorale und regionale Schwerpunkte zu konzentrieren. Für die USA steht regional die pazifische Gegenküste, funktional die Renovierung der eigenen Infrastruktur im Vordergrund.[84] Für Deutschland ist es die Wiedervereinigung, die Hilfe für Osteuropa und die Bündelung der Funktionen im Rahmen der

---

81 Vgl. C. Fred *Bergsten*, The Primacy of Economics, in: *FP*, Nr. 87, 1992, S. 3-24; hier S. 19.

82 Vgl. Alberto R. *Coll*, Power, Principles, and Prospects for a Cooperative International Order, in: *WQ*, Winter 1993, S. 5-13; hier S. 11.

83 Vgl. Alvin Z. *Rubinstein*, In Search of a Foreign Policy, in: *Society*, September 1992, S. 9-14; hier S. 12.

84 Der amerikanische Präsident *Clinton* nennt als das primäre Ziel die »wirtschaftliche Sicherheit der Nation«, das zweite Ziel ist der »Umbau der Streitkräfte«, das dritte die Stärkung »demokratischer Prinzipien« zuhause und überall in der Welt. Vgl. The Clinton Administration Begins (Rede vor dem Diplomatischen Korps am 18.1.1993), in: *Foreign Policy Bulletin* Nr. 4-5/1993, S. 4 ff. Zum Hintergrund vgl. Carnegie Endowment (Hrsg.), Changing Our Ways, Washington, D.C., 1992; Center for Strategic and International Studies, The CSIS Strengthening of Nation Commission, First Report, Washington, D.C., 1992. Vgl. Peter *Tarnoff*, An End to Foreign Policy, in: *Harvard International Review*, Nr. 14, 1992, S. 4-8. Vgl. Walter Russell *Mead*, An American Grand Strategy, in: *World Policy Journal (WPJ)*, Nr. 10, 1993, S. 9-37. Vgl. Chalmers *Johnson*, Rethinking Asia, in: *The National Interest*, Nr. 32, 1993, S. 20-28.

Europäischen Politischen Zusammenarbeit.[85] Für die USA wie für Deutschland ergibt sich eine realistische Entwicklungsperspektive nur in der Nutzung und im Ausbau der transnationalen Beziehungen sowohl im Rahmen der industriell-technologischen Kooperation (der OECD, der Gruppe der sieben wichtigsten Industrienationen, G-7) wie auch im Rahmen der militärischen Sicherheitsallianzen (NATO und SEATO, South-East Asian Treaty Organization). Nur eine enge Verbindung beider kann eine »Renationalisierung« Japans und Deutschlands – oder auch anderer europäischer Staaten wie Frankreich, England, Polen, usw. – verhindern.

Positiv gewendet verlangt dies jedoch die aktive Bereitschaft Deutschlands und Japans, an einer neuen kollektiven Führung teilzunehmen. Dafür ist auch eine neue Arbeitsteilung erforderlich: daß nämlich die USA mit Hilfe ihrer Allianzpartner zwar ihre globale sicherheitspolitische Position halten, gleichzeitig aber Japan und Deutschland stärker für die wirtschaftlichen und gesellschaftlichen Belange ihres politischen Umfelds sorgen.[86] Die USA und Westeuropa, Japan und Südkorea gehören zweifellos zum Kern dieser kollektiven Führung: hier hat auch Deutschland seinen Platz, außerhalb hätte es nur eine verminderte realpolitische Funktion.[87] Dies mag man moralisch bedauern, doch eine moralisierende Außenpolitik ohne funktionale Verankerung hat nur eine geringe Effektivität. Die Mittel einer funktionalen Außenpolitik aber müssen in einer effizienten Innen- und Wirtschaftspolitik erarbeitet werden: Die oft verborgene Rückseite der zunehmenden funktionalen Interdependenz und Transnationalisierung ist eben, daß die neu eröffneten Handlungs- und Bewegungsmöglichkeiten nur von dem wirklich politisch genutzt werden können, der genug Eigengewicht und eigene Richtungsimpulse einbringt.

Gesellschaftliche Prioritäten der deutschen Außenpolitik

Deutschland ist nur eine sekundäre Macht. Die erste Priorität ist daher ein realistischer Führungsanschluß an die großen Industrie- und Finanzmächte. Eine effektive

---

85 In diesen Punkten gibt es weithin Übereinstimmung; vgl. Dieter *Senghaas*, Was sind der Deutschen Interessen?, in: Siegfried *Unseld* (Hrsg.), Politik ohne Projekt? Nachdenken über Deutschland, Frankfurt a.M. 1993, S. 463-491. Vgl. Jürgen *Schwarz*, Deutschland im Strukturwandel Europas, München (Universität der Bundeswehr) 1991, S. 57-73. Vgl. Constantine C. *Menges*, The Future of Germany and the Atlantic Alliance, Washington, D.C., 1991. Vgl. Thomas *Kielinger*/Max *Otte*, Germany: The Pressured Power, in: *FP*, Nr. 91, 1993, S. 44-62. Vgl. Alfred *Mechtersheimer*, Friedensmacht Deutschland, Berlin 1993, S. 12. Vgl. Gregor *Schöllgen*, Angst vor der Macht, Berlin 1993, S. 127 ff. Sehr unterschiedlich sind jedoch die politischen und strategischen Folgerungen, die daraus gezogen werden. Während *Menges*, *Schwarz* und *Kielinger*/*Otte* für eine Beibehaltung oder Stärkung der deutsch-amerikanischen Beziehungen plädieren oder *Senghaas* einen pazifistischen Internationalismus (mit einer »gesamteuropäischen Friedensordnung«, S. 481 ff.) propagiert, tritt *Mechtersheimer* für einen »nationalen Pazifismus« ein (S. 169 ff.; S. 250 ff.) und *Schöllgen* unverhüllt für eine »europäische Großmacht«-Politik (S. 140).

86 Vgl. *Livingston*, a.a.O. (Anm. 6), S. 174. Was Japan betrifft vgl. Paul A. *Volcker*, The United States, Japan, and a Changing Global Economy, in: *WQ*, Nr. 16, 1993, S. 21-27. Vgl. Kenneth *Dam* et al., Harnessing Japan, in: ebd., S. 29-42. Tatsächlich ist die wirtschaftliche Verflechtung Japans mit seinem Umfeld schon weit fortgeschritten. Vgl. Hanns G. *Hilpert*, Die wirtschaftliche Verflechtung Japans mit der asiatisch-pazifischen Region, in: IFO-Schnelldienst, Nr. 3, 1993, S. 14-31.

87 Vgl. James M. *Goldgeier*/Michael *McFaul*, A Tale of Two Worlds, in: *IO*, Nr. 46, 1992, S. 467-491; hier S. 478.

Weltordnung kann nur erreicht werden, wenn sie von einer ausreichend großen Kerngruppe der wichtigsten Staaten getragen wird. Gemessen an der Wirtschaftskraft sind es die USA, Japan und Westeuropa, die zwei Drittel des Bruttosozialprodukts der Welt hervorbringen. Das heißt nicht etwa, daß die großen Entwicklungs- oder Schwellenländer wie Indien, Pakistan, Brasilien, China oder Rußland ausgeschlossen werden sollen, sie sollen vielmehr wirtschaftlich entwickelt und politisch integriert werden. Aber es macht erfahrungsgemäß wenig Sinn, wenn Nehmerländer über das Geld der Geberländer entscheiden und wenn Entscheidungen nicht von den funktional Zuständigen getroffen werden; umgekehrt kann eine Außenpolitik nur effektiv genannt werden, wenn es ihr gelingt, die Weltordnung in den zentralen Funktionen mitzubestimmen.

Für die Verlierer des Zweiten Weltkriegs, für Deutschland und Japan, war ursprünglich kein Platz in den Vereinten Nationen und in ihrem zentralen Organ, dem Sicherheitsrat. Doch andererseits wurde aus den Vereinten Nationen nicht, was aus ihnen hätte werden sollen, nämlich der Garant einer globalen Friedensordnung und einer die Dritte Welt umfassenden Entwicklungsgemeinschaft.[88] Doch mit der Abschaffung des Goldstandards 1971, mehr noch mit den Auswirkungen des ersten Ölkartells von 1973, sahen sich die stärksten Finanzmächte gezwungen, sich in der »Gruppe der Fünf« (USA, Japan, Großbritannien, Frankreich, Bundesrepublik Deutschland) zusammenzutun, um wenigstens für den eigenen Bereich einen Zusammenbruch der Finanzmärkte zu verhindern. Die Zusammenkünfte waren zunächst eher informell und ad hoc, was immerhin eine pragmatische Behandlung der Probleme in einem lockeren, gemeinsamen Management erlaubte.[89] In den achtziger Jahren jedoch formalisierten sie sich und versuchten, eine Funktion zu übernehmen, die die VN und der Sicherheitsrat nicht erfüllen konnten, nämlich die politische Ordnung der Welt in bezug auf Probleme des Ost-West-Konflikts, des internationalen Terrorismus, der Abrüstung und der Waffenkontrolle.[90]

Nach der tatsächlichen Beendigung des Kalten Krieges aber gilt es, eine globale ökonomische und politische Architektur aufzubauen. Dafür scheint – jedenfalls aus der Perspektive Deutschlands – die Siebenergruppe besser geeignet als die Vereinten Nationen. Allerdings ist eine institutionelle Reform erforderlich: weg von den zum öffentlichen Spektakel ausgearteten Gipfelkonferenzen der Regierungschefs ohne institutionelles Gedächtnis und Erfolgskontrolle, hin zu einer kontinuierlich arbeitenden Koordinationsstelle mit fachlicher Rekrutierung.[91] Vor allem wird es in Zukunft darum gehen, eine neue internationale Handels- und Finanzordnung auszuhandeln, wobei der Markt vor allem für die Länder hinter dem früheren Eisernen Vorhang

---

88 Zur Einschätzung der UN, ihrer tatsächlichen Funktion und möglichen Entwicklung vgl. Kim R. *Holmes*, New World Disorder, in: *JIA*, Nr. 46, 1993, S. 323-340. Vgl. Peter J. *Fromuth*, The Making of a Security Community, in: ebd., S. 341-366. Vgl. James Nathan *Rosenau*, The United Nations in a Turbulent World (International Peace Academy), Boulder 1992.

89 Vgl. Flora *Lewis*, The »G-7 1/2« Directorate, in: *FP*, Nr. 85, 1991, S. 25-40; hier S. 40.

90 Vgl. William R. *Smyser*, Goodbye, G-7, in: *WQ*, Nr. 16, 1993, S. 15-28; hier S. 18.

91 Vgl. G. John *Ikenberry*, Salvaging G-7, in: *FA*, Frühjahr 1993, S. 132-139.

geöffnet werden muß. Zu diesem Zweck muß die G-7 erweitert werden zu einer G-9, in die auch Rußland und China aufgenommen werden. Diese G-9-Treffen blieben wohl oder übel Gipfeltreffen der Regierungschefs, und somit wechselnden innen- und außenpolitischen Zwecken untergeordnet; dagegen aber sollten die zentralen Währungs- und Finanzprobleme weiterhin in der Siebenergruppe entschieden werden, die fern von der Weltbühne agiert und sich aus Mitgliedern zusammensetzt, die tatsächlich heute schon das Sagen haben, nämlich den Zentralbankpräsidenten, den Finanzministern, den Vertretern der OECD und des IWF. Gelingt dies nicht, droht die Weltwirtschaft auseinanderzudriften in eine Reihe von miteinander konkurrierenden und dann bilateral verhandelnden Wirtschaftsblöcken wie EU und NAFTA (North American Free Trade Area), einer chinesischen und japanischen Wirtschaftszone. Deutschland, das Exportland Nummer eins in der Welt, hat das größte Interesse daran, daß dies nicht geschieht, während dies kein vordringliches Problem der VN ist, die sich von einer Regionalisierung oder Blockbildung eher eine Erleichterung ihrer Probleme erwarten.

Eine ähnliche Priorität ergibt sich für Deutschland im Sicherheitsbereich, nämlich für eine Weiterentwicklung der NATO und nicht für eine Europäische Verteidigungsgemeinschaft (»European Defence Union«, EDU, oder »European Security Organization«, ESO), nicht für eine »Sicherheitsgruppe« innerhalb der KSZE und auch nicht für eine weitergehende Übertragung der Kommandogewalt an die Vereinten Nationen.[92] Die NATO ist nicht nur der bestorganisierte Kern einer tatsächlich wirksamen Sicherheitsordnung, unterfüttert von einer Reihe von reibungslos funktionierenden Regimen (vom Nuklearregime und einem umfassenden logistischen System bis zur technologischen Entwicklung und einem weltumspannenden Informationsnetz)[93], während die KSZE bestenfalls ein Forum bietet. Jeder Vorschlag einer »europäischen Verteidigungsgemeinschaft« ist bisher ein architektonisches Phantasiegebilde ohne Logistik und klare Kommandostruktur geblieben. Die NATO ist auch die einzige Sicherheitsordnung, die dem deutschen Interesse nach Verklammerung von konventioneller und nuklearer Ebene, von sicherheitspolitischer Einbindung und wirtschaftlicher Öffnung, von europäischer und globaler Komponente entspricht. Die Sicherung weltweiter Märkte und einer diversifizierten Rohstoffversorgung, aber auch die Kontrolle der nuklearen Proliferation sowie die Verifikation und technische Durchführung des Abbaus von Atomwaffen ist nur mit einer amerikanischen Beteiligung möglich, ebenso eine Eindämmung der denkbaren Konflikte zwischen einigen Nachfolgestaaten der Sowjetunion oder osteuropäischen Staaten wie die Verhinderung einer massenhaften und chaotischen Ost-West-Migration.[94] Wenn auch die Rede von

---

92 Vgl. Malcolm *Chalmers*, Beyond the Alliance System, in: *WPJ*, Nr. 7, 1990, S. 215-249. Vgl. Clifford A. *Kupchan*, Security and the Future of Europe, in: *International Security*, Nr. 16, 1991, S. 114-161. Vgl. Volker *Rühe*, Shaping Euro-Atlantic Policies, in: *Survival*, Nr. 35, 1993, S. 129-137.

93 Vgl. Gerhard *Wettig*, Sicherheit in Europa – eine herausfordernde Aufgabe, in: *Außenpolitik*, I. Quartal, 1992, S. 3-11; hier S. 6 f.

94 Vgl. Michael *Broer/*Ole *Diehl*, Die Sicherheit der neuen Demokratien in Europa und die NATO, in: *EA*, 12/1991, S. 367-376; hier S. 372. Vgl. Karl *Kaiser*, Die deutsch-amerikanischen Sicherheitsbeziehungen in Europa nach dem Kalten Krieg, in: *EA*, 1/1992, S. 7-17.

den »Partnern in der Führung« zu hoch gegriffen ist,[95] so nimmt die Bundesrepublik – jedenfalls in bezug auf Europa – doch eine Schlüsselstellung in der NATO ein. Für diese Position gibt es in keinem der diskutierten alternativen Sicherheitskonzepte einen Ersatz. Deutschland kann kein Interesse am Abbau der NATO haben; vielmehr gilt ihr vorrangiges Interesse – in Übereinstimmung mit den osteuropäischen Ländern, die darin einen Schutz gegen eine deutsche wie eine russische Hegemonie sehen – einer Erweiterung der NATO nach Osten.[96]

Eine zweite außenpolitische Priorität, die jedoch nur in der G-9-Einbindung realisiert werden kann, ist die wirtschaftliche, politische und gesellschaftliche Integration Osteuropas.[97] Dies ist eine Aufgabe, die niemand Deutschland abnehmen wird, obwohl das Mißtrauen der westlichen Partner jetzt schon erdrückend ist.[98] Es wird weitgehend vom Engagement der EU-Länder – allerdings auch von der internationalen Wirtschaftsentwicklung – abhängen, ob eine positive europäische Integration möglich sein wird oder ob eine deutsche Hegemonialzone entstehen wird – von den noch übleren Möglichkeiten einer erneuten Blockbildung oder der Abkapselung Rußlands einmal abgesehen.[99] Diese Integration ist einerseits viel zu sehr aus der Not geboren, als daß es einen »architektonisch« durchdachten Plan geben könnte; aber andererseits ist Osteuropa Westeuropa so nahe, daß letztlich nur eine transnationale gesellschaftliche Angleichung und Integration Erfolg haben kann, während jedes Stehenbleiben auf einer Vorstufe einer vollen Integration zum Scheitern verurteilt sein wird. Ein politischer Spielraum und ein positives politisches Ziel eröffnet sich erst mit der Demokratisierung des politischen Systems und der Schaffung eines sozialen Rechtsstaats und dem Wiederaufbau von Industrie und Landwirtschaft über marktwirtschaftliche Methoden und den Anschluß an die multinationalen und globalen Unternehmen.

Aber hier sind gleichzeitig die politischen Einflußmöglichkeiten gering: die Reform muß von innen heraus erfolgen, und sie wird nicht einfach die Muster der bereits etablierten liberalen westlichen Industriegesellschaften oder postindustriellen Gesellschaften übernehmen können. Hier können die osteuropäischen Staaten oder Regierungen eine Menge für die richtige Weichenstellung tun, doch letztlich ist entscheidend, ob das osteuropäische Humankapital mobilisiert werden kann, ob die Menschen die notwendige Einsatzbereitschaft und Flexibilität aufbringen, um mit anderen aufsteigenden Gesellschaften vor allem in Ost- und Südostasien konkurrieren zu können.[100] Hier aber geht es um einen Wettlauf mit der Zeit.

---

95 Vgl. Ronald D. *Asmus*, Germany and America: Partners in Leadership, in: *Survival*, Nr. 33, 1991, S. 546-566; hier S. 549.

96 Vgl. Fred *Chernoff*, Arms Control, European Security and the Future of the Western Alliance, in: *Strategic Review*, Winter 1992, S. 19-31.

97 Vgl. *Livingston*, a.a.O. (Anm. 6), S. 166 f. Vgl. *Hamilton*, a.a.O. (Anm. 78), S. 127; Anthony *Hartley*, The Once and Future Europe, in: *The National Interest*, Nr. 26, 1991/92, S. 44-53; hier S. 49 ff. James *Kurth*, Things to Come, in: ebd., Nr. 24, Sommer 1991, S. 3-12; hier S. 5 f. Gregory F. *Treverton*, America, Germany, and the Future of Europe, Princeton N.J., 1992, S. 199 ff.

98 Vgl. Michael J. *Brenner*, EC Confidence Lost, in: *FP*, Nr. 91, 1993, S. 24-43; hier S. 34 ff.

99 Vgl. Seppo *Remes*, East European Futures Scenarios, in: *Futures*, Nr. 24, 1992, S. 138-143.

100 Vgl. Ervin *Laszlo*, New Opportunities for Eastern Europe, in: ebd., S. 167-172; hier S. 170.

Für Deutschland ergibt sich daraus – soweit das überhaupt in seiner Macht steht – das Problem einer äußerst schwierigen doppelten Balance, nämlich einerseits zwischen West- und Osteuropa (oder der EU und Paneuropa), andererseits zwischen den osteuropäischen Ländern und den Nachfolgestaaten der Sowjetunion. Eine Schlüsselrolle nimmt dabei das Verhältnis von Deutschland und Polen ein, das nur rhetorisch mit dem von Deutschland und Frankreich gleichgesetzt werden kann. Im Gegensatz zu der gut behaupteten politischen Führungsrolle Frankreichs ist Polen hin- und hergerissen zwischen der Furcht vor einer deutschen wirtschaftlichen Kolonisation und der Angst, mit seinen Problemen im Stich gelassen zu werden. Eine auch gesellschaftlich tragfähige Integration Rußlands und der Ukraine aber wird nur über eine Rekonsolidierung von Polen, der Tschechischen und der Slowakischen Republik sowie Ungarns möglich sein, oder Rußland wird – wenn hier die Reformen scheitern oder auch wenn die Wirtschaftsentwicklung vorankommt, diese Länder jedoch sich völlig dem Westen unterordnen und sich gegen Osten abgrenzen – seinen (dann allerdings unberechenbaren) Weg alleine gehen müssen.

Fast noch schwieriger ist eine breit angelegte Verbindung zwischen West- und Osteuropa: Gerade wenn die Reformen einen gewissen Erfolg haben und wenn Deutschland die Hauptrolle spielt, ist die bisherige Position Frankreichs verloren, sind auch die »Vertiefung« der EU und die Vereinbarungen von Maastricht Makulatur.[101] Der Abwanderung Deutschlands nach »Mitteleuropa« und der Renationalisierung des gesamten Europa kann überhaupt nur durch die Einbeziehung der USA und Japans vorgebeugt werden.[102] Dies ist umso mehr erforderlich, als die Westeuropäer sich bisher in der Uruguay-Runde, im Abbau der Osteuropa behindernden Agrarsubventionen, in der schnellen Klärung der sicherheitspolitischen oder wirtschaftlichen Assoziation der osteuropäischen Länder kaum bewegt haben.[103] Je stärker Deutschland, das bei dieser Aufgabe allerdings auch leicht scheitern kann, aus diesem unkalkulierbaren Integrations- oder auch Desintegrationsprozeß hervorgeht, desto wichtiger wird sein, daß seine bilateralen Beziehungen mit den verschiedenen osteuropäischen Ländern eingebettet bleiben in das Geflecht multilateraler Beziehungen, die im Westen in den letzten dreißig Jahren mühsam aufgebaut worden sind.

Trotz der kritischen Rolle für eine osteuropäische Integration und der damit verbundenen äußersten finanziellen Anstrengung kann sich Deutschland nicht von den Problemen der Dritten Welt zurückziehen. Zum einen haben, negativ betrachtet, die Probleme des »Südens« begonnen, alle Länder des »Nordens« in gleicher

---

101 Vgl. *Hartley*, a.a.O. (Anm. 97), S. 49. Vgl. Martin *Feldstein*, Why Maastricht Will Fail, in: *The National Interest*, Nr. 32, Sommer 1993, S. 12-19. Vgl. Philippe *Moreau Defarges*, La crise du politique et la tournement de Maastricht, in: *Politique étrangère*, Nr. 1, 1993, S. 21-33.

102 Vgl. Gerhard *Wettig*, Veränderte nationale Problematik in Europa, in: *Außenpolitik*, I. Quartal, 1993, S. 66-75. Vgl. Anthony D. *Smith*, A Europe of Nations – or the Nation of Europe?, in: *Journal of Peace Research*, Nr. 30, 1993, S. 129-135. Vgl. Henry A. *Kissinger*, Die künftigen Beziehungen zwischen Europa und den Vereinigten Staaten, in: *EA*, 23/1992, S. 671-679; hier S. 674. Vgl. Adrian A. *Basora*, Central and Eastern Europe, in: *WQ*, Winter 1993, S. 67-78.

103 Vgl. David *Allen*/Michael *Smith*, The European Community in the New Europe, in: *International Journal*, Nr. 47, 1991/92, S. 1-28; hier S. 14 ff.

Weise zu bedrohen, nämlich durch eine Massenzuwanderung aus dem südlichen Mittelmeerraum, durch Umweltzerstörung, durch die Ausbreitung von ansteckenden Krankheiten und Drogen, aber auch durch internationale Verbrechersyndikate, durch politischen Terror oder die Weiterverbreitung von Atombomben und anderen Massenvernichtungswaffen.[104] Die Nichtrückzahlbarkeit der Schulden ist dabei kaum noch als Problem zu bezeichnen. Der schlimmste Fall für Deutschland aber bestünde darin, daß sich die negativen Erscheinungen des »Ostens« mit denen des »Südens«, beispielsweise durch Schlepperorganisationen, durch die Mafia und den Waffen- oder Drogenhandel, verbinden. Zum andern kann, auch positiv definiert, die außenpolitische Rolle Deutschlands nicht in der Entwicklungspolitik der Europäischen Union aufgehen: Obwohl Deutschland den größten Teil (28 Prozent) der EU-Hilfen für die Dritte Welt leistet, wird der größere Teil der Entwicklungshilfe national aufgebracht und über bilaterale Beziehungen plaziert. Dabei zeigt sich aber, daß Frankreich und Großbritannien, indem sie Rohstoffe aus dem Süden beziehen und Industrieerzeugnisse dorthin liefern, immer noch ein eher koloniales Beziehungsmuster fortsetzen, während Deutschland, indem es ein Hin und Her von Industriegütern und Dienstleistungen gibt, erste Schritte macht, um eine postkoloniale Ära zu eröffnen. Es ist wichtig, daß Deutschland diese Position hält, und zwar gerade gegenüber dem Mittleren Osten und Nordafrika oder Südostasien, wo es besonders engagiert ist. In einer Zeit, in der sich einerseits die Länder der Dritten Welt weiter voneinander entfernt haben, so daß von einer gemeinsamen Verhandlungsposition keine Rede mehr sein kann, während andererseits die USA, Japan und die EU fast nur noch damit beschäftigt sind, ihre internen Wirtschaftsprobleme und ihre wirtschaftlichen Beziehungen untereinander zu regeln,[105] kommt es darauf an, daß Deutschland diese Beziehungen offenhält. Allerdings ist wenig gedient mit einem »sozialen Internationalismus«, in dem die Entwicklungshilfe zur staatlichen Sozialhilfe degeneriert, während sich die Banken zurückziehen, und jede unternehmerische Initiative erstickt.

---

104 Vgl. Christopher *Stevens*, The EC and the Poor Countries in the 1990s, in: *BPP*, Nr. 23, 1992, S. 185-196; hier S. 193 f. Vgl. Steven R. *David*, Why the Third World Matters, in: *International Security*, Nr. 14, 1989, S. 50-85; hier S. 59 ff. Vgl. Rajendro K. *Jain*, Das vereinigte Deutschland und der Süden, in: *Außenpolitik*, II. Quartal, 1993, S. 191-200. Vgl. Mir A. *Ferdowsi*, Probleme und Perspektiven der Transformationsprozesse in Ost- und Südosteuropa, in: *EA* 9/1993, S. 249-255. Vgl. Rainer *Falk*, Perspektiven einer neuen Nord-Süd-Politik, in: *Blätter für deutsche und internationale Politik*, Nr. 6, 1993, S. 662-672.
105 Vgl. John *Ravenhill*, The North-South Balance of Power, in: *IA*, Nr. 66, 1990, S. 731-748; hier S. 731 und S. 743.

PERSONENREGISTER

DIE AUTOREN

Bühl, Prof. Dr. Walter L., Institut für Soziologie der Ludwig-Maximilians-Universität München.

Haftendorn, Prof. Dr. Helga, Professorin für Politische Wissenschaft unter besonderer Berücksichtigung der Theorie, Empirie und Geschichte der Außen- und Internationalen Politik an der Freien Universität Berlin; Leiterin der Arbeitsstelle für Transatlantische Außen- und Sicherheitspolitik.

Kaiser, Prof. Dr. Dr. h.c. Karl, Otto-Wolff-Direktor des Forschungsinstituts der Deutschen Gesellschaft für Auswärtige Politik, Professor für Politische Wissenschaft an der Rheinischen Friedrich-Wilhelms-Universität Bonn.

Kloten, Prof. Dr. rer. pol., Drs. rer. pol. h.c. Norbert, Professor für Volkswirtschaftslehre an der Universität Tübingen, seit 1976 Honorarprofessor. Seit 1992 Inhaber einer Stiftungsprofessur an der Humboldt-Universität in Berlin. Ehrendoktor der Universitäten Karlsruhe und Stuttgart. Bis 1992 Präsident der Landeszentralbank in Baden-Württemberg, Mitglied des Zentralbankrats der Deutschen Bundesbank.

Kühnhardt, Prof. Dr. Ludger, Professor für Politische Wissenschaft und Direktor des Seminars für Wissenschaftliche Politik an der Albert-Ludwigs-Universität Freiburg.

Maull, Prof. Dr. Hanns W., Lehrstuhl für Außenpolitik und Internationale Beziehungen, Universität Trier.

Nerlich, Uwe, Mitglied der Institutsleitung im Forschungsinstitut der Stiftung Wissenschaft und Politik (SWP), Ebenhausen.

Schwarz, Prof. Dr. Hans-Peter, Vorsitzender des Wissenschaftlichen Direktoriums des Forschungsinstituts der Deutschen Gesellschaft für Auswärtige Politik, Lehrstuhl für Wissenschaft von der Politik und Zeitgeschichte an der Rheinischen Friedrich-Wilhelms-Universität Bonn.

Stürmer, Prof. Dr. Michael, ord. Professor für Mittlere und Neuere Geschichte, Friedrich-Alexander-Universität Erlangen-Nürnberg, seit 1988 Direktor des Forschungsinstituts für Internationale Politik und Sicherheit der Stiftung Wissenschaft und Politik (SWP), Ebenhausen.

Tomuschat, Prof. Dr. Christian, Direktor des Instituts für Völkerrecht der Rheinischen Friedrich-Wilhelms-Universität Bonn, Mitglied der Völkerrechtkommission der Vereinten Nationen 1985 – 1996, Vorsitzender der Deutschen Gesellschaft für Völkerrecht.